HEYNE ‹

GW00393895

Zum Buch

Seit der Aufdeckung des Fahlenberger Klinikskandals ist der Psychiater Jan Forstner gegen seinen Willen zu einer lokalen Berühmtheit geworden. Deshalb misst er den Geschenken einer unbekannten Verehrerin zunächst auch keine Bedeutung bei. Doch dann wird ein Journalist ermordet, der Jan um Mithilfe in einem mysteriösen Fall gebeten hatte. Ein Fall, der mit einer rätselhaften Frau in Zusammenhang stand.

Jan erkennt, dass er ins Visier einer Wahnsinnigen geraten ist, die ein perfides Spiel mit ihm treibt. Doch wer ist die Frau mit den zwei Gesichtern? Die Suche nach der Identität der Mörderin führt den Psychiater in einen Alptraum aus Paranoia und seelischer Grausamkeit, aus dem es kein Entrinnen zu geben scheint. Und die einzige Person, die ihm helfen könnte, ist zum Schweigen verdammt.

Zum Autor

Wulf Dorn, Jahrgang 1969, schreibt seit seinem zwölften Lebensjahr. Seine Kurzgeschichten erschienen in Anthologien und Zeitschriften und wurden mehrfach ausgezeichnet. Mit seinem Debütroman *Trigger* gelang ihm sofort ein Bestseller, die Verfilmung des Romans befindet sich in Vorbereitung. Inzwischen wurden seine Romane in zahlreiche Sprachen übersetzt. Besuchen Sie die Website des Autors unter www.wulfdorn.net

Lieferbare Titel
Trigger
Kalte Stille

WULF DORN

DUNKLER WAHN

THRILLER

WILHELM HEYNE VERLAG
MÜNCHEN

Verlagsgruppe Random House FSC® N001967
Das für dieses Buch verwendete
FSC®-zertifizierte Papier *Holmen Book Cream*
liefert Holmen Paper, Hallstavik, Schweden.

3. Auflage
Vollständige deutsche Taschenbuchausgabe 02/2013
Copyright © 2011 by Wulf Dorn
Copyright © 2011 by Wilhelm Heyne Verlag, München,
in der Verlagsgruppe Random House GmbH
Printed in Germany 2013
Redaktion: Heiko Arntz
Umschlaggestaltung: Eisele Grafik-Design, München
unter Verwendung der Fotos von © Shutterstock/Eky Studio
und Istockphoto/Tunart
Satz: Christine Roithner Verlagsservice, Breitenaich
Druck und Bindung: GGP Media GmbH, Pößneck

ISBN: 978-3-453-43701-2

www.heyne.de

Für meine Mutter,
auch wenn sie keine Geistergeschichten mag.

Und für Xaver und Karoline.

Im Krieg und in der Liebe ist alles erlaubt.

SPRICHWORT

»I'm your biggest fan, I'll follow you until you love me.«

»Paparazzi« LADY GAGA

EIN UNSIGNIERTER BRIEF

Liebster Jan,

keine Geschichte hat ein Happy End. Mag Richard Gere noch tausendmal die Feuerleiter emporsteigen und seine Pretty Woman küssen, es ist alles nur Illusion.

Denn wie sehr wir auch darauf hoffen, wie sehr wir es uns auch ersehnen mögen, der Kuss vor dem Abspann ist dennoch eine Lüge. Er ist der als Ende getarnte Beginn. Entscheidender ist doch, was ihm folgt.

Hingegen sind die Märchen, die man uns in der Kindheit erzählt hat, sehr viel ehrlicher. Hast Du schon einmal über den Satz nachgedacht, den man am Ende fast jeden Märchens findet?

Und sie lebten glücklich bis an ihr Lebensende.

Darin steckt die unausweichliche Wahrheit. Denn am Ende steht immer der Verlust. Und das Zynische daran ist, dass er umso heftiger schmerzt, je glücklicher Du zuvor gewesen bist. Wenn Du eines Tages diesen Brief erhältst, werden wir beide gelitten haben, und der Schmerz wird unbeschreiblich sein. Es wird der Moment sein, in dem Du begreifst, was wahre Liebe wirklich bedeutet und dass nichts auf dieser Welt durch Zufall geschieht.

Glaub mir, so schlimm es auch werden wird, Du wirst mir für diesen Schmerz dankbar sein. Nein, mehr noch. Du wirst mich dafür lieben. So, wie ich Dich jetzt schon liebe. Jetzt, wo Du noch nicht einmal von mir weißt.

In Gedanken bin ich immer bei Dir. Und bald schon wirst auch Du mich nie wieder vergessen können.

NACH DEM REGEN

Als der Schock ein wenig nachließ, waren die Krähen vor dem Fenster das Erste, das Jan Forstner wieder bewusst wahrnahm. Sechs dunkle Gestalten, reglos aufgereiht auf dem ausladenden Ast einer Blutbuche, und hinter ihnen der stahlgraue Himmel.

Die Krähen schienen auch ihn zu sehen. Sie hockten da wie sechs Richter in schwarzer Robe, bereit, das Urteil über Jan zu sprechen.

Schuldig.

Jan saß auf einem der Besucherstühle, die Hände um die Sitzfläche gekrampft. Er fühlte sich wie betäubt. Als ob ihn eine Glasglocke von der Welt abschirmte.

Der Widerhall der Stimmen und Schritte auf dem Krankenhausflur klang merkwürdig dumpf. All die Pfleger und Polizisten, Ärzte und Patienten, die an ihm vorbeieilten, kamen ihm gesichtslos vor. Er sah sie wie helle und dunkle Schatten, die man bei einer Karussellfahrt wahrnimmt. Surreale Bilder aus einer anderen Welt.

Nur sein Zittern fühlte sich real an. Jan fror. Gott, wie sehr er fror! Ein unkontrollierbarer Schüttelfrost, der seine Zähne klappern ließ. Nicht einmal die Wolldecke, die man ihm um die Schultern gelegt hatte, half dagegen. Wie auch? Diese eisige Kälte kam von innen. Sie war neurologisch bedingt, sagte der Arzt in ihm. Eine Reaktion auf den Schock.

»Zurückbleiben«, rief eine Männerstimme. »So bleiben Sie doch zurück!«

Jan wandte den Kopf zu dem Zimmer, in dem es geschehen war. Da war nur wenig Blut gewesen. Nur ein paar Spritzer auf dem Linoleum, und doch …

Jemand sprach ihn an. Eine Schwester. Er konnte ihr Gesicht dicht vor sich sehen, erkannte, dass sie etwas sagte. Doch er verstand ihre Worte nicht. Ihre Stimme klang wie aus weiter Ferne.

»Dr. Forstner, hören Sie mich?«

Er nickte.

»Bleiben Sie hier sitzen, der Arzt ist gleich bei Ihnen.«

Was glaubst du dämliche Kuh, was ich sonst machen werde, wollte er sie anschreien. *Aufstehen und wegspazieren? Ich kann froh sein, wenn ich nicht gleich von diesem billigen Stuhl kippe.*

Wieder nickte er nur und bekam ein Lächeln zum Dank, das wohl aufmunternd gemeint war. Dann wich die Schwester zurück und machte Platz für zwei Männer, die eine abgedeckte Bahre aus dem Krankenzimmer trugen.

Jan starrte auf die Bahre. Es schien, als würde sie an ihm vorbeischweben – langsam, ganz langsam –, und als sie genau auf Jans Höhe angekommen war, sah er die Hand, die teilweise unter dem Laken hervorschaute.

Drei Finger. Schlank. Bleich. Rotbrauner Nagellack. Dieselbe Farbe, die auch die Spritzer auf dem Boden des Krankenzimmers annehmen würden, wenn sie zu trocknen begannen.

Vor seinem geistigen Auge erschien Carla. Sie saß im Bademantel auf der Wohnzimmercouch und hatte die gewaschenen Haare unter einem Handtuchturban verborgen. In den Sandelholzduft ihrer Hautlotion mischte sich der beißende Geruch von frischem Nagellack. Sie lachte Jan an und pustete über ihre Fingerkuppen.

Magst du die Farbe?

»Nein«, flüsterte er. »Jetzt nicht mehr.«

Das Bild verblasste. Carla war verschwunden. Die Bahre war verschwunden. Stattdessen wieder die Karussellschatten um ihn.

Eine Hand legte sich auf seine Schulter.

»Sie müssen jetzt stark sein, Jan.«

Jan sah hoch und erkannte den Polizisten mit der Narbe in der Braue. Wie war doch noch sein Name? Jan konnte sich nicht erinnern. Sein Kopf war so leer.

»Stark«, flüsterte er tonlos.

Noch immer hockten die Krähen vor dem Fenster. Jan spürte ihre anklagenden Blicke und glaubte, ihr Krächzen in seinem Kopf zu hören.

Es klang wie »*Schuldig, schuldig, schuldig*«, und er dachte: *Ich hätte den Strauß nicht annehmen sollen. Diesen gottverdammten Rosenstrauß!*

Denn damit hatte alles begonnen.

TEIL 1

LIMERENZ

»Ich weiß, viele der Nachrichten, die ich an Deiner Tür und in Deinem Briefkasten hinterlassen habe, waren eine Belästigung, aber ich dachte, es sei der einfachste Weg für mich, Dir meine Liebe auszudrücken.«

Aus einem Brief von John Hinckley jr. an Jodie Foster, geschrieben am 30. März 1981, wenige Stunden, ehe er ein Attentat auf US-Präsident Reagan verübte, um die Schauspielerin zu beeindrucken.

1

Nachdem die Sprechstunde beendet und seine letzte Patientin für diesen Tag auf ihr Zimmer zurückgegangen war, holte Dr. Jan Forstner ein belegtes Brötchen aus der Schreibtischschublade und trat ans Fenster. Lustlos kaute der Psychiater das fade, weiche Etwas, das ihm eine Cafeteria-Mitarbeiterin als »Ciabatta speciale« angepriesen hatte, und sah in den dunklen Oktoberabend hinaus.

Der Wetterdienst hatte für diese Woche anhaltenden Regen angekündigt und Recht behalten. Dicke Tropfen hämmerten gegen die Fensterscheibe und rannen tränengleich über das Glas. Ein starker Ostwind trieb schwarze Wolken über den Abendhimmel und wirbelte das Herbstlaub durch den Park der Waldklinik. Es war, als würde die Natur noch einmal gegen das nahende Ende des Jahres aufbegehren, ehe ihr der Winter das Leben raubte.

Hinter den meisten Fenstern der umliegenden Stationsgebäude brannte Licht, nur die ehemalige Direktorenvilla lag gänzlich im Dunkeln. Dort, wo sich einst deren Garten befunden hatte, standen nun mehrere Baucontainer, Paletten mit Gerüstteilen und zwei Plastiktoiletten.

Bald würde man mit den Umbauarbeiten beginnen, und eine neue Abteilung für Kinder- und Jugendpsychiatrie würde entstehen. Ein Projekt, für das sich Jan in den letzten Monaten starkgemacht hatte und das nun endlich umgesetzt werden sollte. Es war ein mühsamer Weg durch den Bürokratiedschungel der Behörden gewesen, und Jan hatte kaum glauben können, wer alles hierzu seine Zustimmung geben musste, doch letztlich hatten er und das Projektteam sämtliche Hürden gemeistert, worauf sie zu Recht stolz waren.

Jan sah eine gebeugte Gestalt, die im schwachen Schein der Parkleuchten durch den Regen eilte und dann um eine Wegbiegung verschwand. Gleich darauf fuhr ein Lieferwagen in Richtung der Pforte davon. Seine Scheinwerfer erhellten den Regen, der auf dem Asphalt tanzte.

Jan ließ den Rest des Brötchens im Papierkorb verschwinden und widmete sich dem Bericht über seine letzte Patientin. Eine verschüchterte Siebzehnjährige, die von einer Gruppe anderer Mädchen gezwungen worden war, sich einen Hundehaufen im Gesicht zu verreiben. Kurze Zeit später war das Handyvideo auf YouTube erschienen und hatte etliche »Mag ich«-Klicks erhalten, woraufhin sich das Mädchen die Pulsadern aufgeschnitten hatte.

Es klopfte, und Schwester Bettina streckte den Kopf zur Tür herein. Mit ihren einundzwanzig Jahren war sie kaum älter als Jans Patientin, doch er war überzeugt, dass diese Mädchen bei ihr keine Chance gehabt hätten. Die junge Frau mit dem Nasenpiercing und dem *Punk's not dead*-T-Shirt unter ihrem Schwesternkittel hätte die Gruppe sicherlich aufgemischt. Zwar wirkte sie trotz ihrer Größe schlank und zerbrechlich, aber hin und wieder konnte man ein Funkeln in ihrem Blick sehen, das zu verstehen gab, dass man sie besser nicht unterschätzen sollte.

»Entschuldigung, Dr. Forstner. Störe ich?«

»Was gibt es denn?«

»Eine Überraschung.« Die Schwester lächelte verschwörerisch, dann öffnete sie die Tür vollends und trat mit einem großen Rosenstrauß ein. »Die sind für Sie.«

»Für mich?«

Bettina nickte, woraufhin ihr eine blondierte Strähne ins Gesicht fiel, die sie mit einer kessen Kopfbewegung wegblies. »Ja, sind gerade abgegeben worden. Toll, was? Das sind Baccara-Rosen.«

Verblüfft starrte Jan auf den Strauß, dann erinnerte er sich an den Lieferwagen und nahm die Blumen entgegen.

Carla war immer wieder für eine Überraschung gut, sei es nun ein Kerzenmeer im Wohnzimmer zum Geburtstag oder ein spontanes Picknick am Waldrand als Einstand für ein verlängertes Wochenende. Allerdings hätte er nach den letzten Wochen nicht mit einem solchen Zeichen gerechnet. Für diesen Rosengruß musste sie ein kleines Vermögen ausgegeben haben.

»Frau Weller ist wohl noch immer unterwegs?«

»Ja, aber in ein paar Tagen ist sie wieder zurück.«

Jan betrachtete den Strauß. Er vermisste Carla mehr, als er sich eingestehen wollte. Vor allem jetzt.

»Sagen Sie …« Bettina hüstelte. »Dürfte ich Sie um einen Gefallen bitten?«

Sie wirkte etwas verlegen, und Jan hätte nie gedacht, dass die sonst so selbstbewusste junge Frau rot werden könne. Aber als sie nun die andere Hand hinter dem Rücken hervorzog, wirkte sie wie ein schüchternes kleines Mädchen.

»Glauben Sie, Frau Weller würde es mir signieren, wenn sie wieder da ist? Und wenn es Ihnen nichts ausmacht, Sie vielleicht auch, Herr Doktor?«

Sie hielt Jan das Buch entgegen. Jan nahm es und betrachtete den vertrauten weißen Schutzumschlag mit dem schwarzen Titelschriftzug

KALTE STILLE
VON CARLA WELLER

Der Untertitel lautete

DIE AUFDECKUNG EINES PSYCHIATRIESKANDALS

Dieses Buch hatte vieles in Jans Leben verändert. Carla berichtete darin über seine Geschichte, über das Verschwinden seines Bruders Sven im Januar 1985 und die lange Zeit der quälenden Ungewissheit, was mit dem Jungen geschehen war. Dreiundzwanzig endlos lange Jahre waren verstrichen, ohne dass man je auf eine Spur des Sechsjährigen gestoßen wäre.

Svens Verschwinden hatte für Jan und seine Familie fatale Folgen gehabt, und Jan wäre beinahe daran zerbrochen. Als er schließlich den schwärzesten Punkt seines Lebens erreicht hatte, war er zur Rückkehr nach Fahlenberg gezwungen gewesen und hatte eine Arztstelle in der Waldklinik angenommen. Nur wenig später hatte der Suizid einer jungen Frau dazu geführt, dass Jan einem Skandal auf die Spur gekommen war, der mit Sven und der Klinik in Zusammenhang gestanden hatte.

Während dieser Zeit hatte er die Journalistin Carla Weller kennengelernt, und die Ereignisse hatten die beiden zusammengeschweißt. Sie hatten ihr Leben riskiert, um die Wahrheit über eine Serie rätselhafter Selbstmorde herauszufinden, und sämtliche Medien hatten darüber berichtet.

Jan, der eine Schlüsselrolle in diesem Fall gespielt hatte, war in den Mittelpunkt des öffentlichen Interesses gerückt. In zahllosen Artikeln war sensationsheischend über die Aufdeckung des Skandals berichtet worden, und der Trubel um Jans Person war ihm alles andere als recht gewesen – vor allem, weil nicht alles, was über den Fall geschrieben wurde, der Wahrheit entsprochen hatte. Viele Fakten waren schlagzeilenwirksam aufgebauscht und mit erfundenen

Geschichten über Jan und seine Familie ausgeschmückt worden. Als ob das, was ihnen in Wirklichkeit widerfahren war, nicht schon schlimm genug gewesen wäre.

Selbstverständlich hatte auch Carla darüber geschrieben, und es hatte nicht lange gedauert, ehe ihr ein Verlag ein äußerst lukratives Angebot für ein Buch gemacht hatte. Sie hatte mit Jan über dieses Angebot gesprochen, und Jan war dagegen gewesen. Immerhin ging es um *seine* Geschichte, und er hatte endlich damit abschließen wollen. Doch Carla hatte darin eine »große Chance« gesehen – nicht nur für sich selbst, wie sie betont hatte. Zwar bedeutete dieses Buch für sie den großen Karriereschub von der Kleinstadtreporterin zur Buchautorin, aber sie sah darin auch die Möglichkeit, den Gerüchten, die ihre Pressekollegen in immer neuen Artikeln über Jans Geschichte in die Welt setzten, ein Ende zu bereiten.

Trotzdem hatte Jan sie zu überzeugen versucht, den Buchvertrag abzulehnen. Aus seiner Sicht war schon viel zu viel über seine Person an die Öffentlichkeit gelangt, und er hatte gehofft, dass der ganze Fall über kurz oder lang in Vergessenheit geraten würde, sobald ein neues großes Thema die Presse beschäftigte.

Doch Carla hatte sich nicht umstimmen lassen. Es sei auch ihre Geschichte, hatte sie ihm entgegengehalten. Schließlich sei sie dabei fast ums Leben gekommen.

So war das Buch zu einem Keil geworden, der immer tiefer in ihre Beziehung drang – erst recht, als es zu einem Bestseller wurde. Nun, ein Jahr nach den Ereignissen und wenige Wochen nach Erscheinen des Buches, trat Carla in Talkshows auf und gab Interviews, und wen immer sie auch trafen, das Erste, worauf sie angesprochen wurden, war Carlas Buch.

Die Folge war, dass Jan und Carla feststellen mussten,

wie sehr sie sich voneinander entfernt hatten – Carla, die ihren Lebenstraum von der großen Story verwirklicht sah, und Jan, der nur das ruhige und normale Leben führen wollte, nach dem er sich so viele Jahre lang vergeblich gesehnt hatte.

Als Carla schließlich das Angebot für eine mehrwöchige Lesereise annahm, sahen sie beide darin eine Möglichkeit, für eine Weile getrennte Wege zu gehen, um über die weitere Zukunft ihrer Beziehung nachzudenken. *Falls* es noch eine Zukunft für sie gab.

Da er seit Carlas Abreise nichts mehr von ihr gehört hatte, war Jan überzeugt gewesen, dass es zwischen ihnen aus war. Doch der Rosenstrauß ließ neue Hoffnung in ihm aufkeimen. Denn trotz aller Differenzen in den letzten Monaten bedeutete das noch nicht, dass er nichts mehr für sie empfand. Im Gegenteil.

»Ich werde ihr das Buch zum Signieren geben, sobald sie zurück ist«, versprach er und zauberte damit ein breites Lächeln auf Bettinas Gesicht. Gleichzeitig bemerkte er eine Veränderung. Das kleine Mädchen, das in ihr zum Vorschein gekommen war, verschwand, und Bettina war wieder die selbstbewusste junge Frau Anfang zwanzig.

»Danke, Sie sind ein Schatz! Ist es okay, wenn ich heute ein wenig früher gehe? Ich müsste dringend … also, ich hätte da noch was zu erledigen.«

Jan hielt den Strauß hoch. »Aber vorher besorgen Sie mir bitte noch eine Vase.«

»Hab ich schon.«

Sie huschte zu ihrem Schreibtisch im Vorzimmer und kam gleich darauf mit einer Vase zurück.

»Danke, Bettina. Was wäre ich nur ohne Sie?«

Sie zwinkerte ihm zu. »Na, wenigstens gut, dass Sie es merken.«

Sein Telefon klingelte, und Bettina ließ ihn allein. Jan nahm den Hörer ab und ertappte sich bei der leisen Hoffnung, es könnte vielleicht Carla sein.

»Dr. Forstner?«, fragte eine aufgeregte Männerstimme. »Hier spricht Volker Nowak. Erinnern Sie sich an mich? Ich schreibe für den *Fahlenberger Boten*.«

Natürlich erinnerte sich Jan an ihn. Nowak hatte eine Weile mit Carla zusammengearbeitet, ehe Carla nach dem mehr als großzügigen Vorschuss auf ihr Buch ihren Job gekündigt hatte. Auch Nowak hatte über Jan geschrieben und war einer der wenigen gewesen, denen Jan ein Interview gegeben hatte.

»Ja, ich weiß noch, wer Sie sind.«

»Ich müsste Sie dringend sprechen, Dr. Forstner. Haben Sie heute Abend für mich Zeit?«

»Worum geht es denn?«

Für einen kurzen Moment herrschte Schweigen am anderen Ende der Leitung, ehe Nowak mit gesenkter Stimme antwortete: »Das würde ich Ihnen gerne persönlich sagen.«

»Na gut, ich bin noch bis acht in der Klinik. Kommen Sie doch einfach bei mir im Büro vorbei.«

»Das geht nicht. Es kann sein, dass ich beobachtet werde, und ich möchte Sie keinesfalls in die Sache mit hineinziehen.«

»Nun ja, das tun Sie doch auch, wenn Sie woanders mit mir darüber sprechen.«

»Es wäre trotzdem besser, wenn wir uns nicht bei Ihnen treffen, sondern an einem ... *unauffälligeren* Ort. Ginge das?«

Nun wurde Jan erst recht neugierig. »Wollen Sie mir denn nicht wenigstens kurz sagen, worum es geht?«

»Sagen wir, ich brauche Ihre fachmännische Meinung. Kennen Sie das Old Nick's?«

»Das irische Pub in der Innenstadt?«

»Ich könnte gegen halb neun dort sein.«

Jan überlegte kurz. Eigentlich war er dafür zu müde, aber Nowak machte ihn neugierig. Außerdem war heute Sonntag, und ein Feierabendbier nach dieser anstrengenden Arbeitswoche wäre vielleicht eine ganz gute Idee.

»Also gut, um halb neun.«

Nowak stieß einen erleichterten Seufzer aus und gab Jan seine Mobilnummer. »Nur für den Fall, dass Ihnen etwas dazwischenkommt«, sagte er und legte auf.

Verwundert sah Jan den Hörer an. Was hatte all das zu bedeuten?

Es kann sein, dass ich beobachtet werde.

Von wem? Und warum?

Nun, in einer guten Stunde würde Jan es wissen.

2

Sie stand in einer dunklen Seitengasse und drückte sich gegen die Hauswand. Neben ihr prasselte der Regen auf einen Müllcontainer, und der Wind wehte eine zerrissene Plastiktüte an ihr vorbei.

Es tat gut, hier zu stehen. Hier fühlte sie sich unsichtbar. Kaum ein Mensch war unterwegs, und wenn doch einmal jemand vorbeieilte, war er viel zu sehr mit dem Unwetter beschäftigt, als dass er den schmalen Schatten in der Gasse wahrgenommen hätte. Denn mehr als ein Schatten war sie nicht – ein Schatten, der unentdeckt bleiben wollte, bis ihr großer Moment gekommen war. Das war seit langem ihr Plan gewesen, und bisher war dieser Plan stets aufgegangen.

Bisher. Denn seit zwei Tagen war alles anders. Jemand hatte sie *erkannt*. Dabei hatte sie sich doch so viel Mühe gegeben, unauffällig zu bleiben. Sie war nett, freundlich und hilfsbereit gewesen, und wenn es irgend möglich war, hatte sie sich aus allem herausgehalten, das die Aufmerksamkeit der Leute auf sie gelenkt hätte.

Doch dann hatte sie einen Fehler gemacht. Nur ein klitzekleiner Fehler, ein kurzer Moment der Unachtsamkeit … Damit hatte sich alles verändert. Ihr Geheimnis war in Gefahr.

Und als sei das nicht schon schlimm genug, handelte es sich bei diesem Jemand um einen Journalisten, der im Ruf stand, besonders neugierig zu sein. Er würde Nachforschungen anstellen, davon war sie überzeugt. Vielleicht hatte er sogar schon damit begonnen?

Nein, nicht nur vielleicht, er hatte bestimmt schon damit begonnen. Wenn er herausfand, wer sie war, wäre es vorbei. Ihr Plan, ihr Glück … alles aus und vorbei.

Mit geballten Fäusten sah sie zu dem Haus auf der anderen Straßenseite hinüber. Dort oben, hinter dem Fenster im ersten Stock, wohnte er. Volker Nowak.

Natürlich hatte auch sie Nachforschungen über ihn angestellt. Viel hatte sie dafür nicht tun müssen, denn Nowak war in Fahlenberg kein Unbekannter. Er war der Mann, dessen Recherchen vor einem halben Jahr zur Ergreifung eines langgesuchten Drogendealers geführt hatten. Weil er *beharrlich* war, wenn er eine Story witterte. Das hatte in einem Presseartikel über ihn gestanden – einem Artikel, den ein Konkurrenzblatt über ihn geschrieben hatte.

Und dass Volker Nowak beharrlich sein konnte, hatte sie heute am eigenen Leib erfahren müssen.

Urplötzlich war er aufgetaucht und hatte mit ihr reden

wollen – ein scheinbar belangloses Gespräch, aber sie hatte gemerkt, wie er sie dabei taxiert hatte.

Ja, verdammt, er *wusste*, wer sie war. Vielleicht war er sich vor diesem Gespräch noch nicht ganz sicher gewesen, vielleicht war er deswegen noch einmal zu ihr gekommen, aber als er wieder gegangen war, hatte er es *gewusst*. Sie hatte es in seinem Blick gesehen.

Er hatte sie *erkannt*, und seither fand sie keine Ruhe mehr. Wenn er zu recherchieren begann …

Nein, dazu durfte es nicht kommen!

Lange Zeit hatte sie geglaubt, das, was sie einst getan hatte, sei sicher verborgen, sei ihr *wohlgehütetes Geheimnis* – aber nun war sie doch entdeckt worden. Ausgerechnet von einem, der seinen Lebensunterhalt damit verdiente, seine neugierige Nase in anderer Leute Angelegenheiten zu stecken.

Was sollte sie nur tun?

War dies Gottes Strafe dafür, dass sie ihre Tat nicht bereut hatte? Wollte Gott sie zwingen, ihre Schuld einzugestehen, weil sie es bisher nicht aus freien Stücken getan hatte?

Gut, einverstanden, dachte sie. *Ich bereue es. Ich bereue es sogar sehr. Aber bitte, lieber Gott, gib mir wenigstens noch eine Chance. Nur noch diese eine Chance! Hilf mir, wo ich doch so kurz vor dem Ziel bin.*

Sie musste mit diesem Nowak reden. Sie durfte nicht zulassen, dass er ihr Glück zerstörte. Er musste das einfach verstehen.

Wenn nicht, dann … dann …

Erschrocken fuhr sie zusammen. Wieder hatte sie zu seinem Fenster hochgesehen, und nun war das Licht aus.

O nein!

Wann hatte er es ausgeschaltet? Sie war so in Gedanken gewesen, dass sie es gar nicht bemerkt hatte.

Ihr Herz begann wie wild zu hämmern. Sie hätte nicht einmal mit Sicherheit sagen können, wie lange sie nicht aufgepasst hatte. Vielleicht länger, als es ihr vorkam. Das wäre nicht das erste Mal gewesen. Wenn sie aufgeregt war, kam es immer wieder vor, dass sie die Zeit und die Welt um sich herum vergaß. Hatte sie etwa wieder einen ihrer Aussetzer gehabt?

Lieber Gott, bitte nicht! Bitte, bitte nicht!

Dann öffnete sich die Haustür, und Volker Nowak trat ins Freie.

Erleichtert atmete sie auf. Sie hatte ihn nicht verpasst. Er war noch da.

Danke, lieber Gott!

Sie zog die Ränder ihrer Kapuze noch weiter ins Gesicht und biss sich auf die Unterlippe.

Warum zögere ich? Das ist meine Chance. Jetzt muss ich nicht einmal zu ihm in die Wohnung gehen. Er kommt sogar zu mir. Ich muss ihn einfach nur ansprechen.

Vor Aufregung zitternd, beobachtete sie, wie er den Kragen seiner Jacke hochschlug und um das Haus herum in den Hinterhof lief. Dort parkte sein Wagen, das hatte sie vorher überprüft.

Wenn sie ihn jetzt noch erwischen wollte, musste sie sich beeilen. Doch das klang einfacher, als es war. Sie hatte Angst, mit ihm zu sprechen. Angst, ihm zu sagen, wer sie wirklich war. Angst, er könnte sie zurückweisen und auf seinem Recht bestehen, die Öffentlichkeit über sie und ihre Tat in Kenntnis zu setzen.

Aber ich muss es versuchen. Ich muss!

Sie atmete noch einmal tief durch, dann lief sie los.

3

Das Old Nick's war eine der vielen Kneipen, die den Fahlenberger Marktplatz säumten. Früher hatte es hier vor allem Geschäfte gegeben, doch allmählich waren die Läden verschwunden, und die Gebäude hatte man nach und nach zu einer Gastronomiemeile umfunktioniert. Schuld daran waren die großen Supermärkte, die im Industriegebiet am Stadtrand entstanden waren. Niemand ging noch zum Metzger, Bäcker oder Drogisten, wenn man alles in einem haben und noch dazu direkt vor dem Eingang parken konnte.

Nikolas Mossner war einer der Fahlenberger Geschäftsleute gewesen, die aus dieser Not eine Tugend gemacht hatten. Als er seinen Lebensmittelladen schließen musste, verpachtete er das Gebäude an einen Pizzabäcker und eröffnete im Kellergewölbe des alten Fachwerkbaus ein Pub nach irischem Vorbild. Fortan zapfte er Guinness und Kilkenny, schenkte Whiskey aus und verdiente nicht schlecht damit.

Für Jan, der Mossner noch aus Kindertagen mit seiner weißen Schürze hinter dem Gemüseregal kannte, war es ein befremdlicher Anblick, »Old Nick« nun hinter der Theke zu sehen. Als Mossner ihn begrüßte und seine Bestellung entgegennahm, ertappte sich Jan bei dem Gedanken, dass nun bestimmt die Frage, ob es denn ein bisschen mehr sein dürfte, folgen würde. So wie damals, wenn Jans Mutter Obst oder Gemüse bei ihm abwiegen ließ und darauf achtete, dass Mossner nicht mit dem Finger auf der Waage blieb, was dem »Schlitzohr«, wie sie ihn nannte, gern mal unterlief.

»Na, satt geworden?«, fragte Mossner und räumte Jans leeren Teller ab.

»Noch einen Bissen, und ich platze«, entgegnete Jan, der die Wartezeit auf Volker Nowaks Eintreffen mit einem herzhaften Steaksandwich überbrückt hatte.

Eigentlich war es ihm ganz recht gewesen, dass Nowak sich verspätete – so hatte er noch etwas Anständiges zu essen bekommen –, aber jetzt wurde er doch ungeduldig. Immerhin war der Journalist nun schon seit fast einer halben Stunde überfällig, und Jan hatte ihn auch nicht auf seinem Handy erreicht.

»Noch ein Bier?«, wollte Mossner wissen und schwenkte erwartungsvoll ein Guinnessglas.

Jan winkte dankend ab und bezahlte. Mossner schob ihm das Rückgeld über die Theke.

»Da hat dich wohl jemand versetzt, was?«

»Sieht ganz so aus. Sagen Sie, kennen Sie Volker Nowak?«

»Klar, der ist häufig hier. Warst du mit ihm verabredet?«

»Falls er doch noch auftauchen sollte, könnten Sie ihm bitte ausrichten, dass ich hier gewesen bin und dass er mich morgen Mittag wieder in der Klinik erreichen kann?«

»Sicher.« Mossner nickte und lehnte sich über den Tresen. Als Jan ihn so betrachtete, musste er denken, dass der alte Nick wirklich alt geworden war seit damals.

»Der Junge hat wohl Probleme, was?«, sagte Mossner mit gedämpfter Stimme, und ohne eine Antwort abzuwarten, fuhr er fort: »Dachte ich mir schon. War erst gestern wieder hier und saß dort drüben in der Ecke vor seinem Bier. Hättest ihn sehen sollen. Hat nur auf sein Glas gestarrt, als hätte er sechs Richtige im Lotto und vergessen, den Schein abzugeben.«

»Haben Sie mit ihm gesprochen?«

»Klar hab ich das. Ich kenn den Volker doch schon, da konnte er noch nicht mal über die Ladentheke schauen.

Aber ich bin nicht so ganz schlau geworden aus dem, was er gesagt hat. ›Nick‹, hat er gesagt, ›Nick, du kennst doch eine Menge Leute.‹ ›Darauf kannst du wetten‹, hab ich geantwortet, und er fragte, ob ich mich schon jemals in jemandem getäuscht hätte. ›Aber sicher‹, hab ich gesagt, ›das kommt immer wieder mal vor. Man kann schließlich nicht in die Köpfe der Leute hineinsehen.‹ Dann hat er mich angesehen, als ob ich ihn nicht richtig verstanden hätte, und gesagt: ›Nein, ich meine so *richtig* getäuscht. Du denkst, du kennst jemanden, und stellst dann fest, dass er jemand ganz anderes ist.‹ Ich hab gelacht und ihn gefragt, ob er denn nicht weiß, dass er mit einem geschiedenen Mann spricht. Aber er fand das nicht witzig.«

»Und dann?«

»Nichts.« Mossner zuckte die Schultern. »Er hat bezahlt und ist gegangen. Mit einem Gesicht, gegen das einem das Sauwetter da draußen wie ein Frühlingsmorgen vorgekommen wäre.« Er stemmte sich wieder vom Tresen ab und machte sich am Zapfhahn zu schaffen. »Ich sag dir, da steckt bestimmt irgendein Weibsbild dahinter. Kein Wunder, wenn er mit ’nem Psychiater drüber reden will. Diese Weiber bringen uns doch alle noch um den Verstand. Wie sieht’s aus, vielleicht doch noch ein Bier?«

Jan winkte nochmals ab und nahm sein Handy vom Tisch. Einen letzten Versuch wollte er noch unternehmen. Wenn er jetzt niemanden erreichte, dann musste Nowak ihn eben doch in der Klinik besuchen, wenn es ihm ernst war.

Jan drückte die Wahlwiederholung und hörte das Tuten des Freizeichens, gefolgt von einem Klicken. Er erwartete bereits die erneute Ansage von Nowaks Mobilbox, doch dann meldete sich eine Männerstimme.

»Ja?«

Jan drückte das Telefon fester ans Ohr und hielt sich das andere zu, um den Kneipenlärm zu dämpfen. »Herr Nowak, sind Sie das?«

»Mit wem spreche ich?«

Es war nicht Nowaks Stimme, aber dennoch klang sie vertraut, wenngleich Jan bei diesem Lärm nicht sagen konnte, woher er die Stimme kannte.

»Hier ist Jan Forstner. Und wer sind Sie?«

»Dr. Forstner«, sagte der andere und klang überrascht, »ich dachte mir doch gleich, dass ich diese Stimme kenne. Hier spricht Kröger.«

Konsterniert sah Jan auf das Display. Nein, er hatte die richtige Nummer gewählt. Aber wieso meldete sich der Polizist an Nowaks Anschluss?

Jan musste schlucken. Es gab schließlich nur eine plausible Erklärung: Volker Nowak war etwas zugestoßen. Wahrscheinlich ein Unfall auf dem Weg zum Pub, während Jan hier in aller Seelenruhe sein Abendessen verspeist hatte.

»Was ist los? Warum ...«

»Was wollten Sie denn von Herrn Nowak?«

»Wir waren verabredet, aber er ist nicht gekommen.«

»Ah ja«, hörte er Kröger sagen. »Tja, es tut mir sehr leid, Dr. Forstner, aber ich habe eine schlechte Nachricht für Sie. Herr Nowak ist tot.«

4

Jan erreichte Volker Nowaks Haus genau in dem Moment, als der Leichenwagen durch die Polizeiabsperrung gelassen wurde. Blaulichtgewitter spiegelte sich auf dem nassen

Asphalt und blendete ihn. Durch den strömenden Regen auf der Windschutzscheibe wirkten die Polizisten mit ihren reflektierenden Jacken wie geisterhafte Schemen.

Er hielt hinter einem der Polizeifahrzeuge und schob sich an den Schaulustigen vorbei, die sich unter Schirmen und Plastikumhängen vor der Absperrung drängten. Dann entdeckte er Kröger, der gerade die beiden Mitarbeiter des Bestattungsunternehmens zum Hinterhof wies, und rief ihm zu.

Heinz Kröger wischte sich mit der Hand übers Gesicht und kam zu ihm herüber. Sie hatten sich zuletzt bei einem Wohltätigkeitsbasar vor drei Monaten gesehen, und Jan überlegte, ob der Leiter der Fahlenberger Polizei seither noch ein paar Kilos zugelegt haben konnte. Sein Gang war watschelnd und schwerfälliger denn je, und als er schließlich bei Jan angekommen war, schnaufte er, als sei er auf ihn zugerannt.

»Danke, dass Sie gleich gekommen sind.«

Kröger wischte sich abermals übers Gesicht, doch der Regen floss unaufhörlich weiter an der Blende seiner Mütze vorbei über die geröteten Wangen. Sein übriges Gesicht war ungesund bleich, so dass es aussah, als hätte er Rouge aufgetragen.

»Himmel, was für ein Mistwetter«, stöhnte er. »Die reinste Sintflut. Wird wirklich Zeit für meine Pensionierung. Allmählich fühle ich mich zu alt für so etwas. Erst recht nach dem, was ich da hinten gesehen habe.«

Jan spürte einen säuerlichen Geschmack im Mund und versuchte, nicht an das Steaksandwich von vorhin zu denken. »Was genau ist denn passiert?«

»Kommen Sie mit«, sagte Kröger und ging los, ohne auf Jan zu warten.

Jan folgte ihm, und sie stellten sich unter das Vordach

des Kellerabgangs an der Rückseite des Hauses. Von dort aus konnte man den Innenhof überblicken.

Auf den markierten Parkplätzen standen drei Fahrzeuge. Volker Nowak hatte einen blauen Seat Ibiza gefahren, der nun von vier Beamten der Spurensicherung untersucht wurde. In ihren weißen Plastikoveralls sahen sie wie Gespenster aus.

Kröger zeigte zu ihnen hinüber. »Der verdammte Regen ist unser größter Feind. Je nachdem, wie lange Nowak schon so dagelegen hat, werden wir nicht mehr viel finden.«

Jan beobachtete die beiden Angestellten des Bestattungsinstituts, die den Toten in einen Plastiksarg legten. Sie beeilten sich, und mit ihren Rücken verdeckten sie ihm die Sicht, doch Jan fiel auf, dass Nowaks Kopf wie der einer Marionette hin und her baumelte, als sei sein Genick gebrochen. Ansonsten wirkte der Körper unversehrt. Nach Krögers Andeutung von vorhin hatte Jan Blut zu sehen erwartet, doch dem war nicht so. Trotzdem hatte er den Eindruck, die beiden Männer hatten es nicht nur wegen des Regens so eilig, den Deckel zu schließen.

»Wer hat ihn gefunden?«

»Eine junge Frau aus dem Nachbarhaus, die hier einen der Parkplätze gemietet hat. Sie kam von der Arbeit nach Hause und sah die Innenbeleuchtung seines Wagens brennen. Die Tür war halb geöffnet, und Nowak ...« Kröger sprach nicht zu Ende und schnaufte, als trüge er eine schwere Last. Mit düsterem Blick starrte er auf den Sarg. »Ich habe in meiner langen Laufbahn schon viele Tote zu Gesicht bekommen«, sagte er leise. »Unfallopfer, Selbstmörder und einmal die mumifizierte Leiche einer alten Frau, die wochenlang von niemandem vermisst worden war. Das sind schlimme Erlebnisse, aber irgendwie findet man sich damit zurecht. Das gehört zum Beruf. Aber das da …« Er fuhr sich wieder übers Gesicht, doch diesmal nicht des Regens wegen. »Mord ist etwas so Sinnloses. So etwas geht mir richtig an die Nieren. Ich meine, warum tut jemand so etwas? Was veranlasst jemanden, den Kopf eines anderen Menschen zwischen A-Säule und Fahrertür zu zerren und sich so lange gegen die Tür zu werfen, bis der andere an seinem gebrochenen Kehlkopf erstickt? Das ist so … so … *krank*!«

Jan sah den beiden Männern mit dem Plastiksarg nach.

»Gibt es denn irgendwelche Anhaltspunkte, wer es gewesen sein könnte?«

»Höchstwahrscheinlich eine Frau«, entgegnete Kröger und nickte in Richtung der beiden Wohnblocks, die hinter dem Hof aufragten. »Einer der Nachbarn glaubt, eine Frau und einen Mann gehört zu haben. Wahrscheinlich haben sie gestritten, meint er.«

»Aber sicher ist er sich nicht?«

»Nein, er hatte sich ein Formel-1-Rennen angesehen, und der Streit hat ihn genervt. Als Nowak dann auch noch zu schreien begann, hat der Nachbar die Balkontür geschlossen.« Kröger schnaufte wieder, und diesmal klang es verächtlich. »Können Sie sich das vorstellen? Jemand hört die Todesschreie eines Menschen und schließt die Tür, um bei seinem Fernsehprogramm nicht gestört zu werden. Gott, was ist nur aus dieser Welt geworden?«

Jan schüttelte ungläubig den Kopf. »Und die übrigen Nachbarn? Hat denn niemand etwas davon mitbekommen?«

»Angeblich nicht. Wahrscheinlich haben alle vor dem Fernseher gesessen.«

Er sah Jan an, und Jan dachte, es sei wirklich an der Zeit für Kröger, in Rente zu gehen. Andernfalls würden sie sich bald in Jans Sprechstunde wiedersehen. Die Falten zwischen Krögers Brauen, die typisch sind für Menschen mit Depressionen, hatten eine besorgniserregende Tiefe bekommen. Und plötzlich begriff Jan, weshalb Kröger ihn gebeten hatte, an den Tatort zu kommen. Immerhin hätte er ihn auch später auf dem Revier befragen können. Aber er hatte ihn hierherbestellt, weil er jemanden brauchte – auch wenn er das sicher nicht zugeben würde.

»Wahrscheinlich sind Sie einer der Letzten gewesen, mit denen Nowak gesprochen hat«, sagte Kröger. »Können Sie mir sagen, was er von Ihnen wollte, oder fällt das unter Ihre Schweigepflicht?«

»Nein, er war kein Patient. Er wollte nur meine Meinung als Psychiater hören.«

Kröger zog die Brauen hoch. »Aha, und in welcher Angelegenheit?«

»Ich weiß es nicht.«

»Hat er denn keine Andeutung gemacht?«

»Er sagte nur, dass er am Telefon nicht darüber sprechen wolle. Er wollte sich auch nicht in der Klinik mit mir treffen, weil er befürchtete, jemand könnte ihn dort sehen. Stattdessen hatte er sich im Old Nick's mit mir verabredet.«

»Wer hätte ihn denn Ihrer Meinung nach nicht sehen sollen?«

»Ich vermute, es ging um eine persönliche Angelegenheit. Vielleicht hatte er ein psychisches Problem oder jemand, der ihm nahestand. Es kommt häufiger vor, dass mich jemand privat anspricht, weil er Hilfe benötigt und Angst hat, dass es publik werden könnte. Für viele ist die Hürde zu groß, den regulären Weg über den Hausarzt oder die Klinikambulanz zu nehmen. Also versuchen sie es erst einmal über den inoffiziellen Weg.«

Kröger nickte. »Kann ich mir denken. Es ist gewiss nicht leicht, sich eingestehen zu müssen, dass man allein nicht mehr klarkommt.«

Der Polizist sah zu Boden, und für einen kurzen Moment glaubte Jan, Kröger würde das Seil ergreifen, das er ihm zugeworfen hatte, und ihn nun auf seine eigenen Schwierigkeiten ansprechen. Doch dann sah Kröger wieder auf und wirkte wie jemand, der beschlossen hatte, sich zusammenzureißen.

»Hat er sonst noch etwas gesagt? Irgendetwas, das uns vielleicht weiterhelfen könnte?«

Jan zuckte die Schultern. »Wie schon gesagt, er fühlte sich beobachtet. Aber er sagte nicht, von wem. Und dann sagte er noch, er wolle mich in nichts hineinziehen.«

Kröger nickte nachdenklich. »Vielleicht ging es ihm aber auch gar nicht um Ihren ärztlichen Rat. Erinnern Sie sich noch an den Drogenring, den Nowak vor einiger Zeit auffliegen ließ?«

»Ja, die Presse hat doch lang und breit darüber berichtet.«

»Der Chef dieser Bande ist ein Rumäne, der sich Dagon nennt«, sagte Kröger. »Dank Nowak sitzt er noch für eine ganze Weile hinter Schloss und Riegel. Nowak hatte deswegen einige Morddrohungen erhalten. Unter anderem von Dagons Freundin. Ein gefährliches Frauenzimmer. Hat selbst schon mehrmals gesessen, einmal davon wegen Totschlags. Vor ein paar Wochen hat sie sich anscheinend abgesetzt. Wir vermuten nach Rumänien, aber sie könnte ebenso gut hier irgendwo untergetaucht sein. Wäre möglich, dass sie Herrn Nowak aufgelauert hat. Die Brutalität der Tat wäre ihr durchaus zuzutrauen.«

»Sie meinen also, es könnte sich hier um einen Rachemord der Drogenmafia handeln?«

Kröger hob die Hände. »Ist natürlich nur eine Vermutung. Aber denkbar wäre es.«

Jan runzelte die Stirn. »Aber warum wendet sich Nowak dann an mich und will meine fachliche Meinung wissen? Wenn er sich von dieser Frau bedroht gefühlt hätte, wäre er doch sicherlich zu Ihnen gekommen.«

»Offen gesagt habe ich keine Ahnung«, gestand Kröger. »Vielleicht hatte das eine mit dem anderen ja gar nichts zu tun. Wie auch immer, der Fall geht jetzt ohnehin an die Kripo. Hauptkommissar Stark wird sich darum kümmern. Er ist schon auf dem Weg hierher. Wahrscheinlich wird ihn der Regen aufgehalten haben.« Er sah zum Himmel auf. »Dieser verfluchte Regen. Als ob einem das alles hier nicht schon genug auf die Stimmung schlägt.«

Der Polizist stieß einen tiefen Seufzer aus, und als er sich Jan erneut zuwandte, war die Falte zwischen seinen Brauen wieder tiefer geworden. »Tja, ich werde dann mal weitermachen. Vielen Dank, dass Sie sich Zeit für mich genommen haben.«

»Keine Ursache. Sie können sich jederzeit wieder an mich wenden.«

Kröger wich Jans Blick aus und zog sich seine Mütze tiefer ins Gesicht. »Ich weiß. Vielleicht werde ich das auch. Irgendwann.« Er rieb sich die Brust und ging durch den Regen davon.

5

Am nächsten Morgen, pünktlich um halb acht, hielt ein taubenblauer Opel Kadett vor der Fahlenberger Christophorus-Kirche. Es war ein altes E-Modell, Baujahr 1985, das aber immer noch aussah, als sei es erst vor kurzem vom Band gelaufen.

Die Fahrerin dieses gepflegten Oldtimers hieß Edith Badtke. Sie war gleichzeitig Haushälterin und Sekretärin der Pfarrei, und das nun schon seit mehr als sechsundzwanzig Jahren. Wie immer war sie in konservatives Grau gekleidet und hatte die Haare zu einem strengen Dutt zusammengesteckt. Ihr Erscheinungsbild und die kantigen Gesichtszüge hätten leicht auf eine pedantische und humorlose Persönlichkeit schließen lassen, doch wer Edith Badtke ein wenig näher kennenlernte, entdeckte schnell den liebenswerten Kern unter der nüchternen Schale.

Seit sie im Dienst der katholischen Kirche stand, hatte sie für sechs Pfarrer gearbeitet, und jeder von ihnen hatte sie schon nach kurzer Zeit ins Herz geschlossen. Sie war pünktlich, zuverlässig und korrekt und zeigte dennoch Verständnis für die kleinen Schwächen ihres jeweiligen Vorgesetzten. Im Gegensatz zu ihrem Exmann, der sie bereits nach zwei Jahren verlassen hatte, weil ihn ihre zwanghafte Ordnungsliebe angeblich »in den Wahnsinn« trieb, wussten die Herren Pfarrer die Qualitäten ihrer »guten Seele« sehr wohl zu schätzen.

Die Dinge müssen einfach ihre Ordnung haben, war ihre Devise, und dazu gehörte auch der Blumenschmuck am Altar, den sie allwöchentlich erneuerte. So auch heute.

Im Innern ihres Wagens roch es wie auf einer Frühlingswiese, denn auf der Rückband lagen säuberlich aufgereiht vier Gestecke und zwei Sträuße, die sie wie jeden Montagmorgen vor der Arbeit bei Bruni Kögels Blumenladen abgeholt hatte.

Sie nahm zuerst die beiden Sträuße von der Plastikfolie, mit der sie den Rücksitzbezug schützte, und bugsierte sie vorsichtig aus dem Wagen, um keinen Blütenstaub zu ver-

40

teilen. Dann huschte sie durch den Regen zum Seiteneingang der Kirche.

An der Tür angelangt, beschloss sie, dass es wieder einmal an der Zeit war, ein ernstes Wort mit Josef Seif zu reden. Seif war Kunstschmied und hatte bereits vor über einem Monat die Reparatur des antiken Türschlosses versprochen. Doch außer dem Ausbau des kaputten Schlosses und einer provisorischen Drahtlösung war noch nichts geschehen.

»So kann das nicht weitergehen«, murmelte sie, entfernte die Drahtschlaufe, drückte die schwere Eichenholztür auf und schob sich mit den beiden Sträußen in die Kirche.

Drinnen angekommen, legte sie die Blumen behutsam auf dem Steinboden ab, zückte ein Taschentuch und tupfte sich die Regentropfen aus dem Gesicht. Als sie die beiden Sträuße wieder aufhob und sich umdrehte, fiel ihr eine Veränderung auf. Eine *beunruhigende* Veränderung.

In der Kirche war es wärmer als sonst. Das klassizistische Gotteshaus stammte aus dem frühen achtzehnten Jahrhundert und war trotz zahlreicher Renovierungen schlecht isoliert. In besonders kalten Wintern konnte man den eigenen Atem sehen, wenn man im zugigen Mittelschiff stand oder in einer der Gebetsbänke kniete. Und auch heute, wo draußen der Herbststurm heulte, hätte es hier sehr viel kälter sein müssen. Aber nun spürte sie einen warmen Luftzug, der vom vorderen Teil der Kirche zu ihr wehte.

Mit großen Augen starrte sie zum Eingang der Seitenkapelle neben dem Altar. In dessen Goldornamenten spiegelte sich Feuerschein und verhieß nichts Gutes.

Edith Badtke entwich ein fassungsloses »Um Himmels willen!« Dann eilte sie den Seitengang entlang, die beiden

Sträuße weiterhin fest umklammernd, und das Klacken ihrer Absätze hallte vom hohen Deckengewölbe wie Hammerschläge wider.

An der Kapelle angekommen, blieb sie abrupt stehen. Entgeistert starrte sie in den kleinen Raum. Sie glaubte ihren Augen nicht zu trauen.

6

Mirko Davolic war ein gut aussehender junger Mann. *Äußerst* gut aussehend, wie Jan ihm nicht ganz ohne Neid zugestehen musste. Athletische Statur, dunkler Teint, schulterlanges schwarzes Haar, wasserblaue Augen und ein Gesicht, das man auf dem Titelbild eines Hochglanzmagazins hätte zeigen können. Selbst die kleine Narbe auf seiner Wange, die durch den gepflegten Dreitagebart schimmerte, wirkte irgendwie passend.

Dennoch hatte Davolic bei seiner Einweisung in die Waldklinik wie ein Häufchen Elend gewirkt. Wie er Jan erzählt hatte, war er drauf und dran gewesen, sich das Leben zu nehmen, nachdem er seinen Job in einer Eisengießerei verloren hatte. Dort hatte er fast zehn Jahre gearbeitet, bis der Betrieb Konkurs anmelden musste. Danach fand der ungelernte junge Mann keine neue Stelle mehr, wurde zunehmend depressiv und verkroch sich irgendwann nur noch ins Bett, bis ihm sein Vermieter auch noch die Wohnung kündigte.

Verschuldet und ohne feste Bleibe war Davolic durch die Gegend geirrt und hatte sich schließlich auf der Donaubrücke am Fahlenberger Stadtrand wiedergefunden.

Durch einen Zufall, den der Patient im späteren Verlauf seiner Therapie als »Gottes Wille« bezeichnet hatte, war er einer Polizeistreife aufgefallen, die ihn von dem Sprung in den Tod abhielt und in die psychiatrische Klinik brachte.

Seither waren vier Monate vergangen, und aus dem einstigen Häufchen Elend war wieder ein zuversichtlicher junger Mann geworden, der es schaffte, sämtliche Schwestern auf seiner Station mit einem einzigen Blick dahinschmelzen zu lassen.

»Das hab ich Ihnen zu verdanken, Dr. Forstner«, verkündete er in einem Akzent, der seine albanische Abstammung verriet, und lehnte sich leger im Stuhl zurück. »Wegen Ihnen geht's mir jetzt wieder gut.«

Jan winkte ab. »Bedanken Sie sich bei sich selbst. Ich habe Ihnen nur den Weg aus dem Tal gezeigt. Gegangen sind Sie ihn selber.«

Davolic strahlte. »Das haben Sie sehr schön gesagt. Ja, ich hab's geschafft. War ja auch wirklich Zeit. Jetzt hab ich auch wieder eine Wohnung und einen Job. Alles wird wieder gut.«

Überrascht sah Jan in den Entlassungsbericht. »Sie haben wieder Arbeit? Davon wusste ich noch gar nichts.«

Davolic rutschte auf seinem Stuhl nach vorn und wirkte ein wenig verlegen. »Ich wollte der Sozialarbeiterin nichts davon sagen«, erklärte er mit gesenkter Stimme. »Aber morgen geht's dann los.«

»Was für eine Arbeit ist es denn?«

Nun wich Davolic Jans Blick aus. »Nicht falsch verstehen, Doktor, aber darüber will ich eigentlich nicht reden.«

»Ich hoffe, es ist nichts Illegales?«

Der junge Mann machte eine abwehrende Geste, die ein wenig übertrieben wirkte. »Nein, nein! Keine Angst.

Ist halt bloß … also, ich werde gutes Geld verdienen und kann mein Zimmer bezahlen.«

»Na dann«, sagte Jan und verstand. Davolic war nicht sein erster Patient, der sich um einen Job bemühen musste, um den jeder andere lieber einen weiten Bogen machte. Und wer erzählte schon gern, dass er bei der städtischen Putzkolonne öffentliche Toiletten reinigte oder frühmorgens in der Innenstadt Müll vom Pflaster fegte?

Jan machte sich eine Notiz in dem Bericht, wünschte seinem Patienten alles Gute und verabschiedete ihn.

In der Tür blieb Davolic noch einmal stehen und grinste Jan an. »Nehmen Sie's mir nicht übel, Doktor, Sie sind echt voll nett und so, aber ich hoffe, wir sehn uns nie wieder.«

Jan nickte. »Das hoffe ich auch. Zumindest nicht hier.«

Mit einer kleinen Sporttasche, die seine ganzen Habseligkeiten enthielt, marschierte Davolic aus dem Stationsgebäude.

Schwester Bettina, die gerade mit der Hauspost den Gang entlangkam, sah sich nach ihm um und kam dann auf Jan zu.

»Gut aussehender Kerl, nicht wahr?«, feixte Jan, doch Bettina schüttelte nur den Kopf.

»Was nützt eine tolle Hülle, wenn sie nur Luft enthält?« Sie drückte Jan die Post in die Hand. »Der mag vielleicht nett fürs Auge sein, aber jemandem wie Ihnen könnte er doch nie das Wasser reichen.«

»Oho, vielen Dank.« Jan lachte. »Aber falls Sie heute wieder früher gehen wollen, muss ich Sie enttäuschen.«

Sie ging auf diesen Scherz nicht ein und wirkte auf einmal sehr ernst. »Nein, das meine ich wirklich so. Sie sind ein ganz besonderer Mensch. Diese Kinderstation zum Beispiel, die würde es ohne Sie in zehn Jahren noch nicht geben. Oder Ihre Patienten … Sie sollten mal hören, wie die über Sie reden. Ich kenne hier nicht viele Ärzte, die so beliebt sind wie Sie.«

»Das ist sehr nett«, sagte Jan, und ihm fiel auf, dass sie seinem Blick nicht standhalten konnte. »Aber ich tue hier einfach nur meine Arbeit. Die neue Station war längst überfällig, und die Pläne dafür gab es schon länger, als ich hier bin. Außerdem bin ich ja auch nicht der Einzige, der sich dafür starkmacht.«

»Sie tun *mehr* als nur Ihre Arbeit, Dr. Forstner.« Bettina klang entschlossen, auch wenn sie Jan dabei nicht ansehen konnte. »Sie wissen, wie es in den Menschen aussieht, und deshalb mögen sie Sie.«

Wie schon am Tag zuvor glaubte Jan wieder, das schüchterne Mädchen zu sehen, das sich hinter der koketten Fassade verbarg. Doch im nächsten Moment wechselte sie wieder zu ihrer frechen Art. »Außerdem müssen Sie sich ja auch nicht gerade verstecken«, sagte sie nun etwas lauter und zwinkerte ihm zu. »Für jemanden in Ihrem Alter sehen Sie doch noch ganz gut aus.«

»Na, solche Komplimente hat man gern.«

Sie grinste. »Sie sollen ja nun auch nicht übermütig werden.«

Damit ließ sie ihn stehen und verschwand mit dem übrigen Poststapel im Stationszimmer.

Zurück in seinem Büro, sah Jan in den Spiegel über dem Handwaschbecken. Er war nun sechsunddreißig, durch sein dunkles Haar zogen sich erste graue Strähnen, und um die braunen Augen zeigten sich einige Falten, die vor ein oder zwei Jahren noch nicht da gewesen waren. Aber alles in allem hatte er sich noch ganz gut gehalten, fand er – erst recht nach dem Kompliment einer jungen Frau, die genau genommen seine Tochter hätte sein können.

»Vorsicht, du eitler Gockel«, murmelte er seinem Spiegelbild zu. »Das sind die ersten Anzeichen einer Midlife-Crisis.«

Oder deiner Einsamkeit, fügte eine leise innere Stimme hinzu.

Carla fehlte ihm. Er hatte sie gestern Abend noch mehrfach zu erreichen versucht, war aber stets nur mit ihrer Mobilbox verbunden worden und hatte jedes Mal wieder aufgelegt, ehe der Piepton ertönte. Ihm war nicht danach gewesen, sich mit ihrem Anrufbeantworter zu unterhalten. Dafür war das, was er ihr sagen wollte, zu persönlich.

Mit gemischten Gefühlen sah er zu dem Rosenstrauß, der auf dem Aktenschrank neben dem Kaffeeautomaten thronte, und widmete sich dann der Post. Gerade als er das erste Kuvert geöffnet hatte, klingelte das Telefon. Jan meldete sich, doch am anderen Ende der Leitung war nichts zu hören.

»Hallo?«

Stille.

Zuerst glaubte Jan, die Verbindung sei unterbrochen – keine Seltenheit bei der veralteten Telefonanlage der Klinik –, aber dann vernahm er ganz schwach ein Atmen.

»Hallo, wer ist denn da?«

Doch der Anrufer antwortete nicht.

Jan sah auf das Display und las EXTERNER ANRUF, was entweder auf einen analogen Anschluss oder eine unterdrückte Rufnummer hindeutete. Möglicherweise war es einer seiner ambulanten Patienten. Aber warum meldete er sich nicht?

»Wenn Sie nichts sagen, werde ich auflegen.«

Keine Reaktion. Nur ein leises Rascheln war zu hören, bei dem es sich vielleicht um das Reiben von Stoff an den

Sprechschlitzen handelte, begleitet von den kaum wahrnehmbaren Atemgeräuschen.

»Hören Sie, Sie haben den Anschluss von Dr. Jan Forstner in der Waldklinik gewählt. Wenn Sie mit mir reden wollen, dann sagen Sie etwas.«

Jan wartete noch kurz, und als er dann immer noch keine Antwort erhielt, legte er kopfschüttelnd auf. Er nahm wieder das Kuvert zur Hand, als das Telefon erneut klingelte.

Wieder nannte Jan seinen Namen, und wieder meldete sich der externe Anrufer nicht.

»Wer sind Sie?«

Nichts.

Jan seufzte. »Was soll das, hm?«

Auch dieses Mal erhielt er außer dem leisen Atmen keine Antwort.

»Also, falls das ein Scherz sein soll, dann …«

»Jan.« Die Anruferin sprach so leise, dass Jan sie fast nicht gehört hätte.

»Wer ist da?«

»Jan«, wiederholte die Stimme, eine junge Mädchenstimme, wie es Jan schien.

»Ja, hier ist Jan Forstner. Und mit wem spreche ich?«

»Ohne dich schaffe ich es nicht.«

Da sie flüsterte, war das Alter ihrer Stimme nicht genau auszumachen. Jan schätzte die Anruferin auf etwa zwölf bis vierzehn, und sie klang verzweifelt.

»Was schaffst du nicht?«

»Alles.«

»Kannst du mir das genauer erklären?«

»Bald«, war die geflüsterte Antwort, gefolgt von einem Klicken. Dann ertönte das Freizeichen.

Stirnrunzelnd legte auch Jan auf. Wer in aller Welt

mochte das gewesen sein? Er hatte die Stimme nicht erkannt, aber dieses Mädchen hatte ihn mit seinem Vornamen angeredet, als würde es ihn kennen. Es war ein Hilferuf gewesen. Aber von wem?

Nachdenklich betrachtete er das Telefon und wartete, ob es noch einmal läuten würde. Für kurze Zeit geschah nichts, doch gerade als er sich wieder seiner Post zuwenden wollte, schrillte der Apparat erneut.

»Also gut«, sagte Jan. »Reden wir, aber bitte leg nicht gleich wieder auf.«

»Das habe ich auch nicht vor«, antwortete eine vertraute Stimme, begleitet von einer lautstarken Bahnhofsdurchsage.

»Carla! Na, das ist aber eine Überraschung.«

»Du hast gestern versucht, bei mir anzurufen. Gleich mehrmals.«

Ihre Stimme klang knapp und sachlich, was Jan verwirrte. Nach dem Rosenstrauß hatte er eigentlich etwas mehr Herzlichkeit erwartet.

»Nun ja, ich … wollte mich einfach nur bei dir bedanken.«

»Bedanken?«

Jan runzelte die Stirn. Sie klang erstaunt, als wüsste sie nicht, wovon er sprach.

»Hör mal, Jan, ich habe nicht viel Zeit. Ich werde gleich vom Bahnhof abgeholt und muss zu einem Interview. Ist irgendetwas passiert, oder weshalb hast du so oft angerufen?«

»Nein, bei mir ist alles in Ordnung«, sagte er und erkannte, dass es nicht der richtige Moment war, um über Rosen zu sprechen. Vor allem nicht, wenn sie nicht von ihr waren. »Ich wollte nur deine Stimme hören.«

»In den Nachrichten habe ich das von Volker gehört.

Das ist ja furchtbar. Weiß man denn schon, wer es gewesen ist?«

Sie wich ihm aus, und Jan spürte einen unangenehmen Druck auf der Brust. »Nein. Sie vermuten, dass vielleicht die Drogenmafia damit zu tun hat.«

»Das würde mich nicht wundern. Volker hatte ein paar sehr heiße Eisen angefasst.« Jan konnte im Hintergrund eine Männerstimme hören, die Carla ansprach. Carla entgegnete etwas, wobei sie das Telefon von sich forthielt. Dann meldete sie sich wieder. »Mein Taxi ist da. Also, ich muss jetzt …«

»Warte noch einen Moment«, sagte Jan hastig. »Ich möchte dir noch sagen, dass ich dich vermisse.«

»Ja, du fehlst mir auch.« Diese Antwort verursachte Jan ein Kribbeln in der Magengegend. »Aber lass mir noch ein bisschen Zeit, ja?«

»Natürlich.«

»Weißt du, es ist nicht, dass ich dich nicht liebe. Ich bin mir nur einfach noch nicht klar darüber, wie es mit uns weitergehen soll.«

»Ist schon in Ordnung«, sagte Jan und musste gegen den Kloß in seinem Hals ankämpfen.

»Ich muss jetzt wirklich los.« Ihre Stimme klang leise und ging beinahe in einer Lautsprecherdurchsage unter. »Wir reden ein anderes Mal, okay? Pass auf dich auf.«

Noch ehe er antworten konnte, hatte sie aufgelegt.

Zurück blieben die Stille in Jans Büro und ein Rosenstrauß, von dem er nicht wusste, von wem er kam.

7

Zum hundertsten Mal an diesem Morgen überflog Felix Thanner den Text auf dem Monitor seines Laptops und seufzte. Je öfter er den Entwurf durchlas, desto weniger gefiel er ihm. Auch wenn er mit seinen zweiunddreißig Jahren der bisher jüngste Geistliche der Fahlenberger Pfarrei war, hatte er dennoch schon genug Erfahrungen mit Reden sammeln können. Aber dieses Mal fühlte er sich blockiert. Es war, als müsse er sich jedes Wort einzeln aus den Fingern saugen.

Sicherlich lag diese Blockade an der Aufregung vor dem großen Abend, von dem viel abhing, versuchte er sich zu besänftigen. Andererseits war genau das der Grund, weshalb er besonders kritisch mit seinem Text ins Gericht gehen musste. Als Klinikseelsorger lag ihm die neue Psychiatrieabteilung für Jugendliche sehr am Herzen, und die Spendenaktion musste einfach ein Erfolg werden. Doch nun kam ihm jede Formulierung, die er am Abend zuvor noch für überzeugend und pointiert gehalten hatte, gezwungen und wenig stichhaltig vor.

Abermals seufzend schloss er die Augen und versuchte sich zu konzentrieren, als er Schritte durchs Pfarrhaus eilen hörte. Gleich darauf stürmte Edith Badtke in das Arbeitszimmer.

Thanner erschrak. Mit ihren weit aufgerissenen Augen sah seine Angestellte aus, als habe sie den Leibhaftigen gesehen.

»Herr Pfarrer, schnell, kommen Sie!«

»Um Himmels willen, Frau Badtke, was ist denn nur los?«

»Kommen Sie«, wiederholte sie mit krebsrotem Kopf. »Das müssen Sie sich ansehen!«

Noch ehe er fragen konnte, worüber sie sich denn so aufregte, machte sie bereits wieder kehrt.

Thanner sprang auf und folgte ihr aus dem Haus und über den Kirchhof. In der Aufregung hatte er seine Filzhausschuhe anbehalten, was ihm erst bewusst wurde, als er durch den Regen lief, der sich wie aus Sturzbächen über das Kopfsteinpflaster ergoss.

Die beiden kannten sich nun ein gutes halbes Jahr, seit Thanner seinen Vorgänger – einen siebzigjährigen Inder, der inzwischen in seine Heimat zurückgekehrt war – abgelöst hatte. Doch noch nie hatte er die sonst so unerschütterliche Edith Badtke derart aus dem Häuschen erlebt. Vor allem war sie noch nie, ohne anzuklopfen, in sein Arbeitszimmer geplatzt.

Während er versuchte, mit ihr Schritt zu halten, rechnete er mit dem Schlimmsten. Sicherlich ein Diebstahl oder eine Kirchenschändung. Beides war leider keine Seltenheit. Erst vor kurzem hatte er aus der Zeitung erfahren, dass Jugendliche eine Ikonentafel am Eingang seiner ehemaligen Arbeitsstätte mit eingeritzten Hakenkreuzen zerstört hatten. Ein jahrhundertealter Kunstschatz, in wenigen Minuten zerstört aus blankem Übermut oder bloßer Dummheit oder beidem.

Er folgte ihr durch die offen stehende Seitentür, und dann spürte auch er den ungewöhnlich warmen Luftzug, der ihm vom Altar entgegenwehte. Edith Badtke hielt auf die Seitenkapelle zu und blieb vor dem Eingang stehen.

»Da«, keuchte sie. »Sehen Sie nur!«

Thanners vollgesogene Hausschuhe schmatzten auf dem glatten Steinboden, und er hatte Mühe, nicht auszurutschen. Doch als er endlich bei ihr ankam, war alles andere vergessen.

»Aber, das ist doch …«

Der Anblick verschlug ihm die Sprache. Vor ihm flackerte ein Kerzenmeer. Unzählige kleine Lichter reihten sich aneinander, so dass der Mosaikboden der kleinen Kapelle nicht mehr zu erkennen war. Säuberlich aufgereiht ließen sie die Statue des heiligen Christophorus mit dem pausbäckigen Christuskind auf den Schultern wie eine überirdische Erscheinung erstrahlen.

Staunend sah Thanner an Fahlenbergs Schutzheiligem empor. Jemand hatte dem Kind einen roten Schal um Kopf und Schultern geschlungen, so dass es wie ein Mädchen aussah.

»Herrje, ich hätte es wissen sollen«, schimpfte Edith Badtke. »Das kommt davon, wenn man am Tag Arbeit liegen lässt. Aber gestern musste ich doch noch … Ach, ist ja jetzt auch egal. Auf jeden Fall hätte ich die Schachteln gleich wegsperren sollen.« Verärgert deutete sie auf zwei leere Pappkartons, die ordentlich gefaltet in einer Ecke der Kapelle standen. »Dreihundert Opferkerzen, gestern erst geliefert. Und diese Vandalen haben keinen einzigen Cent in der Opferkasse hinterlassen. Am besten, ich rufe gleich die Polizei.«

Verdutzt und gleichzeitig erleichtert, dass es sich um nichts Schlimmeres handelte, betrachtete Felix Thanner das seltsam dekorierte Bild des Heiligen. Was hatte das nur zu bedeuten?

»Nein, keine Polizei«, murmelte er nachdenklich. »Ich glaube nicht, dass das ein Streich sein soll. Wer immer das getan hat, muss ein sehr großes Anliegen auf dem Herzen haben.«

Edith Badtke verzog ihr kantiges Gesicht zu einer ärgerlichen Grimasse. »So oder so, man *bezahlt* für Opferkerzen. Das gebietet der Anstand. Na, auf jeden Fall werde ich diesem Schlosser noch einmal Feuer unterm Kessel machen. Der hält mich keinen Tag länger hin. Dann wird eben *er* für die Kerzen aufkommen. Hätte er das Schloss repariert, wäre das nicht passiert.«

Entschlossenen Schrittes stapfte sie davon und ließ Felix Thanner zurück.

Der Pfarrer starrte noch eine ganze Weile auf das mädchenhafte Christuskind mit dem roten Schal. Möglich, dass er sich täuschte und es sich tatsächlich nur um einen geschmacklosen Scherz handelte, dennoch hatte er bei diesem Anblick ein ungutes Gefühl.

Ein *äußerst* ungutes Gefühl.

Für ihn sah das wie ein Signal aus.

Wie ein Hilferuf.

8

An diesem Abend war der historische Festsaal der Waldklinik bis auf den letzten Platz gefüllt. Durch das altehrwürdige Gebäude, das noch aus der Gründungszeit der Klinik zu Beginn des zwanzigsten Jahrhunderts stammte, wogte ein Meer aus Stimmen und Gelächter, das von der hohen Stuckdecke mit den Kronleuchtern widerhallte.

Über zweihundert Personen waren gekommen, um der Vorstellung des Konzepts für die neue Kinder- und Jugendstation beizuwohnen. Ärzte und Pflegepersonal, Patienten und Angehörige, aber auch wichtige Größen der Fahlenberger Lokalprominenz waren unter den Gästen, allen voran der Präsident des Lions Clubs und der Vorstand der Rotarier.

Vor allem auf Letztere zielte die Veranstaltung ab, da die Initiatoren auf Spendengelder für den weiteren Ausbau der Station angewiesen waren. Im weitläufigen Garten der ehemaligen Direktorenvilla sollte ein therapeutischer Kletterpark entstehen, und auch für das Kunstatelier im Westflügel der Station wurden weitere Geldmittel benötigt.

Jan und seine Kollegen hatten sich lange vorbereitet und ihr Bestes gegeben, um ihre Vorträge so interessant und abwechslungsreich wie möglich zu gestalten. Sie informierten über die Entwicklungsgeschichte der Kinder- und Jugendpsychiatrie, stellten neueste Therapiekonzepte vor, und Felix Thanner ging auf die große Bedeutung der Klinikseelsorge ein.

Der Abend wurde ein voller Erfolg. Erfreut stellte Jan fest, dass sie ihr Publikum fest im Griff hatten. Abgesehen vom üblichen Husten und Niesen, gab es keinerlei Unterbrechungen. Niemand stand auf, um zur Toilette zu gehen oder sich Nachschub am Getränkeausschank zu holen, und nach der zwanzigminütigen Pause erschienen sämtliche Gäste wieder, um sich auch den zweiten Teil der Vorträge anzuhören.

Jan deutete das als ein gutes Zeichen, und sein Gefühl sollte ihn nicht trügen. Keine halbe Stunde, nachdem die Vorträge beendet und Professor Alfred Straub der – wie er es bezeichnete – »angenehmsten Verpflichtung eines Klinikleiters« nachgekommen war und das Büfett eröffnet hatte, sah Jan schon die ersten Schecks über den Spendentisch wandern.

Zufrieden und erschöpft suchte er sich eine unauffällige Ecke neben der Rednerbühne, stellte dort seinen Teller ab und stärkte sich mit ein paar Kanapees, die er sich am Büfett erkämpft hatte. Unweit von ihm stand Felix Thanner. Er unterhielt sich mit dem Direktor der örtlichen Sparkasse, der sich auf einen der Stehtische stützte und kopfnickend in sein Scheckbuch kritzelte. Für einen kurzen Moment sah Thanner zu Jan, lächelte ihm zu und reckte unauffällig den Daumen. Jan grinste, nickte zurück und schob sich ein Lachshäppchen in den Mund.

»Hallo, Dr. Forstner«, sagte eine Frauenstimme, und Jan wandte sich zu ihr um.

Bettina stand vor ihm, und er hätte sie kaum wiedererkannt. Statt ihres sonst so jugendlichen Outfits trug sie nun ein samtrotes Kleid mit tiefem Ausschnitt und hatte ihr Haar kunstvoll mit zwei silbernen Spangen hochgesteckt – eindeutig Modeschmuck, aber dennoch stilvoll. Sie sah aus, als hätte sie sich für einen Besuch in der Oper fertiggemacht, und nur ihr Nasenpiercing erinnerte daran, dass sie sonst T-Shirts mit Aufdrucken wie *Punk's not dead* oder dem Logo der Nine Inch Nails den Vorzug gab.

»Ihr Vortrag war großartig.«

Noch immer an seinem Kanapee kauend, brachte Jan nur ein schmatzendes »Danke« zustande.

»Ich habe Ihnen etwas zu trinken mitgebracht. Wollen Sie?« Noch ehe Jan herunterschlucken und ihr erklären konnte, dass er sich bereits mit Sekt versorgt hatte, hatte sie ihm schon das Glas in die Hand gedrückt.

»Ich fand Ihre Fallbeispiele sehr aufschlussreich«, sagte sie mit wichtiger Miene. »Obwohl ich den Eindruck habe, dass Sie nicht ganz ehrlich mit uns gewesen sind.«

Endlich hatte Jan sein Brötchen herunterbekommen, woraufhin sie ihm zuprostete. »Auf einen erfolgreichen Abend.«

»Was meinen Sie mit nicht ganz ehrlich?«, fragte Jan, ohne aus seinem Glas zu trinken.

»Nun ja«, Bettina sah sich nach allen Seiten um und sprach mit gesenkter Stimme weiter, »ich habe doch das

Buch von Frau Weller gelesen. Nachdem damals Ihr kleiner Bruder verschwunden war und Ihr Vater den Autounfall hatte, ist es Ihnen doch sehr schlecht gegangen. Ich meine, immerhin waren Sie damals ja selbst noch ein Kind und mussten so viele schlimme Schicksalsschläge auf einmal wegstecken. Da hätten Sie sich doch bestimmt jemanden gewünscht, der für Sie da ist. Jemanden, der Ihnen über all das hinweggeholfen hätte. Nicht wahr? Ich finde, das hätten Sie uns bei Ihrer Rede nicht verschweigen sollen.«

Peinlich berührt sah Jan sie an. Die junge Schwester hatte ihren Finger auf eine Wunde gelegt, die noch nicht lange verheilt war. Zwar tat es nicht mehr weh, aber es fühlte sich dennoch unangenehm an.

Jan nahm nun doch einen Schluck Sekt, dann nickte er und beschloss, es sei am besten, in die Offensive zu gehen. »Man merkt deutlich, dass Sie sich sehr für die Psychiatrie interessieren. Ja, Sie haben Recht. Eine Hilfestellung, wie wir Sie jetzt umsetzen werden, hätte mir damals geholfen, und es ist mit Sicherheit einer der Gründe, warum ich mich dafür starkmache. Wenn Sie so wollen, schöpfe ich dabei aus meinen eigenen Erfahrungen und gebe dadurch den Ereignissen von damals einen Sinn.«

»Das war mir sofort klar, als ich das Buch über Sie las.« Bettina bedachte ihn mit einem Blick, dem er kaum standhalten konnte. »Und das meinte ich auch, als ich Ihnen heute sagte, dass Sie ein ganz besonderer Mensch sind. Sie machen immer das Beste aus Ihrer Situation und lassen sich nicht unterkriegen. Das ist Ihre Stärke.«

Jan wusste nicht, was er darauf antworten sollte. Einerseits ehrte es ihn, dass sie ihn bewunderte, aber es machte ihn auch verlegen. Zu allem Überfluss merkte er, dass er errötete, und das ärgerte ihn. Diese junge Frau, die eigentlich noch ein Mädchen war und die am Ende dieses Abends in ihren rostigen Opel Corsa mit dem *Deine Lakaien*-Schriftzug auf der Heckscheibe steigen würde, hatte es tatsächlich geschafft, ihn wie einen schüchternen Schuljungen aussehen zu lassen.

Noch während er nach der richtigen Antwort suchte, schenkte sie ihm ein breites Lächeln und deutete auf seinen Teller. »Jetzt will ich Sie aber nicht länger aufhalten. Sie sind ja noch gar nicht zum Essen gekommen.«

Sie prostete ihm mit ihrer Sektflöte zu, verabschiedete sich mit einem »Bis morgen« und verschwand daraufhin im Getümmel des Abends.

9

Allein Jans Gegenwart genügte, um ihre dunklen Gedanken zu vertreiben. Es war die richtige Entscheidung gewesen, zu dieser Veranstaltung zu gehen, auch wenn ihr die vielen Menschen unheimlich waren.

Jetzt, da sie Jan nahe war, schienen alle Düsternis und Niedergeschlagenheit wie weggeblasen. Wie er dastand, an seinem Sekt nippte und die Menschen um sich herum beobachtete, gab ihr wieder einmal das Gefühl, wie ähnlich sie sich doch waren. Sie waren beide Beobachter, die sich stets am Rand der Menge aufhielten und nicht gern im Mittelpunkt standen. Wer beobachtete, behielt den Überblick, und wer den Überblick behielt, war all den eingebildeten Wichtigtuern überlegen.

Sie liebte ihn, weil er ein leiser Mensch war. Trotzdem war er nicht unscheinbar. Im Gegenteil, mit seiner Rede hatte er wieder einmal bewiesen, dass er Menschen beeindrucken konnte. Und auch wenn es vielleicht nur eine Äußerlichkeit war: Er war der bestaussehende Mann an diesem Abend. Mit seinem modisch geschnittenen Anzug in dezentem Grau, dem weißen Hemd und der gelockerten Krawatte wirkte er auf sie wie ein Filmstar.

Ja, er ist bestimmt ein wenig eitel, dachte sie bei sich und musste schmunzeln. Jan Forstner mochte das Gesicht, das ihm aus dem Spiegel entgegensah, daran hatte sie keine Zweifel. Und warum sollte er es auch nicht mögen? Sie mochte es doch ebenfalls. Sein Gesicht war das Erste, was sie beim Aufwachen vor sich sah, und wenn sie abends die Augen schloss, sah sie es noch immer.

O Jan, meine Gedanken sind ständig bei dir. Ich kann es kaum noch erwarten, bis du meine Nachricht bekommst.

Aber warum sollte sie eigentlich noch warten? Was wäre, wenn sie einfach wieder zu ihm ginge? Dieser Gedanke erregte sie. Vielleicht lag es am Alkohol, aber plötzlich war ihr danach, es ihm zu sagen.

Er stand jetzt nur wenige Meter von ihr entfernt. Fast glaubte sie, den Hauch seines Aftershaves zu riechen. Eine leichte Holznote, die zu ihm passte. Maskulin, aber nicht aufdringlich.

Sie musste nur ihren Mut zusammennehmen, ein paar Schritte geradeaus gehen, und schon wäre sie bei ihm.

Mein Gott, ich könnte es wirklich tun!

Und dann tat sie es. Statt weiter zu grübeln und zu zögern, überwand sie all ihre Angst und schob sich an den Leuten vorbei. Das Herz pochte ihr bis zum Hals. Es waren nur noch wenige Schritte.

Ich werde es ihm geradeheraus sagen. Jan, ich liebe dich. Und er wird mir antworten, dass er mich ebenfalls liebt. Ich kann es fühlen!

Doch als sie an dem Platz ankam, an dem er noch bis vor ein paar Sekunden gestanden hatte, war Jan Forstner nicht mehr da. Nur noch das halbvolle Sektglas stand neben dem verlassenen Teller.

10

Die Toiletten befanden sich im Untergeschoss des Festsaals, und Jan genoss die Stille, während er sich erleichterte. Er war kein Mensch für Großveranstaltungen – das war er noch nie gewesen –, und jetzt, da der wichtige Teil des Abends vorüber war, würde er sich so bald wie möglich aus dem Staub machen. Er beschloss, noch eine Runde durch den Saal zu drehen, und dann war es gut für heute.

Als er auf den Gang hinaustrat, traf er auf Julia Neitinger. Wie immer, wenn er ihr begegnete, musste er an einen seiner Patienten denken, der Jans neue Kollegin nur »Dr. Wow« nannte, ein nicht ganz ungerechtfertigter Spitzname für die blonde Ärztin. Vor allem heute Abend, wo sie sich für ein kurzes schwarzes Cocktailkleid entschieden hatte.

Jan hatte Julia erst vor wenigen Wochen näher kennengelernt, als sie im Rahmen des ärztlichen Rotationsprogramms auf seine Station versetzt worden war. Er empfand sie als ein wenig eigentümlich und war mit ihr bisher noch nicht richtig warmgeworden. Dem Kantinenklatsch nach hatte sie ein Jahr vor ihrem Beginn in der Waldklinik eine Fehlgeburt erlitten und war kurz darauf von ihrem Mann verlassen worden. Wie es hieß, wegen einer deutlich Jüngeren, mit der er sogleich eine Familie gegründet hatte.

Dieser Schlag hatte Julia offensichtlich schwer getroffen, wofür Jan volles Verständnis hatte. Dennoch war sie eine der wenigen Personen, die er nie recht einzuschätzen vermochte. Mal verhielt sie sich kollegial und freundlich, und dann konnte sie wieder kratzbürstig und abweisend sein.

Nun stand sie mit schmerzverzerrtem Gesicht am Treppenabsatz, stützte sich gegen die Wand und betrachtete ihren angehobenen Fuß.

»Verflixte Pumps«, sagte sie, als sie Jan auf sich zukommen sah.

»Alles in Ordnung?«

»Ich bin auf der letzten Stufe umgeknickt. Tut ziemlich weh. Wahrscheinlich werde ich in ein paar Minuten in keinen Schuh mehr passen.«

»Du solltest den Fuß kühlen. Ich werde dir in der Zwischenzeit etwas zum Bandagieren holen.«

»Das wäre nett.« Sie nickte in Richtung der Damentoilette. »Sag, könntest du mich stützen?«

»Natürlich.«

Jan legte einen Arm um sie, und sie humpelten gemeinsam in den Waschraum. Er führte sie zu den Waschbecken und half ihr, sich auf die Ablage zu setzen, so dass sie den Fuß in eines der Becken stellen konnte.

»Danke, mein Retter«, lächelte sie und streifte sich den halterlosen Strumpf vom Bein. Dann deutete sie auf den Wasserhahn. »Würdest du ihn bitte aufdrehen?«

Jan ließ kaltes Wasser über ihren Knöchel laufen, woraufhin sie einen unterdrückten Schrei ausstieß. »Himmel, ist das kalt!«

»Aber es wird helfen«, entgegnete Jan und betrachtete ihren Fuß. »Ist keine Schwellung zu erkennen. Kannst du ihn bewegen?«

Sie wackelte mit den Zehen und nickte. »Ja, tut schon gar nicht mehr so weh.«

Jan nickte. »Ich glaube, das ist noch einmal gutgegangen.«

Er sah zu ihr auf, und ihr Lächeln hatte sich verändert – auf eine Art, die ihm nicht geheuer war. Julia deutete mit dem Kinn auf ihr Bein und strich mit der Hand darüber.

»Gefällt dir, was du siehst?«

Nun begriff Jan, was es mit dem umgeknickten Knöchel auf sich hatte. Er schüttelte seufzend den Kopf und ging zur Tür. »Nach dieser Wunderheilung wünsche ich dir noch einen schönen Abend.«

Hastig zog sie den Fuß aus dem Becken und sprang auf. »Jan, bitte warte!«

Auf einmal schien jegliche Selbstsicherheit aus ihrem Blick gewichen. Nun war sie nicht mehr Dr. Wow, sondern eine Frau, die sich selbst bei einer Dummheit ertappt hatte.

»Es tut mir leid, Jan, hörst du? Entschuldige bitte. Es ist nur … ach, ich habe wohl zu viel getrunken.«

Er nickte und zog die Tür auf. »Ist schon vergessen. Aber mach das nie wieder.«

Sie senkte den Blick und betrachtete ihren nackten Fuß. »Danke. Es tut mir wirklich leid. Ich weiß nicht, welcher Teufel mich geritten hat.«

Jan entgegnete nichts. Zurück auf dem Flur, beschloss er, auf die abschließende Runde durch den Saal zu verzichten.

Wenig später eilte Jan über den Parkplatz vor dem Klinikfestsaal. Im strömenden Regen glich der Asphalt einem schwarzen See, in dem die Spiegelungen der Weglampen wie Leuchtbojen schimmerten.

Als er seinen Wagen erreicht hatte und nach dem Autoschlüssel suchte, fiel ihm auf, dass etwas unter seinem Scheibenwischer klemmte. Eine transparente Plastikhülle, in der ein brauner Briefumschlag steckte. Eilig stieg er in seinen Wagen, wischte sich den Regen aus dem Gesicht und zog den Umschlag aus der Plastikumhüllung.

Auf Vorderseite stand sein Name in kindlichen Großbuchstaben. Das Kuvert war zugeklebt, und Jan betastete den Inhalt. Es fühlte sich wie ein Brief an. Neugierig öffnete er ihn mit seinem Schlüssel. Ein gefaltetes Blatt Papier kam zum Vorschein. Als Jan es aufschlug und die Kinderzeichnung sah, musste er schlucken. Das Bild war mit einfachen Strichen gezeichnet worden, doch was es zeigte, erschreckte ihn.

Er sah aus dem Fenster. Der Parkplatz war menschenleer. Dennoch hatte er das Gefühl, beobachtet zu werden.

12

»Du siehst schlecht aus, mein Junge«, sagte Rudolf Marenburg und schob sich den Rest seines Croissants in den Mund. »Ist gestern wohl spät geworden?«, fügte er schmatzend hinzu.

Jan nippte an seinem Kaffee und versuchte, den Geruch

nach frischen Brötchen, Marmelade und Butter zu ignorieren. Vor allem der Buttergeruch setzte seinem Magen
zu. Auch wenn die überraschende Einladung zum gemeinsamen Frühstück eine der liebenswerten Gesten war, die
Jan an seinem ältesten Freund so schätzte, würde er keinen Bissen herunterbekommen. Dennoch hatte er Rudi
nicht enttäuschen wollen, als der am Morgen plötzlich vor
seiner Tür gestanden und mit einer Bäckertüte gewunken
hatte. Seit die beiden wieder Tür an Tür lebten, waren
ihre gegenseitigen Besuche zu einem unregelmäßigen,
aber festen Ritual geworden, und es war nicht unüblich,
dass Rudi sich kurzerhand bei Jan einlud.

Rudolf Marenburg war ein in die Jahre gekommener
Witwer, den gelegentlich die Einsamkeit plagte, und Jan
wäre nie auf die Idee gekommen, ihn abzuweisen. Rudi
stand ihm so nahe, als sei er das einzige Familienmitglied,
das ihm geblieben war, und darüber hinaus hatte er dem
alten Mann eine Menge zu verdanken.

»Ja, es wurde sehr spät«, sagte Jan seufzend, auch wenn
mangelnder Schlaf und Alkohol nicht die eigentlichen
Probleme waren, weshalb er heute Morgen auf schwarzen
Kaffee und zwei Alka-Seltzer zurückgreifen musste, um
wieder klarzuwerden.

Natürlich hatte ihn der gestrige Abend aufgewühlt – zu
viel Adrenalin, zu wenig Essen und dann der Sekt, den
er nicht vertrug, auch wenn er nur zwei Gläser getrunken
hatte. Ganz zu schweigen von dem Vorfall mit Julia auf der
Damentoilette, der sozusagen der krönende Abschluss des
gestrigen Abends gewesen war. Aber am meisten hatten
ihm seine wirren Träume in der letzten Nacht zugesetzt.

Im Traum war er Volker Nowak begegnet, der im strömenden Regen gestanden und mit beiden Händen versucht hatte, seinen herabbaumelnden Kopf aufrechtzuhal-

ten. Im gelblichen Licht der Natriumdampflampen hatte er wie eine fleischige Marionette ausgesehen, und Jan konnte sich noch immer an das knirschende Geräusch im zerquetschten Hals des Journalisten erinnern. Es hatte sich angehört, als reibe Kies in einer Tüte voller Gelatine aufeinander. Allein schon bei der Erinnerung krampfte sich Jans Magen erneut zusammen.

Nowak hatte Jan angesprochen, und jedes seiner Worte hatte wie ein Würgen geklungen. »Dr. Forstner. Bitte. Ihre fachliche Meinung. Wer tut so etwas? Und warum?«

Und noch während Jan sich von diesem schrecklichen Anblick abzuwenden versucht hatte, war plötzlich Bettina erschienen und hatte ihn am Arm gepackt. Sie hatte wieder ihr samtrotes Kleid mit dem tiefen Ausschnitt getragen und seltsam vertraut auf ihn gewirkt.

»Beeilen Sie sich, wir kommen sonst zu spät zum Konzert«, hatte sie ihn gedrängt, doch als sie gleich darauf vor dem Eingang zur Konzerthalle gestanden hatten, war Jan abgewiesen worden.

»Kein Zutritt für Fast-Eltern in der Midlife-Crisis«, hatte die Türsteherin gesagt, in der er daraufhin Julia erkannt hatte, und dann hatte sie ihn unvermittelt angeschrien: »Dir gefallen meine Beine! Also sieh sie dir gefälligst an, du ignorantes Arschloch!«

Rückblickend dachte Jan, dass man kein Psychoanalytiker sein musste, um die Beweggründe für diesen eindeutig infantilen Männertraum zu erkennen, der ihn mit seiner gegenwärtigen Beziehung zu Frauen konfrontierte. Erst recht nicht, nachdem auch Carla in diesem Traum erschienen war. Sie hatte direkt neben Julia gesessen, die in ihrer Uniform keinerlei Ähnlichkeit mehr mit einer Dr. Wow hatte, und hatte geistesabwesend von ihrem Computer aufgesehen.

»Mach dir keine Gedanken«, hatte die Traum-Carla gesagt. »Ich schreibe es für dich auf.«

Jan war daraufhin schweißdurchnässt aufgewacht, und es hatte lange gedauert, ehe er wieder eingeschlafen war. Doch der wirre Traum war damit nicht zu Ende gewesen. Und dieser zweite Teil beschäftigte ihn nun am meisten.

Jan war über eine giftgrüne Wiese gegangen, die aus unzähligen Wachsmalkreidestrichen bestand. Es war die Szenerie aus dem Kinderbild, das er im Unschlag unter seinem Scheibenwischer vorgefunden hatte.

Über ihm hatte ein türkisfarbener Himmel geleuchtet, als wolle er sagen: »Tut mir leid, aber Himmelblau war gerade aus«, und Jan hatte zu einer zweidimensionalen Sonne emporgesehen, die aus einem Kreis und mehreren Strichen bestand.

Mitten auf der Wiese war er dann einem Riesen mit dümmlichem Strichlächeln und dunklen Punktaugen begegnet, der sämtliche Strichbäume weit überragte. Er trug eine blaue Hose und einen schwarzen Pullover, von dem sich das rote Kleid eines winzigen Mädchens abhob, das auf seiner rechten Schulter saß.

»Warum hast du Angst vor mir?«, hatte der Riese mit donnernder Stimme gefragt, und Jan hatte ihm entgegnet, dass das nicht stimme. Er habe keine Angst vor ihm.

»Ach ja?«, hatte der Riese spöttisch zu ihm herabgedröhnt, und das Mädchen im roten Kleid hatte mit hysterischer Stimme zu kreischen begonnen.

Und nun, obwohl dieser Traum bereits Stunden zurücklag, hallten die imaginären Worte des Mädchens auf dem Bild noch immer in seinem Kopf wider.

Natürlich hast du Angst vor uns. Natürlich hast du Angst vor uns. Natürlich hast du Angst vor uns.

»Muss ich mir Sorgen um dich machen, Junge?«, holte ihn Marenburg aus seinen Gedanken zurück.

»Nein, ich habe nur einen ziemlichen Kater, das ist alles. Wir haben gestern eine beachtliche Spendensumme erhalten, und das musste natürlich gefeiert werden. Noch etwas Kaffee?«

Rudi winkte ab, wischte sich den Mund mit einer Papierserviette ab und legte den Kopf schief. Es war ihm anzusehen, dass er Jan die Sache mit dem Kater nicht so ganz glaubte. Schließlich kannten sich die beiden, seit Jan ein kleiner Junge und Rudi noch der Nachbar seiner Eltern gewesen war. Nach dem Verschwinden von Jans Bruder Sven, das einen Rattenschwanz weiterer schlimmer Ereignisse nach sich gezogen hatte, war Rudi zu Jans engstem Freund geworden. Er war an Jans Seite geblieben, hatte sich um ihn gekümmert wie um den Sohn, den er nie gehabt hatte, und war froh gewesen, als Jan nach vielen Jahren wieder in sein Elternhaus zurückgekehrt war.

»Ich gehe jetzt zwar flotten Schrittes auf die siebzig zu«, sagte Rudi mit seiner hohen Stimme, die auf eine angeborene Missbildung seiner Stimmbänder zurückführte, »aber ich bin noch nicht senil genug, um dich nicht zu durchschauen, mein Bester. Also, was ist los?«

»Es ist wirklich nichts. Ich habe im Moment nur einfach zu viel um die Ohren. Sag mir lieber, warum du mir heute Brötchen spendierst.« Jan deutete zur Küchenuhr, auf der es gerade erst halb zehn war. »Das ist doch noch gar nicht deine übliche Zeit.«

Der skeptische Blick seines Freundes wich einem breiten Lächeln, und Jan war erleichtert, dass sein Ablenkungsmanöver geglückt war.

»Nun, wie soll ich es sagen«, begann Rudi und suchte nach den richtigen Worten, »es ist vielleicht vorerst das letzte Mal, dass wir beide zusammen frühstücken können. Ich gehe nämlich auf eine Reise.«

Überrascht stellte Jan seine Tasse ab. »Auf eine Reise?«

Mit einer verlegenen Geste strich Rudi über die Tischdecke. »Also, dazu muss ich wohl ein bisschen ausholen. Ich habe dir doch bestimmt von meinem Computerkurs im letzten Frühling erzählt?«

Jan seufzte. »Rudi, ich war dabei, als du dir danach deinen Laptop gekauft hast.«

»Wie? O ja, richtig. Also, auf jeden Fall habe ich diesen Sommer einen sehr netten Seniorenchat gefunden und mich dort angemeldet.«

Jan nickte. Eine Antwort dieser Art hatte er vermutet. Seit Rudi die virtuelle Welt für sich entdeckt hatte, hatte sich einiges bei ihm verändert. Seit Monaten war er nicht mehr durch die Geschäfte gebummelt, wie er es früher mit Vorliebe getan hatte. Stattdessen gaben sich jetzt Postboten und Fahrer von Paketdiensten bei ihm die Klinke in die Hand und belieferten ihn mit Online-Bestellungen.

Und auch sonst war Rudi nur noch wenig unterwegs. Früher hatte man ihn häufig in einer der Kneipen auf dem Marktplatz oder während des Sommers in einem Biergarten antreffen können, aber seit dem Kauf seines Laptops ging Rudi kaum noch vor die Tür. Obendrein schienen sich auch seine Schlafgewohnheiten gewandelt zu haben, denn seit geraumer Zeit brannte bei dem Mann, der einst mit den Hühnern schlafen gegangen war, noch spät in der Nacht das Licht im Wohnzimmer. Deshalb musste Jan auch nicht lange raten, worauf sein Freund jetzt anspielte.

»Du hast jemanden über das Internet kennengelernt, stimmt's?«

Rudi strahlte.

»Ihr Name ist Doris.«

»Ist sie nett?«

»Nett ist gar kein Ausdruck, Junge. Sie ist ein wahrer Engel. Seit meiner Margot, Gott hab sie selig, habe ich keine Frau mehr getroffen, mit der ich mich so gut verstanden habe. Und für ihr Alter sieht sie umwerfend aus. Ein wenig wie Brigitte Bardot, falls du die noch kennst, nur hübscher. Himmel, mich hat es ja so was von erwischt.«

Jan sah ihn skeptisch an. »Aber ihr kennt euch bisher nur online, oder?«

»Na und?«, sagte Rudi, und es klang beinahe trotzig. »Das ist doch nicht schlimm. Im Gegenteil, auf diese Weise lernt man erst einmal das wahre Wesen eines Menschen kennen, seine Art zu denken, ohne sich von irgendwelchen Äußerlichkeiten beeinflussen zu lassen. Für mich war das doch der beste Weg. Wenn ich bisher eine Frau getroffen habe, die ich interessant gefunden hätte, habe ich mich nicht getraut, sie anzusprechen. Welche Frau unterhält sich schon mit einem, der sich wie ein rostiges Scharnier anhört?«

»Komm schon, Rudi, das ist doch …«

»Nein, nein, nein«, wehrte er ab. »Was das betrifft, bin ich leidgeprüft. Wenn ich nur daran denke, wie ihr mich genannt habt, als ihr noch Kinder wart. Kannst du dich noch daran erinnern?«

Natürlich erinnerte sich Jan. Sie hatten ihn »Kermit« genannt, wie den Frosch in der *Muppet Show*, denn genau so hörte sich Rudis Stimme nun einmal an.

»Rudi, wir waren damals noch Kinder und …«

»Ich weiß«, unterbrach er ihn wieder. »Deshalb war ich euch auch nicht böse. Und außerdem hattet ihr ja Recht. Aber genau das stand mir immer im Weg, Jan. Dabei habe ich das Alleinsein schon lange satt. Klar, früher hätte ich mir nie vorstellen können, dass es nach meiner Margot noch einmal eine Frau für mich geben könnte, aber inzwischen habe ich mehr als die Hälfte meines Lebens als Witwer zugebracht. Ich will einfach nicht mehr. Ich sehne mich nach Nähe und Zuneigung, und bevor es mir so geht wie gestern dem alten Kröger …«

Als Rudi den Namen des Polizisten erwähnte, horchte Jan auf. »Kröger? Wieso, was ist mit ihm?«

»Ach so, das weißt du noch gar nicht«, sagte Rudi und senkte den Blick. »Traurige Sache. Ich hab es vorhin beim Bäcker erfahren. Der arme Kerl hatte letzte Nacht einen Herzinfarkt. Als seine Frau heute Morgen aufgewacht ist, lag er tot neben ihr.«

Jan umfasste seine Tasse und dachte an seine letzte Unterhaltung mit Heinz Kröger, an den besorgten Blick des dicken Polizisten. So als hätte er geahnt, dass ihm nicht mehr viel Zeit blieb.

»Nicht sehr nett vom lieben Gott«, sagte Rudi. »Er eröffnet für jeden von uns ein Zeitkonto, aber verrät uns nicht, mit welchem Guthaben. Und deshalb will ich jetzt noch einmal richtig *leben*. Kannst du das verstehen, oder höre ich mich wie ein verrückter alter Kerl an, der nicht akzeptieren will, dass sein Zug demnächst ebenfalls abfährt?«

»Nein, Rudi, das ist ganz und gar nicht verrückt. Du solltest nur aufpassen, dass du keine Dummheiten machst, das ist alles.«

»Na, für diese Warnung ist es jetzt wohl ein bisschen zu spät.« Mit einem verschwörerischen Grinsen griff Marenburg in die Innentasche seiner Windjacke, die über der Stuhllehne hing. Er zog einen Umschlag hervor, auf dem in roten Buchstaben der Firmenname *Ockermann World Travels* prangte. »Ich werde Doris besuchen. Mein Flug geht heute Nachmittag um vier.«

Jan machte große Augen. »Dein Flug?«

»Die Kanaren«, sagte Rudi verheißungsvoll. »Da staunst du, was? Ihr Mann hat ihr eine Finca auf La Gomera hinterlassen. Dort lebt sie nun schon seit fast zehn Jahren.«

»Nicht schlecht. Da hast du dir ja genau die richtige Jahreszeit ausgesucht. Und für wie lange willst du sie besuchen?«

»Erst mal nur für eine Woche. Dann muss ich kurz zurück, weil sich der Gutachtertermin für mein Haus nicht anders legen ließ …«

»Du lässt dein Haus begutachten?« Jetzt war Jan wirklich baff.

»Ja, vielleicht verkaufe ich es und ziehe auf die Kanaren.« Rudi lachte. »Ist das nicht herrlich? Endlich habe ich wieder etwas Glück in meinem Leben, und ich bin noch fit genug, es auszukosten.«

Als sie sich wenig später an Jans Haustür verabschiedeten und Jan ihm zum hundertsten Mal versprochen hatte, sich um seine Blumen zu kümmern, sah Rudi ihn nachdenklich an.

»Sag mal, Herr Doktor, in der Psychologie gibt es doch einen Ausdruck für das Verliebtsein, nicht wahr? Ich habe irgendwann mal davon gelesen. Es war irgendetwas mit L. Lema … Lima …«

»Du meinst Limerenz?«

»Limerenz, richtig. Was genau geschieht da mit uns?«

»Nun ja«, Jan zuckte mit den Schultern, »ganz unromantisch gesagt: Du lernst jemanden kennen, der aufgrund mehrerer Faktoren deinem Partnerschema entspricht, und dein Körper beginnt Hormone auszuschütten. Dopamin, Serotonin, Oxytocin und noch einige andere, die dich wie auf Wolken schweben lassen. Dein Wahrnehmungsspektrum verengt sich, und alles, was dann noch zählt, ist die Person, in die du dich verliebt hast. Du fühlst dich, als hättest du Drogen genommen.«

»Ja, ich glaube, so fühlt es sich an«, sagte Rudi mit versonnenem Blick. »Ich fürchte mich nur ein wenig davor, dass es wieder nachlassen könnte.«

»Es *wird* nachlassen«, versicherte ihm Jan. »Auf die Dauer würdest du es sonst nicht aushalten. Aber wenn es wirklich die Richtige ist, wird ein reiferes Gefühl daraus werden. Nennen wir es die ›wahre Liebe‹, auch wenn diese Bezeichnung abgegriffen und kitschig klingen mag.«

Wieder musste Rudi lachen. »Wieso kitschig? Klingt doch wunderbar!«

Jan schmunzelte. »So oder so, auf alle Fälle wünsche ich dir viel Glück da unten. Pass auf dich auf, alter Knabe.«

Rudi zwinkerte ihm zu. Er war noch immer rüstig, trotz seiner leicht gebeugten Haltung, den schlohweißen Haaren und dem Faltennetz in seinem Gesicht; doch wie er jetzt so spitzbübisch lächelte, glaubte Jan einen jungen Mann vor sich zu haben, den die Schönheitskönigin zum Abschlussball eingeladen hatte.

Dann wandte Rudi sich zum Gehen, doch als er schon bei Jans Gartentür angekommen war, sah er sich noch einmal zu ihm um.

»Sag, Jan, was wäre eigentlich, wenn es nicht mehr aufhört? Was wäre, wenn die Verliebtheit, diese Limerenz, für immer andauern würde, statt zu etwas Vernunftgesteuertem zu werden?«

»Willst du es wirklich wissen?«

»Deswegen frage ich ja.«

Jan ließ den Finger neben der Schläfe kreisen. »Dann würdest du verrückt werden.«

13

Felix Thanner saß in der beklemmenden Dunkelheit des Beichtstuhls und wartete. Die Kabine war erfüllt vom Geruch nach Sandstein, kaltem Weihrauch, Holz und dem schweren Stoffbezug seines Stuhls und der Kniebank – ein Geruch, den Thanner unweigerlich mit dem Begriff »Sünde« verband.

Die Christophorus-Kirche war im Jahr 1728 erbaut worden, und der Beichtstuhl dürfte aus derselben Zeit stammen. Wie viele Sünden mochte er wohl schon gehört haben? Früher sicherlich mehr als heutzutage, denn wie jede Woche an den beiden Beichtvormittagen saß Thanner auch heute die meiste Zeit allein im Dunkeln, während die beiden Stunden für ihn träge dahinzogen.

Außer der einundachtzigjährigen Antonia Schiller hatte sich heute noch kein reumütiges Gemeindemitglied sehen lassen. Die alte Frau hatte ihm den Diebstahl einer Dose Seehasenrogen gestanden – weil sie wenigstens einmal in ihrem Leben den Geschmack von Kaviar kennenlernen wollte, sparsam, wie sie war, aber die Ausgabe scheute. Thanner hatte ihr die Absolution erteilt, ihr drei Vaterunser zur Buße aufgegeben, und als sie danach gegangen war, hörte er wieder den Wind im Deckengebälk flüstern.

Als die zwei Stunden fast um waren und Thanner sich insgeheim schon freute, dem muffigen Dunkel zu entkommen, vernahm er das schwere Kirchenportal, das gleich darauf wieder krachend ins Schloss fiel. Schritte hallten den Seitengang entlang, und Thanner sah durch das Gitterfenster des Beichtstuhls, wie die Umrisse einer Person an ihm vorbeiglitten. Dann öffnete sich die Tür zur Mittelkabine, und gleich darauf vernahm er das Rascheln von Stoff im Dunkel nebenan.

»Herr, vergib mir, denn ich habe gesündigt«, flüsterte eine Frauenstimme.

Es war eine junge Stimme, auch wenn sich ihr Alter nur schlecht einschätzen ließ. Die Frau konnte Anfang zwanzig oder auch Mitte dreißig sein. Auf jeden Fall hörte Thanner sie heute zum ersten Mal.

»Der Herr, der unser Herz erleuchtet, schenke dir wahre Einsicht deiner Sünden«, setzte er zur üblichen Begrüßung an, doch die Frau unterbrach ihn.

»Keine Floskeln!«, zischte sie. »Das ertrage ich nicht.«

»Also gut, keine Floskeln. Sag einfach, was dich bedrückt.«

Thanner konnte sie atmen hören. Es klang, als ringe sie mit sich, ob sie nicht einfach wieder gehen sollte.

»Ich … weiß nicht, ob ich das kann«, flüsterte sie. »Andererseits …«

»Ja?«

»Ich … ich *muss* ganz einfach mit jemandem darüber sprechen. Sonst … sonst *zerreißt* es mich.«

Thanner nickte, auch wenn sie ihn nicht sehen konnte. Ihm fiel die Christophorus-Statue ein. Ob diese Frau das Kerzenmeer in der Kapelle entzündet hatte? Gut möglich. Und ebenso möglich war es, dass sie die Geliebte des Mannes war, der ihm vergangene Woche seinen Ehebruch gebeichtet hatte. Denn auch er war zum ersten Mal zur Beichte erschienen. So wie diese Frau.

»Meine Schwester, du kannst hier offen sprechen«, ermutigte er sie. »Hier hört dich niemand außer Gott.«

Wieder das Atmen. Diesmal klang es erschöpft, so als trüge diese Frau eine unerträglich schwere Last und sei am Ende ihrer Kräfte angelangt.

Thanner war sich nun ziemlich sicher, dass sie in der Kapelle gewesen war. Christophorus hatte alle Last der

Welt auf seinen Schultern getragen, bis Gott ihm erschienen war und ihn erlöst hatte.

Ja, dachte er, das hatten die Lichter und der Schal zu bedeuten gehabt. Es war ein erster Hilferuf gewesen, und nun war sie hier.

»Ich … ich …« Er hörte sie schlucken. »Ich habe die schlimmste Sünde von allen begangen. Ich … Nein, ich *kann* nicht!«

Sie stand auf, und wie ein Windhauch wehte ein Duft zu Thanner in die Kabine. Ein schwaches Parfüm, das ihn an eine Blumenwiese denken ließ. Doch aus einem unerklärlichen Grund schien es mit einem Mal kälter im Beichtstuhl geworden zu sein. Fast so, als sei die Last dieser Frau ein gewaltiger Eisbrocken, dessen Kälte er auf der dunklen Seite des Gitters spüren konnte.

Natürlich war das nur Einbildung, schalt er sich sogleich. Die Kälte rührte von nichts anderem als dem Wind her, der durch den zugigen Kirchenbau wehte. Obendrein war der junge Pfarrer seit jeher ein schlaksiges Leichtgewicht, dem selbst im dicksten Pullover schnell kalt wurde. Und dennoch beschlich ihn plötzlich eine merkwürdige Ahnung. Vielleicht war es auch nur ein Instinkt, der sich im Lauf zahlreicher Beichten bei ihm entwickelt hatte.

»Geh nicht«, sagte er, obwohl er plötzlich feststellte, dass etwas in ihm *wollte*, dass sie ging. Dasselbe Etwas, das die Stimme seines Instinkts sein musste, sagte ihm auch, dass es keine Scham war, die diese Frau in die Flucht trieb. Kein Ehebruch war so schlimm, dass man ihn nicht beichten konnte – erst recht nicht in einer Zeit, in der selbst unter seinen Schützlingen eine Unbekümmertheit herrschte, die seinen Amtsvorgängern noch blankes Entsetzen verursacht hätte.

Nein, diese Frau belastete etwas anderes.

Etwas Dunkles.

Etwas … *Böses*.

»Geh nicht«, wiederholte er. »Wenn es dich wirklich zu zerreißen droht, dann ist hier der Ort, an dem du Hilfe finden wirst.«

Die Frau hatte die Tür bereits einen Spalt geöffnet. Nun hielt sie inne und schien zu überlegen. Wieder war nur das schwache Wimmern des Windes zu hören.

Dann zog sie die Tür wieder zu und sank erneut auf die Knie. Felix Thanner fröstelte.

»Ich hatte keine andere Wahl«, flüsterte sie. »Ich musste es tun, um mich zu retten. Ich habe keinen anderen Ausweg gesehen … weil es keinen anderen Ausweg *gab*.«

»Was hast du getan?«, fragte Thanner, obwohl er sicher war, dass er die Antwort darauf nicht hören wollte. Er fürchtete sich vor dieser Frau, auch wenn ihm noch nicht klar war, warum. Es war nur diese dunkle Ahnung, und vielleicht trog sie ihn.

Vielleicht aber auch nicht.

Doch trotz aller Befürchtungen musste er diese Frau zur Beichte ermutigen, ganz gleich, wie er sich selbst dabei fühlte. Immerhin war das sein Auftrag. Er war nun ihr Sprachrohr zu Gott.

»Sag, Schwester, welche Sünde belastet dich so sehr?«

Sie zögerte kurz, dann kam die Antwort, kurz und kalt.

»Ich habe getötet.«

Felix Thanner fuhr zusammen. Er hatte geahnt, dass sie dies sagen würde. Was sonst sollte sie derart belasten, dass sie es beinahe nicht über die Lippen gebracht hätte?

»Ich habe einen Menschen getötet«, wiederholte sie. »Und er war nicht der erste.«

Thanner rang um Fassung. Zwar hatte man ihn während des Priesterseminars auf die Situation vorbereitet, dass ihm ein Verbrechen gebeichtet werden könnte, aber es nun tatsächlich erleben zu müssen, war etwas ganz anderes.

Diese Frau hatte eine *Todsünde* begangen. Natürlich war streng genommen auch Ehebruch eine Todsünde, aber Mord … das war wirklich etwas anderes.

»Vor ihm gab es noch einen.« Sie redete mit kaum hörbarer Stimme weiter. Es war, als habe sie jetzt die Barriere überwunden, die sie hatte zögern lassen. »Er war nett. Sehr nett sogar. So nett, dass ich glaubte, ich würde ihn lieben. Und ich war mir sicher, er würde meine Gefühle erwidern. Aber dann … Wissen Sie, wie es sich anfühlt, wenn man abgewiesen wird? Wenn man feststellt, dass man sich gänzlich in einem Menschen getäuscht hat?« Sie stieß ein bitteres Lachen aus. »Ach nein, das können Sie ja gar nicht wissen. Sie dürfen ja nur Gott lieben.«

»Das stimmt nicht ganz«, entgegnete Thanner, während er fieberhaft überlegte, was er nun tun sollte. »Es gibt sehr wohl auch Menschen, die ich liebe.«

»Aber nicht so, wie *ich* lieben will.« Ihre Stimme war lauter geworden. Sie klang zornig. »Ich habe ein *Recht* darauf, zu lieben und geliebt zu werden, verstehen Sie? Aber wenn man dann dahinterkommt, dass dieser Kerl sich nichts aus einem macht, weil er sich überhaupt nichts aus Frauen macht … weil er lieber an irgendwelchen Kerlen herumfingert … dieses widerliche *Subjekt*!«

Thanner spürte die Kälte und den Hass, die durch jede noch so kleine Öffnung des Gitters zu ihm drangen. Er musste all seine Beherrschung aufbringen, nicht davonzulaufen. Er war mit dieser Situation absolut überfordert, das wusste er, aber was sollte er tun?

Reiß dich zusammen. Gott ist bei dir. Du bist nicht *allein!*

»Deshalb hast du ihn getötet?«

76

»Ja. Es ist einfach passiert. Ich war wütend, und plötzlich war er … tot. Und dann bin ich weggelaufen. Weg, einfach nur weg. Es hat mir so leidgetan, und dann auch wieder nicht. Ich meine, *er* war es doch, der mich getäuscht hat. Er hatte mir falsche Zeichen gegeben, hat sich in meinen Kopf geschlichen und mit meinen Gefühlen gespielt, und dann ist er auf ihnen herumgetrampelt. So jemand hat es doch verdient, bestraft zu werden, oder?«

Sie ist verrückt. Diese Frau ist verrückt. Ich sitze hier mit einer Wahnsinnigen zusammen!

»Niemand hat den Tod verdient.« Er versuchte, ruhig und bestimmt zu klingen. »Nur Gott kann über Leben und Tod entscheiden.«

»Dann war ich wohl sein Werkzeug.« Thanner glaubte, ein Lächeln aus ihren Worten herauszuhören. »Sonst hätte er mich nicht beschützt. Niemand hat je herausgefunden, was ich getan habe. Sie haben mich *gesucht*, ja, aber sie wussten nicht, wer ich *bin*. Bis dieser andere Kerl aufgetaucht ist.«

»Der zweite, den du getötet hast?«

Ein leises Seufzen. »Wissen Sie, was wirklich merkwürdig ist?«

Thanner faltete die Hände. Er zitterte am ganzen Leib. »Nein, sag du es mir.«

»Es ist gar nicht so schwer, einen Menschen zu töten. Erst recht nicht, wenn man es zuvor schon einmal getan hat.« Wieder glaubte er, dass sie lächelte. Ihre Worte hörten sich versonnen an, so als erzählte sie von einer angenehmen Erinnerung. Und wie um ihm dies zu bestätigen, sagte sie: »Dort, wo ich aufgewachsen bin, gab es eine große Scheune. Als Kind habe ich ab und zu dort gespielt. An der Decke führte ein Balken entlang, und man konnte von dort oben ins Heu springen. Zuerst hatte ich unheimliche Angst davor, zu springen. Es war sehr hoch, wissen Sie?«

»Aber du bist gesprungen?«

»Ja.« Nun war er sich sicher, dass sie lächelte. »Es ist seltsam. Du denkst, du schaffst das nie. Aber dann ist es nur ein ganz kurzer Moment, in dem du dich entscheidest. Und wenn du erst einmal gesprungen bist und weißt, wie es sich anfühlt, fällt es beim zweiten Mal ganz leicht.«

Thanner schluckte. »Willst du mir damit sagen, du hättest Gefallen daran gefunden?«

Er hatte kaum ausgesprochen, als sie so heftig mit der flachen Hand gegen das Gitter schlug, dass er zurückfuhr.

»Für was halten Sie mich? Für eine Verrückte? Für eine, der es Spaß macht, zu töten?«

»Niemand hält dich für …«

»Ist Ihnen eigentlich klar, wovon ich rede? Ich habe zwei *Menschenleben* ausgelöscht! Diese beiden Männer hatten eine Mutter, die sie geliebt hat, und einen Vater, der ihnen zeigte, wie das Leben funktioniert.«

»So wie es bei deinen Eltern war?«

Sie schwieg kurz, dann fügte sie leise hinzu: »Nein, die waren bestimmt nicht so wie sie. Aber das ist jetzt auch nicht mehr wichtig.«

»Was ist dann wichtig?«

»Dass ich jetzt einen Menschen gefunden habe, der es wert ist, geliebt zu werden«, sagte sie sanft, und man hätte nicht denken sollen, dass sie ihn gerade noch angeschrien hatte. »Diesmal bin ich mir sicher. Bei dem anderen hatte ich mich *geirrt*, aber bei ihm *weiß* ich es.« Sie kicherte wie ein kleines Mädchen. »Und das Allerschönste daran ist, dass er ebenso fühlt. Ich habe es in seinem Blick gesehen. Wenn er mich ansieht, dann spüre ich, dass es das Gute in dieser Welt gibt. Ich habe so viel Schlimmes gesehen, so viel Blut und widerliche Dinge, aber ein Blick von ihm genügt, um es mich vergessen zu lassen.«

Thanner krampfte die Hände um seine Knie, dass es wehtat. Er saß hier mit einer offensichtlich Geistesgestörten. Sie hatte ihm zwei Morde gestanden und schien unter einer Art Liebeswahn zu leiden. Der dritte Mann, von dem sie ihm erzählte, würde ihr nächstes Opfer sein. Wahrscheinlich würde sie ihn ebenfalls töten, wenn sie es in ihrem Wahn für notwendig hielt. Immerhin war sie bereits zweimal vom Balken der Scheune gesprungen und hatte festgestellt, dass es einfacher war, als sie dachte.

Was soll ich nur tun? Gott, sag mir doch, was ich tun soll!

»Bereust du, die beiden Männer getötet zu haben?« Thanner fühlte, dass er trotz der Kälte im Beichtstuhl schwitzte. Seine Stimme zitterte.

»Deshalb bin ich gekommen.« Wieder war ihre Stimme zu einem scheuen Flüstern geworden. »Es tut mir sehr leid, was ich getan habe. Auch wenn ich keine andere Möglichkeit gehabt habe. Ich konnte doch nicht zulassen, dass sich dieser Kerl zwischen ihn und mich stellt. Nur, weil er etwas über mich wusste, was keiner wissen darf. Nicht jetzt, wo ich *ihn* endlich gefunden habe.« Sie schluchzte. »Trotzdem weiß ich natürlich, dass es falsch gewesen ist, und ich bitte Gott, mir zu vergeben. Ich muss wieder rein sein. Für *ihn*.«

»Gott vergibt jede Sünde, die man aufrichtig bereut«, sagte Thanner und zwang sich zu einem festen und überzeugenden Tonfall. »Aber er kann dich nur von dieser schweren Sünde lossprechen, wenn du völlige Einsicht in deine Taten zeigst und die Konsequenzen dafür trägst. Deshalb musst du dich der irdischen Gerichtsbarkeit stellen.«

»Sie wollen mir sagen, dass ich mich der Polizei stellen soll, weil das Gottes Wille ist?«

Thanner glaubte, die Kälte aus dem Dunkel nebenan am ganzen Körper zu spüren. Noch nie in seinem Leben hatte er derart gefroren wie jetzt und noch nie eine solche Angst gehabt – denn wer sagte ihm, dass diese Verrückte nicht jeden Moment zu ihm herüberkommen und auf ihn losgehen würde.

Er musste sich überwinden weiterzusprechen. »Ja, das will ich damit sagen. Jeder muss für seine Taten einstehen, erst dann kann Gott ihm vergeben. Reue und Schuldgeständnis sind nur der erste Schritt. Ihnen folgt die Buße und …«

Sie wartete seine Erklärung nicht ab. Stattdessen schnellte sie hoch und stürmte aus dem Beichtstuhl.

Thanner schrak auf seinem Sitz auf, als sie sich gegen die Tür zu seiner Kabine warf. Durch das Holzgitter konnte er einen Teil von ihr sehen. Sie trug einen hellen Regenmantel und hatte die Kapuze tief ins Gesicht gezogen, so dass Thanner nur eine einzelne blonde Strähne erkennen konnte.

Die Frau schlug mit der flachen Hand gegen die Tür, noch fester als vorhin. Gleich würde das Holzgitter splittern, schoss es Thanner durch den Kopf.

»Hast du Angst vor mir?«, fuhr sie ihn an. »Los, sag schon! Hast du *Angst* vor mir?«

Natürlich hatte Felix Thanner Angst vor ihr. Zitternd stand er in seiner Kabine. Er war ihr hilflos ausgeliefert. Diese Frau war hochgefährlich, und er … er war schon immer zu schwach und zu ängstlich gewesen, sich gegen körperliche Gewalt zu wehren. Schon in der Schule war er ein auffallend dürrer, schüchterner Kerl gewesen, was die üblichen Raufbolde weidlich ausgenutzt hatten. Sie hatten ihm Regenwürmer in sein Pausenbrot gelegt und ihn gezwungen hineinzubeißen, und als er sich vor Angst eingenässt hatte, hatten sie ihn ausgelacht. Und auch jetzt, viele Jahre später, glaubte er, dass er sich gleich wieder in die Hosen machen würde.

Aber nun war er erwachsen – und er stand im Dienst einer höheren Macht. Auf sie musste er jetzt vertrauen. Er hatte einen Auftrag, den es zu erfüllen galt, so wie man es ihm einst beigebracht hatte. Also nahm er all seinen Mut zusammen.

»Ja«, sagte er. »Ja, ich habe Angst vor dir. Aber noch mehr Angst habe ich *um* dich. Du brauchst Hilfe, und die möchte ich dir anbieten. Bitte lass dir von mir helfen.«

Sie wich zurück, aber sie ging nicht weg. Für eine kleine Ewigkeit standen sie sich schweigend gegenüber, und nur die Tür des Beichtstuhls trennte sie voneinander. Thanner hörte ihr schnelles Atmen. Fast konnte er spüren, wie es in ihr arbeitete.

»Du weißt, dass du niemandem davon erzählen darfst«, sagte sie schließlich. »Selbst wenn man dich deswegen foltern würde, *musst* du schweigen.«

»Natürlich weiß ich das. Das Beichtgeheimnis ist heilig.«

»Wollen wir um deiner Seele willen hoffen, dass du das nie vergisst«, zischte sie, dann eilte sie zum Ausgang.

Thanner hörte ihre Schritte und wie sie das Portal öffnete.

»Ich kann dir helfen!«, rief er ihr nach, wagte es aber immer noch nicht, den Beichtstuhl zu verlassen.

Er hörte sie etwas sagen. Sie war zu weit entfernt, um sie deutlich zu verstehen, aber Thanner glaubte ein »Vielleicht« zu hören. Dann fiel die schwere Kirchentür ins Schloss, und Thanner blieb allein zurück.

Um ihn herum hing der schwere Geruch der Sünde, der nun unerträglich geworden war. Thanner würgte, riss die

Kabinentür auf, schaffte es gerade noch hinaus und übergab sich auf den Steinboden.

14

Die Nachtschicht verlief ruhig, so dass Jan gegen Mitternacht eine Pause einlegen und die Kantine aufsuchen konnte, die zu dieser Zeit jedoch weniger Kantine denn Aufenthaltsraum war.

Der Saal mit den weißen Plastiktischen wirkte verlassen und trostlos. Wo sonst während der Mittagszeit lautes Stimmenwirrwarr schallte, herrschte nun ungemütliche Stille wie in einer Kirche. Auch die Dekoration aus Zierkürbissen und Herbstlaub auf gelben Tischsets konnte die sterile Kälte nicht aus dem Raum vertreiben.

Gleich neben dem Getränkeautomaten unterhielten sich zwei Krankenschwestern mit gedämpften Stimmen. Sie hatten sich dabei über den Tisch gebeugt, als würden sie eine Verschwörung aushecken.

Jan entdeckte Dr. Franco Spadoni am anderen Ende des Saales. Er saß vor der großen Fensterfront, die auf den nachtschwarzen Klinikpark hinauszeigte, hatte den dunklen Lockenkopf auf die Faust gestützt und stocherte in Gedanken versunken in einem Stück Kuchen herum. Beim Anblick seines Kollegen musste Jan an eines der einsamen Gemälde von Edward Hopper denken. Dieses hier hätte mit *Nachtschicht* statt *Nachtfalken* betitelt sein können.

Erst als Jan sich zu ihm setzte, hob Franco den Kopf. Er machte den Eindruck, als habe Jan ihn aus einer anderen

Welt zurückgeholt. Der Schichtdienst schien ihm zuzusetzen. Er war unrasiert und hatte Augenränder, als habe er seit einigen Nächten nicht mehr richtig geschlafen.

»Das ist aber eine Überraschung«, sagte Franco. »Ein seltener Besucher in unserem Kulinarium. Na, dann sei gewarnt, Kollege, der Marmorkuchen macht seinem Namen alle Ehre. So lange kannst du gar nicht Pause machen, um diesen Brocken im Kaffee einzuweichen.«

»Danke für den Tipp, aber so verzweifelt bin ich noch nicht, um unseren Kantinenkuchen zu essen. Ich wollte dich sprechen. Auf der Station haben sie mir gesagt, dass du hier bist.«

Seufzend legte Franco die Gabel beiseite. »Ja, ich hatte plötzlich einen Heißhunger auf Marmorkuchen. War eindeutig ein Fehler.«

Jan sah ihn prüfend an. »Alles in Ordnung mit dir? Du wirkst so …«, er suchte nach dem richtigen Wort, »so niedergeschlagen.«

»Ach, es geht schon.« Franco machte eine abwehrende Handbewegung. »Ein paar kleine eheliche Unstimmigkeiten. Muss wohl an diesem Mistwetter liegen. Das schlägt nicht nur unseren Patienten aufs Gemüt. Hat es einen bestimmten Grund, warum du nach mir gesucht hast?«

»Ich wollte dich bitten, dir etwas anzusehen.«

»Nur zu. Ich hoffe, es ist etwas, das mich aufmuntert?«

»Das gerade nicht, aber es fällt zumindest in dein Fachgebiet.«

Jan zog das Kuvert, das er unter dem Scheibenwischer gefunden hatte, aus seiner Kitteltasche und reichte es ihm. Franco schob den Kuchen von sich, nahm die Zeichnung heraus und strich sie auf der Tischplatte glatt.

»Wer hat das gezeichnet? Eine Patientin für die neue Kinderstation?«

»Lass mich zuerst hören, was der Kunsttherapeut darüber denkt, dann sage ich dir, was es damit auf sich hat.«

»Na gut.« Franco setzte eine Lesebrille auf und zog das Bild zu sich heran. Für eine Weile betrachtete er schweigend die Blumenwiese mit der Strichsonne und dem Strichriesen, der das kleine Mädchen auf der Schulter trug. Dann schüttelte er den Kopf und sah Jan über den Rand seiner Brille hinweg an.

»Also, wenn du mich fragst, dann hat das kein Kind gezeichnet.« Er tippte auf das Blatt. »Auf den ersten Blick könnte man zwar meinen, das sei vielleicht von einem sechs- bis achtjährigen Kind, aber ich bin mir ziemlich sicher, dass es von einer deutlich älteren Person stammt.«

Nachdenklich sah Jan das Bild an. Er hatte selbst schon diesen Gedanken gehabt, auch wenn es nur ein Gefühl gewesen war, das er nicht hätte begründen können.

»Woran machst du das fest?«

Es hatte wieder zu regnen begonnen, und draußen trieb der Wind einen prasselnden Regenschwall an die Fensterfront.

»Nun ja, es sind vor allem die Proportionen«, sagte Franco. »Die meisten Kinder in diesem Alter würden ihre Figuren unproportional darstellen. Ihnen fehlt noch der rationale Bezug zum eigenen Körper, und das spiegelt sich in ihren Zeichnungen wider. Figuren, die von Kindern gezeichnet werden, haben oft zu lange oder zu kurze Extremitäten, oder die Köpfe stehen im falschen Verhältnis zum Rest des Körpers. Vor allem dann, wenn das Bild nicht gerade von besonders großem künstlerischen Talent zeugt, wie es hier der Fall ist.« Wieder betrachtete Franco die Zeichnung, als lese er einen Text. »Ich schätze, dass die Künstlerin eine Jugendliche, wenn nicht sogar eine Erwachsene ist. Aber sie möchte, aus welchem Grund auch immer, dass sie der Betrachter ihres Bildes für ein Kind hält. Sie hat sich sehr viel Mühe gegeben, diesen Eindruck zu erwecken, aber genau dadurch hat sie sich verraten. Schau dir mal die Linien genauer an. Kein sechsjähriges Kind würde so gleichmäßig aufdrücken. Zumindest keines, das ich kenne. Dafür sind kleine Kinder zu ungeduldig. Tatsächlich muss man sich Zeit lassen, um einen so einheitlichen Druckpunkt auf den Stift hinzubekommen. Auch sind alle Farbflächen pedantisch ausgefüllt worden und nicht schraffiert, wie Kinder es gerne machen. Das könnte auf eine zwanghafte Persönlichkeit hinweisen.«

Jan runzelte die Stirn. »Du sprichst von einer Künstle-*rin*. Was macht dich so sicher, dass eine Frau das Bild gezeichnet hat?«

Franco nahm die Brille ab und tippte mit dem Bügel auf das Mädchen, das auf der Schulter des Riesen saß. »Weil ich wetten würde, dass sie das selbst ist. Dieses rote Kleid schreit einem doch förmlich zu: ›Hallo, hier bin ich!‹, oder? Und man muss auch nicht lange raten, wer der Riese sein soll.« Franco sah Jan an und grinste. »Nur dass ich dich noch nie so habe lachen sehen.«

Jan konnte auf diesen Scherz nicht eingehen. Auch er hatte sich in der Darstellung des Riesen wiedererkannt. Die Statur und das Gesicht hätten zu vielen dunkelhaarigen Männern passen können, aber die Geste der freien Hand des Riesen verriet, dass es sich um Jan handeln sollte.

Es war eine typische, wenn auch unbewusste Jan-Forstner-Haltung. Der Arm war leicht angewinkelt und die Hand mit dem Daumen in der Vordertasche seiner Jeans eingehakt. So tat es Jan häufig, wenn er nicht wusste, wohin mit seinen freien Händen. Das konnten zahlreiche Fotos belegen, die bis in seine Kindheit zurückreichten, und ihm selbst fiel es stets dann auf, wenn er Anzughosen mit längs aufgesetzten Taschen trug – so wie zum Beispiel gestern auf dem Empfang, als er froh gewesen war, ein Glas in der Hand halten zu können.

Aber selbst wenn Jan noch immer gezweifelt hätte, dass er mit diesem Bild gemeint war, verriet ihn die Armbanduhr des Riesen. Entgegen der üblichen Gebräuchlichkeit trug er sie rechts, wie auch Jan seine Uhr am rechten Arm trug, weil es ihm praktischer erschien.

Diese Geste und die Uhr waren es, die ihn an diesem Bild am meisten beunruhigten. Wer immer es auch gezeichnet haben mochte, war ein aufmerksamer Beobachter. Jemand mit einem feinen Blick für Details. Und falls es in der Absicht dieses Jemand gelegen haben sollte, Jan damit zu beeindrucken, war es ihm – oder vielmehr *ihr* – gelungen. So sehr, dass das Bild Jan sogar bis in seine Träume verfolgt hatte.

Natürlich hast du Angst vor uns!

Denn da war noch etwas an diesem Bild. Es war nichts, was Jan genau hätte erklären können. Vielmehr war es ein Gefühl, ausgelöst durch etwas, das irgendwo zwischen diesen Strichen und ausgemalten Flächen lauerte. Etwas, das nicht greifbar war. So wie die Künstlerin selbst.

»Aber was kann das zu bedeuten haben, Franco? Ich meine, warum spielt mir jemand so ein Bild zu?«

»Du weißt nicht, von wem es ist?«

»Nein, der Umschlag steckte gestern Nacht unter meinem Scheibenwischer, als ich aus der Spendenveranstaltung kam.«

»Das ist merkwürdig. Aber es belegt natürlich meine These vom Alter dieser Frau. Kein Kind würde sich nachts auf dem Klinikgelände herumtreiben. Jedenfalls meine Kinder nicht. Die sind um diese Zeit im Reich der Träume unterwegs.«

»Ja, es ist wirklich äußerst merkwürdig. Vor allem, weil es nicht die einzige Nachricht ist, die sie mir hat zukommen lassen.«

»Hat sie dir noch weitere Bilder geschickt?«

»Nein, aber einen Strauß Rosen.«

Franco hob die Brauen. »Rosen?«

»Ja. Rote Rosen. Und sie müssen teuer gewesen sein. Zuerst dachte ich, sie seien von Carla, aber sie hat mir keine Blumen geschickt. Und dann bekam ich einen Anruf von jemandem, der sich wie ein Mädchen anhörte.«

»Was hat sie gesagt?«

»Nicht viel, aber es klang wie ein Hilferuf. Sie sagte, sie schaffe es allein nicht mehr, und als ich fragte, was sie damit meint, sagte sie nur: ›Alles‹, und legte wieder auf.«

Franco fuhr sich übers Kinn, und seine Bartstoppeln knisterten wie Sandpapier. »Tja, dem Bild nach zu urteilen, scheint dich diese Unbekannte für eine Art starken Helden zu halten. Für jemanden, der groß genug ist, ihr zu helfen, während sie sich klein und wie ein Kind fühlt. Zumindest ein Teil von ihr, denn andererseits schickt sie dir rote Rosen.«

Jan machte eine ratlose Geste. »Aber warum gibt sie sich mir nicht zu erkennen? Ich meine, sie setzt doch ein klares Signal. Sie ist überzeugt, dass ich ihr helfen kann. Warum also dieses Versteckspiel? Hat sie Angst?«

Franco besah sich erneut die Zeichnung und schürzte die Lippen. »Nein, diese klaren Linien und die ausdrucksstarke Farbverteilung passen nicht zu einer ängstlichen Person. In dem Bild ist keine Zurückhaltung zu erkennen. Im Gegenteil, das rote Kleid deutet eher auf ein erhöhtes Selbstbewusstsein hin. Ist jetzt natürlich reine Interpretation, aber ich denke, sie hat einen äußeren Schein zu wahren. Wenn sie sich direkt an dich wenden würde, wäre das aus ihrer Sicht womöglich ein Zeichen von Schwäche. Vermutlich ist sie im inneren Zwiespalt, einerseits weiß sie, dass sie Hilfe braucht, aber sie muss auch die Kontrolle über ihr Leben wahren. Deshalb bereitet sie dich auf ihre Kontaktaufnahme vor und macht dich auf sie aufmerksam. Aber wann und wie sie auf dich zugehen wird, will sie selbst bestimmen.«

Das scharrende Geräusch von Stühlen unterbrach ihr Gespräch, als die beiden Schwestern ihre Pause beendeten und zum Ausgang gingen. An der Tür sah sich eine der beiden zu ihnen um, nickte ihnen mit einem leisen »Gute Nacht« zu und verließ mit ihrer Kollegin die Kantine.

»Mich beunruhigt vor allem eines«, sagte Jan und sprach ein wenig lauter, nachdem sich die Tür hinter den beiden Frauen geschlossen hatte. »Diese Frau weiß offenbar sehr viel über mich. Sie kennt meine Telefonnummer in der Klinik, sie weiß, wo ich mich gerade aufhalte und welches Auto ich fahre. Ich vermute, sie beobachtet mich. Aber im Gegenzug weiß ich so gut wie nichts über sie.«

»Das würde ich so nicht sagen«, entgegnete Franco. »Dem Bild nach ist sie blond und wirkt vermutlich etwas mädchenhaft, wenn sie sich unbeobachtet fühlt. Sie ist gründlich, mit einer Veranlagung zur Zwanghaftigkeit, und sie wird höchstwahrscheinlich sehr bemüht sein, die Kontrolle über jede Situation zu behalten. Spontan würde ich auf eine neurotische Störung tippen. Darüber hinaus scheint sie sich in dich verguckt zu haben. Also wird sie sich irgendwo in deiner Nähe aufhalten. Das ist doch schon einmal ein Anfang.«

Jan seufzte. »Abgesehen von dem Sichvergucken, trifft die Beschreibung auf einige Frauen zu, die ich kenne.«

Franco sah auf die Uhr, dann stellte er sein Geschirr aufs Tablett und stand auf.

»Ich muss wieder auf meine Station zurück«, sagte er und fügte ernst hinzu: »Halt die Augen offen, Jan. Wie es scheint, steckt dein Rosenmädchen in ziemlichen Schwierigkeiten. Und bei ihren Kontrollbemühungen vermute ich, dass sie nach außen hin nicht zeigt, was sie wirklich ist.«

»Was ist sie denn deiner Meinung nach?«

»So wie ich das sehe, eine schwer gestörte Person. Und vielleicht auch eine Gefahr. Sieh dir die Hände des Mädchens an. Sie hat sie zu Fäusten geballt. Wie ein Boxer, der sich zum Kampf aufstellt.«

Jan blickte auf das Mädchen in dem roten Kleid. Das war es, was ihn beim ersten Mal so sehr erschreckt hatte, ohne dass er genau zu sagen gewusst hätte, woran es lag. Es war die Gestik des gezeichneten Kindes. Es lächelte, ebenso wie auch der Riese lächelte. Nur wirkte das Lächeln des Mädchens im Gegensatz zu dem des Riesen nicht echt. Ihr Lächeln war aufgesetzt, denn eigentlich zeigte sie dem Betrachter die Fäuste.

Sieh her, schien sie zu sagen, *wenn du zu nahe kommst, kriegst du es mit mir zu tun!*

»Wie gefährlich würdest du sie einschätzen?«

Franco zuckte die Schultern, und die Tasse auf dem Tablett in seinen Händen klapperte. »Schwer zu sagen. Vielleicht ist ihr das selbst nicht einmal bewusst. Aber ich denke, sie birgt durchaus ein Aggressionspotenzial, das man nicht unterschätzen sollte. Gegenüber sich selbst und vielleicht auch gegenüber anderen. Immerhin ist ihr Kleid rot, und jemand, der sich in Symbolen ausdrücken will, weiß bestimmt, was eine Signalfarbe ist.«

15

Es war ein Angstloch. Ein kalter, schmutziger und dunkler Keller. Von den Steinwänden troff Feuchtigkeit und durchnässte den sandigen Boden. Und es stank. Hölle, wie es hier stank! Als hätten Tausende von Ratten in den letzten Jahrhunderten den Sandboden vollgekotet, nur um anschließend darin zu verwesen.

Sie hasste diesen Keller, hasste es, darin eingesperrt zu sein wie eine Aussätzige.

Dabei hieß es doch, dass Träume nicht wiederkehren, dass man sie einmal durchleben musste und dass sie dann vorüber waren. Aber der Traum von diesem Keller kam wieder und wieder. Als wolle er ihr zeigen, wohin sie gehörte – weggeschlossen von der Welt der *normalen* Menschen, die ein *normales* Leben führten, in dem *unnormale* Kreaturen wie sie keinen Platz hatten.

Du bist unnormal, sagte dieser Traum. *Du bist innerlich hässlich. Die normale Welt da draußen fürchtet dich.*

Deswegen hatte sie außerhalb dieses Kellers nichts verloren.

Ja, dies war nur ein Traum – das wusste sie, noch während sie ihn zum unzähligsten Mal träumte –, aber er war auch weit mehr als das. Er war das Spiegelbild ihrer Ängste und Hoffnungen. Diese Formulierung hatte sie in einem Buch über Träume gelesen – sie hatte schon viele Bücher darüber gelesen, um der wahren Bedeutung dieses immer wiederkehrenden Kellertraums auf die Spur zu kommen –, und diese Formulierung hatte sich bei ihr festgesetzt.

Das Spiegelbild meiner Ängste und Hoffnungen.

Der Satz hatte ihr Mut gemacht. Denn auch wenn sie sich hier unten fürchtete, durfte sie doch gleichzeitig auch hoffen. Hoffen, ja, das war etwas Gutes.

Die Hoffnung stirbt zuletzt, hatte ihre Mutter immer gesagt. Sie hatte ihre Mutter gehasst, abgrundtief gehasst, weil sie schwach war. Aber es war dennoch ein guter Spruch. Ein Spruch, auf den sie baute. Wieder und wieder und wieder. Und auch jetzt.

Von jenseits des schweren Eisengitters hörte sie Schritte. Jemand kam den Gang entlang. Langsam, aber ohne zu zögern.

Erschrocken starrte sie hinaus in die Dunkelheit jenseits ihres Gefängnisses. Wer mochte das sein? Hier war doch noch nie jemand außer ihr gewesen.

Die Schritte machten ihr Angst. Dies war keine Umgebung, in der fremde Geräusche etwas Gutes verhießen. Nicht hier, nicht in diesem Angstloch.

Zitternd kauerte sie sich gegen die Wand und fühlte, wie ihr Kleid die kalte Nässe aufsog. Ohne den Blick vom Gitter abzuwenden, ertastete sie einen der etlichen Steinbrocken, die aus der Wand gebrochen waren, lange bevor sie zum ersten Mal hier gewesen war. Der Brocken fühlte sich hart und schwer an. Sie packte ihn. Damit konnte sie sich wehren, schlimmstenfalls sogar töten, wenn es notwendig wurde.

Aber war das überhaupt notwendig?

Es ist doch nur ein Traum, rief sie sich in Erinnerung. *Nur ein Traum, den du durchstehen musst.*

Oder doch nicht? War dies am Ende vielleicht gar kein Traum? Saß sie wirklich in diesem Kellerloch, und waren die Schritte da draußen gar keine Einbildung, sondern Wirklichkeit?

Herrje, wenn es doch nur nicht so schwer wäre, das zu erkennen! Wie oft schon hatte sie nicht gewusst, was wirklich war und was nicht. Manchmal hatte sie sogar schon daran gezweifelt, dass *sie selbst* wirklich war. Wenn man gezwungen war, sich selbst vor anderen zu verbergen, nur um ihnen zu zeigen, dass man ein *normaler* Mensch wie sie war, konnte einem das Gespür für das Reale durchaus abhandenkommen.

Die Schritte kamen immer näher, und bald schon konnte sie einen zuckenden Lichtkegel sehen, der sich auf den feuchten Steinwänden spiegelte. Wer immer da kam, er war nicht mehr weit entfernt.

Sie umklammerte den Stein noch fester. *Wenn ich träume, dann brauche ich keine Angst zu haben. Dann werde ich irgendwann aufwachen, und alles ist wie immer. Aber wenn es kein Traum ist, wenn ich wirklich in diesem Keller sitze, wenn dort wirklich noch jemand außer mir ist …*

Weiter kam sie nicht, denn nun bog das Licht um die Ecke, und sie sah, wer es trug. Mit einem Schrei sprang sie auf und ließ den Stein fallen.

Jan, es war Jan! Er hatte sie gefunden. Endlich!

Sie lief zu der Gittertür, rief immer wieder seinen Namen, und er lächelte sie an.

»Hier.« Er reichte ihr etwas durch das Gitter. Sie sah den goldenen Schlüssel auf seiner Handfläche. Er leuchtete wie der wertvollste Schatz der Welt. »Ich bin gekommen, um dich zu befreien.«

»Das weiß ich«, rief sie erregt. »Ich habe es immer gewusst.«

Dann war Jan verschwunden, ebenso der Schlüssel. Das Gefängnis war noch da, aber nicht als düsterer Keller, das wusste sie – jetzt, wo sie wieder wach war. Das Gefängnis war noch da, weil es sich in ihrem Kopf befand.

Aber das war nicht weiter schlimm, denn es gab einen, der den Schlüssel dazu besaß. Lächelnd sah sie zur Decke, betrachtete die Schatten der Äste, die im Mondlicht tanzten, und lauschte dem leisen Prasseln der Regentropfen.

»Bald«, flüsterte sie den Schatten zu. »Bald. Und dann für immer.«

16

Felix Thanner ging in der Küche auf und ab und rieb sich die Hände. Ihm war kalt, auch wenn Edith Badtke wie immer dafür Sorge getragen hatte, dass das Pfarrhaus gut geheizt war. Dass er dennoch fror, hatte einen anderen Grund. Es war ein Frösteln, das drei Worte in ihm auslösten, die ihm keine Ruhe mehr ließen.

Ich habe getötet.

Ein Satz, der wie ein Echo in ihm nachklang.

Er hatte letzte Nacht kaum geschlafen, und seine Augen brannten vor Müdigkeit. Die meiste Zeit hatte er vor seinem Laptop verbracht, um sich Gewissheit zu verschaffen, dass er nicht der Wahnidee einer Geistesgestörten aufgesessen war. Immerhin wäre es nicht das erste Mal gewesen, dass jemand Sünden beichtete, die er nur in seiner Vorstellung begangen hatte, und Thanner hatte gehofft, dass das auch auf diese Frau zutraf.

Sie konnte aus den Medien von dem Mord an dem Journalisten erfahren und sich dieses Verbrechens beschuldigt haben, weil ihr irgendeine Wahnstimme das einredete. So etwas kam vor. Er hatte es zwar noch nicht selbst erlebt, aber während seines Priesterseminars hatte er einmal von einem solchen Fall gehört. Der Leiter – ein älterer Geistlicher, der es sichtlich genossen hatte, die jungen Priesteramtskandidaten an seinem langjährigen Erfahrungsschatz teilhaben zu lassen – hatte von einem Mann erzählt, der mehrere Vergewaltigungen gebeichtet hatte. Vergewaltigungen, die nie stattgefunden hatten. Denn abgesehen davon, dass es sämtlichen der genannten Frauen bestens ging, wäre es schon allein deshalb nicht möglich gewesen, da dieser Mann querschnittsgelähmt gewesen war, hatte der Dozent erklärt. Die Beichte sei für ihn zu einer Art Ventil seiner sexuellen Fantasien geworden, die sich zu einer krankhaften Besessenheit entwickelt hatten – so sehr, dass er überzeugt gewesen war, sich tatsächlich an diesen Frauen vergangen zu haben.

Einer der Seminaristen hatte gefragt, was aus dem Mann geworden sei, woraufhin sie erfuhren, dass der Mann wenig später in die Psychiatrie eingewiesen worden war, nachdem er nicht nur in der Beichte über seine Wahnvorstellungen gesprochen hatte.

Doch was die Frau von gestern betraf … Thanner schüttelte den Kopf. Nein. Nein, sie hatte nicht fantasiert, auch wenn sie zweifellos ebenfalls eine Kandidatin für die Psychiatrie war.

Sosehr er sich auch innerlich dagegen sträubte, wusste er doch, dass sie die Wahrheit gesagt hatte. Davon war er inzwischen überzeugt.

Sie hatte von *zwei* Morden gesprochen, und mit einem der Opfer hatte sie Nowak gemeint, da war sich Thanner sicher. Zudem wusste er nun auch, wen sie *vor* dem Journalisten getötet hatte. Schon während ihrer Unterhaltung im Beichtstuhl hatte er eine Vermutung gehabt, nachdem sie ihm ein Stichwort gegeben hatte. Ihr erstes Opfer war homosexuell gewesen.

Je länger er darüber nachgedacht hatte, desto klarer war ihm geworden, wen sie meinte. Also hatte er das Internet nach Berichten durchsucht. Und schließlich war er fündig geworden.

Thanner hatte das Opfer gekannt – nicht besonders

gut, aber gelegentlich waren sie sich begegnet. Der Mann hatte Matthias Lassek geheißen, und seine Ermordung lag etwas mehr als anderthalb Jahre zurück.

Es war Anfang Mai gewesen, daran konnte sich Thanner noch sehr gut erinnern. Die Presse hatte vom »gelben Mai« gesprochen, da es aufgrund einer längeren Trockenphase zu enormen Wolken aus Blütenstaub gekommen war. Ein Umstand, der für die Ermittler in diesem Mordfall eine bedeutende Rolle spielen sollte – im negativen Sinne – und sicherlich auch der Grund, warum diese Frau davon ausging, Gott habe sie vor der Entdeckung beschützt.

Lassek war ein einflussreicher Geschäftsmann aus Ulm gewesen. Er stammte aus einfachen Verhältnissen, hatte schon früh mit dem Handel unterschiedlichster Waren begonnen und es über die Jahre zu einer eigenen Kaufhauskette gebracht. Seine einfache Herkunft hatte er jedoch nie vergessen und einen Teil seines Vermögens in soziale Projekte für Kinder aus Problemfamilien investiert.

Thanner, der zu dieser Zeit noch in der Ulmer Jugendseelsorge tätig gewesen war, hatte diesen sympathischen und lebensfrohen Mittfünfziger sehr für sein Engagement bewundert. Vor allem hatte es ihm gefallen, dass Lassek kein großes Aufhebens darum machte. Er hatte geholfen, weil er helfen *wollte*, und nicht der PR wegen.

Umso mehr hatte ihn die Nachricht von Lasseks Ermordung erschüttert, die von den Medien als »Wahnsinnstat« bezeichnet worden war. Thanner erinnerte sich noch an das Pressefoto der blutbespritzten Telefonzelle in der Stuttgarter Fußgängerzone, wo Mitarbeiter der Stadtreinigung die Leiche in den frühen Morgenstunden gefunden hatten. Unweit dieser Telefonzelle hatte sich ein Nachtclub namens Boyhouse befunden. Auch das hatte die Presse nicht ausgelassen, zumal es ein neues Licht auf Lasseks Person warf.

Lassek war der Schädel mit einem Pflasterstein eingeschlagen worden, der von Straßenbauarbeiten neben der Telefonzelle stammte. Allem Anschein nach musste es sich um eine spontane Tat gehandelt haben.

Anfangs war man noch davon ausgegangen, dass der Mörder möglicherweise zur Schwulenszene gehörte, in der Lassek verkehrt hatte – heimlich, da er um sein Ansehen besorgt gewesen war –, aber dann war ein Video aufgetaucht, das die mutmaßliche Mörderin zeigte.

Es war von der Überwachungskamera einer Boutique aufgezeichnet worden, die sich nur zwei Straßen vom Tatort entfernt befand. Darauf war eine Frau zu sehen, die die Straße entlanglief und kurz vor dem Geschäft den Stein von sich warf, mit dem Lassek der Schädel zertrümmert worden war, so als habe sie erst in diesem Moment begriffen, dass sie ihn noch immer in Händen hielt.

Doch eben der »gelbe Mai« war schuld daran, dass die Frau bis heute nicht identifiziert werden konnte. Denn aufgrund des vielen Blütenstaubs, der das Objektiv der Kamera wie ein gelber Schmierfilm überzogen hatte, war von der Frau nur wenig zu erkennen gewesen. Hinzu kam, dass die Kamera selbst von keiner besonders guten Qualität gewesen war, was die Auswertung der grobkörnigen Bilder zusätzlich erschwert hatte.

Trotz aller Bemühungen des Fahndungsteams konnten die Bildauszüge, die man dem Video entnommen hatte, kaum digital aufgebessert werden. Man sah nur die schemenhafte Gestalt einer Frau, die Mantel und Kopftuch trug. Beides, so fand man später heraus, stammte aus dem Sortiment eines Kleidungsdiscounters – Massenware, hergestellt in Bangladesch, wie sie zigtausendfach in der gesamten Republik verkauft wurde.

So blieb dieser Fall ungeklärt. Zwar hatte es mehrere Hinweise gegeben, die sich jedoch alle als falsch erwiesen hatten. Nach wie vor fehlte von der Täterin jede Spur.

Bei seiner nächtlichen Recherche hatte Thanner den Fahndungsaufruf von damals gefunden. Der Personenbeschreibung nach musste die Frau zwischen eins siebzig und eins achtzig groß und schlank gewesen sein. Außerdem wurde sie als sportlich-durchtrainiert beschrieben, immerhin hatte sie den schweren Pflasterstein in nur einer Hand getragen. Es war also denkbar, dass sie in einem Fitnessstudio trainierte oder anderenorts Kraftsport betrieb.

Darüber hinaus wusste man nur noch, dass sie blondes langes Haar und eine schmale Gesichtsform hatte. Mehr war von ihrem Gesicht nicht zu erkennen gewesen, da die Aufnahme zu undeutlich und es zudem durch eine lange Strähne verdeckt gewesen war.

Und ich weiß jetzt, wie sich ihre Stimme anhört und dass sie in Fahlenberg lebt, dachte Thanner. *Vielleicht damals noch nicht, aber jetzt ist sie hier. Warum sonst wäre sie zu mir gekommen?*

Er blieb vor dem Fenster stehen. Über dem Kirchhof dämmerte der Morgen in trübem Grau und verhieß einen weiteren Regentag.

Der Pfarrer biss sich auf die Unterlippe. Irgendwo dort draußen war diese Frau. Eine gesuchte Mörderin, die unter einer schweren geistigen Störung litt. Und er hatte mit ihr gesprochen.

»Was soll ich nur tun?«, flüsterte er in die Stille des Raumes und hörte das Zittern in seiner Stimme.

Nichts, er konnte *nichts* tun. Weder mit anderen noch mit der Sünderin selbst durfte er im Nachhinein über ihre

Beichte sprechen. Das war das Gebot, das ihm das Beicht-geheimnis auferlegte. Sie hatte sich zu einer schlimmen Tat bekannt, und es lag an ihm, mit diesem Wissen klarzu-kommen. Denn im Grunde hatte sich diese Frau nicht ihm, sondern Gott anvertraut. Thanner war nur das Medium zwischen ihnen beiden gewesen.

Nun wurde von dem Priester erwartet, dass er schwieg und auf Gott vertraute. ER würde die Sünderin auf den rechten Pfad der Einsicht leiten. Doch Thanners mensch-liche Seite sah das anders.

Vielleicht hätte er auf Gott vertrauen können, wenn diese Frau im Vollbesitz ihrer geistigen Kräfte gewesen wäre – wenn sie sich über ihre Tat völlig im Klaren gewe-sen wäre und sie aufrichtig *bereut* hätte. Ja, dann hätte er es vielleicht akzeptieren und hoffen können, dass sie seinem Rat folgte und sich stellte. Aber diese Frau war krank. *Sehr* krank.

Er rieb sich die Hände, diesmal nicht der Kälte wegen, sondern um etwas gegen sein Zittern zu tun.

Was, wenn sie es wieder tat? Sollte er einfach nur ab-warten und auf Gott vertrauen, dass sie sich rechtzeitig Hilfe holte, ehe es zu spät war?

So wie es im Moment aussah, glaubte er nicht, dass sie sich aus freien Stücken stellen würde. Ebenso wenig glaub-te er, dass sie sich Hilfe suchen würde.

Was war mit dem Mann, von dem sie gesprochen hatte? Würde er ihr nächstes Opfer werden, wenn sie sich von ihm ebenfalls verraten fühlte – aus welchem Grund auch immer?

Thanner blinzelte gegen das Brennen seiner Augen an. Sein Atem ging schwer und keuchend. Er hatte das Ge-fühl, als läge ein tonnenschweres Gewicht auf seiner Brust, das ihn zu erdrücken drohte.

Wenn sie es wieder tut, bin ich schuld, dachte er. *Weil ich es nicht verhindert habe, obwohl ich es hätte verhindern kön-*nen. *Ich würde mir mein ganzes Leben lang Vorwürfe machen müssen.*

Andererseits würde er ebenfalls eine schwere Sünde begehen, wenn er gegen sein Schweigegelübde verstieß. Ein solcher Verrat war die schwerste Sünde überhaupt, die ein Priester begehen konnte. Es wäre ein Vertrauensbruch, als würde er sich an dieser Frau vergehen. Nur was wog mehr, der Schutz einer reuigen Sünderin oder das Leben eines Unschuldigen?

Er wusste, dass er sich diese Frage erst gar nicht stellen durfte. Die Gebote der Kirche waren in diesem Fall eindeutig. Das Beichtgeheimnis galt für alle Zeit, ganz gleich, was ihm anvertraut wurde. Notfalls musste er diese Geheimnisse sogar mit seinem Leben hüten, so wie einst der heilige Johannes Nepomuk, der wegen seines Schweigens vom böhmischen König mit Pechfackeln gefoltert und anschließend ertränkt worden war.

Aber wenn ich damit möglicherweise weitere Menschenleben retten kann?

Er sah auf die Tageszeitung, die wie eine Anklageschrift vor ihm auf dem Küchentisch lag.

JOURNALISTENMORD:
NOCH IMMER KEINE NEUE SPUR

verkündete die Schlagzeile.

Zwar ging die Polizei einer Zeugenaussage nach, die von Nowaks Streit mit einer Frau auf dem Parkplatz hinter seinem Haus berichtete, aber so wie Thanner den Artikel verstand, suchte man in einer völlig falschen Richtung. Die Verdächtige, so hieß es, sei möglicherweise die Lebensgefährtin eines Drogenbosses – nur dass sich deren Beschreibung entscheidend von dem unterschied, was Thanner von der tatsächlichen Mörderin gesehen hatte.

Natürlich konnte Thanner abwarten, bis die Polizei den Irrtum selbst entdeckte und der wahren Täterin auf die Spur kam. Aber das würde noch einige Zeit dauern, zumal es dem Bericht zufolge wegen des Regens keine verwertbaren Spuren am Tatort gegeben hatte.

Und was wäre, wenn diese Frau auch diesmal unentdeckt davonkam?

Wieder kamen ihm ihre Worte in den Sinn. Sie hielt sich für Gottes Werkzeug und glaubte, dass ER sie beschützte.

So jemand würde nicht aufhören. Sie würde wieder töten, wenn sie davon überzeugt war, dass ihr Opfer ihr *keine andere Wahl* ließ.

Und irgendwo, sicherlich hier in Fahlenberg, gab es einen Mann, den sie sich als nächstes Ziel ausgesucht hatte.

»Guten Morgen, Herr Pfarrer.«

Edith Badtkes Stimme riss ihn so abrupt aus seinen Gedanken, dass er erschrocken zusammenfuhr. Seine Mitarbeiterin sah ihn mindestens ebenso erschrocken an.

»Ich habe angeklopft«, sagte sie entschuldigend und fügte besorgt hinzu: »Um Himmels willen, ist Ihnen nicht gut? Sie sind ja bleich wie die Wand.«

»Nein, es geht mir gut«, log er. »Frau Badtke, Sie müssen mir einen Gefallen tun. Sagen Sie für heute sämtliche Termine ab und bitten Sie Diakon Liebmann, mich beim Gottesdienst zu vertreten. Ich muss etwas erledigen und werde nicht vor dem Abend zurück sein.«

»Aber …« Edith Badtke sah ihn mit großen Augen an. »Ist etwas passiert?«

»Ich kann es Ihnen nicht erklären, bitte tun Sie es einfach, ja?«

Ihrem Blick war anzusehen, dass sie sich eine genauere Erklärung erhoffte, doch Thanner wich ihr aus und verließ den Raum. Er musste ein dringendes Telefonat führen.

Jetzt gab es nur einen Menschen, der ihm helfen konnte.

17

Nach dem Nachtdienst war Jan nach Hause gefahren und todmüde ins Bett gekippt. Die Aufregungen der letzten drei Tage und der unregelmäßige Schlaf, den der Schichtdienst mit sich brachte, hatten ihren Tribut gefordert. Doch am späten Vormittag erwachte er noch vor dem Klingeln des Weckers.

Jans Magen meldete sich lautstark, und ihm wurde bewusst, wie lange er schon nichts mehr gegessen hatte. Er warf einen Blick in seinen Kühlschrank, aber da war nicht viel zu holen. Seine Lebensmittelvorräte beschränkten sich auf die Überreste eines Mikrowellengerichts, ein Stück Pizza, ein angebrochenes Glas Oliven, einen Rest Butter und etwas Emmentaler, der eine bedenklich grüne Färbung angenommen hatte. Auch die Brötchen, die Rudi gestern zum Frühstück mitgebracht hatte, waren mittlerweile hart geworden.

Jan musste an seinen Freund denken, der jetzt unter der kanarischen Sonne weilte. Für Rudi, der als Kind noch die Nahrungsmittelknappheit der Nachkriegszeit miterlebt hatte, wäre es unvorstellbar gewesen, dass ein Kühlschrank nicht mindestens Essensvorräte für zwei Wochen enthielt.

Jan machte sich auf den Weg zum nahe gelegenen Supermarkt, um dem Missstand ein Ende zu bereiten. Heißhungrig schob er den Einkaufswagen durch die Regalreihen und lud ihn mit Lebensmitteln voll, während aus den Lautsprechern über ihm abwechselnd Musik und Ansagen für Sonderangebote dröhnten.

Als er schließlich die Kassenschalter erreichte, hatten sich dort zwei lange Schlangen gebildet. Doch im Gegensatz zum Wochenende, wenn dort ungeduldiges Gedränge herrschte, schien es heute niemand besonders eilig zu haben. Selbst die sonst so gehetzt wirkenden Kassiererinnen zogen die Waren geradezu entspannt über die Scanner. Einige der Kunden unterhielten sich über die beiden Themen, die Fahlenberg an diesem Tag beschäftigten: der Dauerregen, der zu einem bedenklichen Anstieg von Donau und Fahle führte, und natürlich der brutale Mord an Volker Nowak.

Supermärkte sind wie die Dorfplätze der modernen Zeit, dachte Jan und reihte sich in eine Schlange ein. Er griff sich eine Ausgabe des *Fahlenberger Boten* aus dem Zeitungsregal, und während es Stück für Stück vorwärtsging, las er den Hauptartikel, der sich mit dem Fall Nowak beschäftigte. Noch immer gab es nur Vermutungen, aber keine konkreten Spuren.

»Dr. Forstner! Na, das ist aber ein Zufall.«

Bettina stand hinter ihm und strahlte ihn an. Wie schon im Festsaal, als sie ihr elegantes Abendkleid getragen hatte, hätte er sie fast nicht wiedererkannt. Normalerweise trug sie ihr blondiertes Haar hochgesteckt oder zu einem Pferdeschwanz gebunden, doch nun fiel es ihr lang und offen über die Schultern des Regenmantels.

Sie deutete auf die Zeitung in Jans Händen. »Schrecklich, nicht wahr? Als ob es nicht schon genug Elend auf der Welt gäbe. Hat man schon etwas Neues herausgefunden?«

Jan schüttelte den Kopf. »Nein, sie suchen noch nach dem Mörder.«

»Es heißt, dass es eine Frau gewesen sein soll. Dabei kann ich mir das bei Volker gar nicht vorstellen.«

»Haben Sie ihn denn gekannt?«

Sie zuckte die Schultern. »Wie man's nimmt. Meine Eltern wohnen nicht weit von ihm entfernt, und meine Mutter kennt Agnes Nowak noch von früher. Die beiden sind ein paar Jahre zusammen zur Schule gegangen. Ist aber schon lange her.«

»Und warum glauben Sie, dass es keine Frau gewesen sein kann?«

»Na ja«, sagte sie und wiegte den Kopf, »ich bin ihm öfter mal begegnet, aber ich habe ihn nie mit einer Frau zusammen gesehen. Also, zumindest nicht mit einer, die wie seine Freundin ausgesehen hätte.«

»Sie meinen, er war …«

»Schwul?« Sie sprach das Wort beinahe belustigt aus. »Nein, ich denke nicht. Eher ein wenig seltsam. Er hat noch bei seiner Mutter gewohnt, wissen Sie. Dabei muss er doch schon Mitte dreißig gewesen sein. Das ist schon etwas merkwürdig, oder?«

Jan machte eine nichtssagende Geste. Natürlich war es seltsam, wenn ein Mann dieses Alters noch zu Hause bei seiner Mutter lebte, aber er hatte Volker Nowak viel zu wenig gekannt, um sich ein Urteil über ihn bilden zu können. Alles, was er über ihn gewusst hatte, war, dass Nowak ein strebsamer Journalist gewesen war, der mit seinen Artikeln inhaltlich und stilistisch zu fesseln wusste. Dabei war er nicht immer korrekt vorgegangen und hatte sich in manchen Punkten zu spekulativen Ausschmückungen hinreißen lassen, wie Jan aus eigener leidlicher Erfahrung wusste, aber dennoch war er in seiner Berichterstattung fair gewesen – und nicht zuletzt beharrlich, was seine Recherchen betraf. Auch das konnte Jan bestätigen.

»Mit Frau Nowak muss irgendetwas nicht stimmen«, fuhr Bettina mit gedämpfter Stimme fort. »Ich habe sie zwar noch nie gesehen, aber meine Mutter sagt, sie sei sehr krank, und das nicht nur körperlich. Soviel ich weiß, geht sie seit Jahren nicht mehr aus dem Haus, und wenn, dann nur bei Nacht.«

»Das könnte durchaus eine Erklärung sein, warum ihr Sohn noch bei ihr gewohnt hat, denken Sie nicht?«

»Schon möglich«, entgegnete Bettina. Es kam wieder Bewegung in die Menschenschlange, und sie rückten ein Stück vor.

Jan legte seine Einkäufe aufs Band. Dabei dachte er über die Nowaks nach. Wenn die beiden ein so enges Verhältnis gehabt hatten, konnte es durchaus möglich sein, dass Nowak seiner Mutter erzählt hatte, warum er sich an jenem Abend mit Jan hatte treffen wollen. Denn diese Frage beschäftigte Jan nach wie vor.

»Wir sind jetzt übrigens fast Nachbarn«, holte ihn Bettina aus seinen Gedanken zurück.

»Wie bitte?« Mit Unbehagen stellte er fest, dass sie seine Einkäufe inspizierte.

»Wir sind fast Nachbarn«, wiederholte sie. »Ich bin umgezogen. Ist nur zwei Straßen von Ihrem Haus entfernt. Bleulerstraße.«

»Glückwunsch, das ist eine nette, ruhige Gegend.«

Er zwang sich, ihr Lächeln zu erwidern. Die Art, wie sie die Lebensmittel vor ihm auf dem Band betrachtete, kam ihm wie ein Eingriff in seine Intimsphäre vor. *Aha, diesen Joghurt isst du also gerne. So so, die Nudeln aus dem Angebot.*

Ach, argentinische Hüftsteaks, die waren bestimmt teuer. Und natürlich Dosenravioli in Fleischsoße. Typisches Junggesellenessen.

Sie blickte von seinen Einkäufen auf und seufzte. »Ja, schon, aber manchmal ist es etwas *zu* ruhig. Wenn alle Nachbarn nur Rentner sind, fühlt man sich da ziemlich einsam. Geht Ihnen doch bestimmt auch so, wo Frau Weller noch unterwegs ist. Vielleicht haben Sie ja Lust und kommen mal vorbei. Ich könnte Ihnen einen Kuchen backen.« Sie deutete mit dem Kinn auf den abgepackten Kuchen, den Jan aufs Band legte. »Einen richtigen.«

Wieder sah sie ihn mit diesem Blick an, der ihn schon auf der Klinikveranstaltung nervös gemacht hatte, und Jan musste an den Rosenstrauß denken. Hatte sie ihm etwa die Blumen zukommen lassen? Wäre es denkbar, dass …

Nein, dachte er entschieden, das war albern.

Doch nicht Bettina.

»Danke für die Einladung«, erwiderte er, »aber im Moment habe ich einfach viel zu viel Arbeit, um mich zu langweilen.«

»Na ja, ich dachte nur, weil Sie ja heute Ihren freien Tag haben.«

»Nein, heute passt es wirklich nicht. Ein andermal vielleicht.«

»Gut«, sagte sie, während die Kassiererin seine Einkäufe über den Scanner zog. »Das Angebot steht auf jeden Fall, Herr Nachbar.«

Als Jan den Supermarkt verließ, musste er wieder an den Rosenstrauß denken. Auch an das Bild und den Anruf.

Ohne dich schaffe ich es nicht.

Auch wenn er sich bei dieser Idee abermals einen Narren schalt, aber Bettinas Lächeln und die Art, wie sie ihm nachsah, gefielen ihm nicht.

Was hatte Franco gesagt? Diese Unbekannte würde mit aller Macht verhindern, ihr wahres Wesen zu zeigen.

18

Nachdem er seinen Heißhunger gestillt hatte, fuhr Jan zum Haus der Nowaks und hielt in einer freien Parkbucht auf der gegenüberliegenden Straßenseite. Auf dem Parkplatz unmittelbar hinter dem Haus wären zwar noch einige Flächen frei gewesen, doch Jan hatte sich nicht überwinden können, dort zu parken. Die Erinnerung an Nowaks Leiche, die man aus seinem Wagen in den Plastiksarg gehoben hatte, war noch zu lebendig.

Jan stellte den Motor ab und sah durch die regennasse Seitenscheibe zu dem Haus hinüber. Es war das erste in einer Reihe von schlanken dreistöckigen Bauten mit gründerzeitlichen Fassaden, die hier dicht an dicht standen. Bei den meisten hatte der einstmals weiße Außenputz im Lauf der Zeit eine schmutzig braune Färbung angenommen, und auch das Haus der Nowaks hätte dringend einen neuen Anstrich benötigt. Im Mittagsgrau des verregneten Oktobertages sah es dunkel und ungastlich aus. In keinem der Zimmer schien Licht zu brennen, doch als Jan genauer hinsah, meinte er zu erkennen, dass dunkle Vorhänge vor den Fenstern hingen.

Jan hoffte, Nowaks Mutter würde es nicht als taktlos empfinden, wenn er sie so kurz nach ihrem schlimmen Verlust aufsuchte, aber die Frage, weshalb Volker ihn hatte sprechen wollen, beschäftigte ihn viel zu sehr. Und vielleicht konnte sie ihm einen Anhaltspunkt liefern.

Von wem hatte sich Nowak verfolgt gefühlt? Wirklich von der Drogenmafia? Und was hätte das mit der Bitte um Jans professionelle Meinung zu tun gehabt?

Jan stieg aus, wich vor einem vorbeifahrenden Lkw zurück, der eine breite Ladung Wasser über den Bürgersteig spritzte, und überquerte die Straße. Er sah an dem Haus hoch und hatte das eigenartige Gefühl, als würde das Haus auch ihn ansehen. Vielleicht war es aber auch nicht das Haus, sondern …

Wer? Wer sollte mich beobachten?

Er verscheuchte den absurden Gedanken und ging zum Eingang. Drei Stufen führten zum Haus hinauf. Rollstuhlschienen waren zusätzlich montiert, und Jan musste daran denken, was Bettina zu ihm gesagt hatte. Agnes Nowak sei krank. Und sie sei ein wenig seltsam.

An der Türglocke gab es kein Namensschild, ebenso wie es auch im Telefonbuch keinen Eintrag mit Nowaks Namen gab. Der Journalist mit der Vorliebe für brisante Themen hatte versucht, seinen Wohnort geheim zu halten. Im Haus seiner alten Mutter musste er sich sicher gefühlt haben. Ein tödlicher Trugschluss.

Jan drückte den Klingelknopf einer veralteten Gegensprechanlage und wartete. Keine Reaktion.

Vielleicht war Agnes Nowak nicht zu Hause? Aber Bettina hatte doch gesagt, dass die alte Frau nur bei Dunkelheit ausging. Also versuchte er es noch einmal, wartete wieder und sah auf die grauen Sprechschlitze. Nichts.

Gerade als er sich abwandte und wieder gehen wollte, ertönte hinter ihm ein elektronisches Knacken. Ein rotes Lämpchen an der Sprechanlage funkelte ihn an.

»Ja bitte?«

Die heisere Stimme einer Frau, zaghaft und misstrauisch.

»Frau Nowak? Mein Name ist Jan Forstner. Ich war ein Bekannter Ihres Sohnes. Tut mir leid, falls ich Sie stören sollte. Hätten Sie ein paar Minuten für mich Zeit?«

Kurzes Schweigen.

»Was wollen Sie?«

»Ich würde gerne mit Ihnen über Ihren Sohn sprechen.«

»Sie sind dieser Psychiater, nicht wahr? Der aus dem Buch.«

»Hören Sie, falls ich gerade ungelegen kommen sollte, kann ich auch gerne ein anderes Mal ...«

»Haben die Sie geschickt?«

»Wen meinen Sie?«

»Na, die Polizei.«

»Die Polizei? Nein.«

»Wirklich nicht?«

»Nein, ich komme, weil Ihr Sohn und ich am Dienstagabend verabredet waren und er ...«

Das Summen des Türöffners unterbrach ihn, und die kleine Signalleuchte der Sprechanlage erlosch.

Jan betrat einen Flur, der fast völlig im Dunkeln lag. Nur aus dem Obergeschoss war ein schwacher Lichtschein zu erkennen. Es roch nach altem Holz, schwerem Teppichboden und etwas Süßlichem, das Jan an Schmerzsalbe denken ließ. Hier war ganz offensichtlich seit Jahren nicht mehr gelüftet worden, und auch wenn der Raum recht hoch war – was sich im Dunkeln schlecht abschätzen ließ –, ging etwas Erdrückendes von ihm aus.

Während sich die Eingangstür langsam hinter ihm schloss, tastete er die Wand nach einem Lichtschalter ab. Schließlich fand er ihn, doch als er ihn betätigte, leuchtete nur eine Lichtleiste entlang des Fußbodens auf. Sie führte durch den Flur und unterhalb der Schienen eines Treppenlifts zum Obergeschoss hinauf.

Noch während Jan nach einem zweiten Schalter für die Deckenlampe suchte, rastete die Tür hinter ihm im Schloss ein und schnitt den letzten Rest Tageslicht ab.

Es dauerte einige Sekunden, ehe sich seine Augen an das schummrige Licht gewöhnt hatten. Allmählich erkannte er einen antiken Garderobentisch und darauf eine Porzellanschale und ein längliches Objekt, das aussah wie das Miniaturmodell einer alten Saturn-Rakete. Neben der Garderobe stand ein batteriebetriebener Rollstuhl, auf dem ein Regenmantel lag.

»Auf dem Tisch finden Sie eine Taschenlampe.«

Jan sah zum oberen Treppenabsatz hinauf. Dort stand eine große, hagere Gestalt, die sich mit beiden Händen am Geländer festhielt. Im schwachen Licht der Bodenleuchten waren nur die Umrisse der Frau zu erkennen. Sie deutete mit einer Kopfbewegung zum Garderobentisch.

»Nehmen Sie die Lampe und kommen Sie hoch. Aber leuchten Sie damit nur auf den Boden.«

Noch ehe Jan etwas erwidern konnte, machte sie kehrt und schlurfte davon. Das also hatte Bettina mit »krank, aber nicht nur körperlich« gemeint.

Er nahm die Taschenlampe, die er im Dunkeln für eine Miniaturrakete gehalten hatte, und schaltete sie ein. Tatsächlich fühlte er sich gleich viel wohler, als der Lichtkegel in den Raum fiel.

Er stieg die Treppe hinauf und folgte dem leisen Klappern von Porzellan, bis er Agnes Nowak in einem geräumigen Wohnzimmer wiederfand, das ebenfalls nur von Sockelleuchten erhellt wurde. Das Licht reichte gerade aus, um alles Notwendige zu erkennen – eine Couchgarnitur mit zwei Lehnsesseln, die aus den späten fünfziger Jahren stammen musste, eine mindestens ebenso alte Essecke, umringt von sechs Stühlen, zwei große Bücherregale und eine Standuhr, deren gedämpftes Ticken den Raum erfüllte.

In diesem Zimmer war der süßlich-medizinische Geruch noch stärker.

»Möchten Sie Tee?«

Agnes Nowak stellte eine zweite Tasse auf den Esstisch, stützte sich auf einer Stuhllehne ab und sah sich zu ihm um. Die hochgewachsene Frau bewegte sich unsicher und gebeugt. Ihre dürren Beine bildeten ein X, und es sah aus, als würde sie jeden Moment zusammenknicken, wenn sie sich nicht setzte.

Jan winkte ab. »Nein, danke. Ich möchte Ihnen keine Umstände machen.«

»Natürlich möchten Sie Tee«, sagte sie bestimmt. »Kommen Sie schon. Setzen Sie sich. Und schalten Sie die Lampe aus. Das Licht im Zimmer muss genügen.«

Jan stellte die Taschenlampe auf dem Couchtisch ab und ging auf Agnes Nowak zu. Nach Bettinas Schilderung musste sie Mitte sechzig sein, machte aber einen deutlich älteren Eindruck. Sie sah Jan aus dunklen, wachsamen Augen an, die in einem eingefallenen Faltengesicht funkelten. Es war ein interessantes Gesicht mit fragilen Zügen, das einstmals hübsch gewesen sein musste. Jan kamen die letzten Aufnahmen einer schwer kranken Audrey Hepburn in den Sinn. Hätte es eine Totenmaske der Schauspielerin gegeben – eine Totenmaske mit weit geöffneten Augen –, dann hätte sie Agnes Nowaks Gesicht sicherlich sehr stark geähnelt. Die Haut dieser Frau war unnatürlich bleich, was durch das schwarze Trauerkleid zusätzlich betont wurde. Es weckte den Anschein, als trüge sie ein wächsernes Make-up, und auch ihre strohigen Haare, die in dem schummrigen Zwielicht gelblich schienen, wirkten unecht.

»Setzen wir uns«, sagte sie und ließ sich mit steifen Bewegungen auf einen Stuhl sinken. »Ich bekomme nur selten Besuch, wissen Sie. Der Pfarrer kommt hin und wieder. Und die Pflegerinnen von der Sozialstation, natürlich, aber die sind kein Besuch.« Sie nahm den Deckel von einer gläsernen Vorratsdose mit Keksen. »Aber Gebäck habe ich trotzdem immer im Haus. Möchten Sie Gebäck? Natürlich möchten Sie Gebäck.«

»Gerne.« Jan setzte sich ihr gegenüber.

Sie musterte ihn mit zusammengekniffenen Augen. »Wenn die Sie geschickt haben, können Sie es mir ruhig sagen.«

»Nein, mich hat niemand geschickt.«

Sie zwinkerte ihm zu und lächelte. »Sie wundern sich über die Dunkelheit in meinem Haus, habe ich Recht?«

»Um ehrlich zu sein, ja.«

»Ich will doch hoffen, dass wir ehrlich zueinander sind«, entgegnete sie und bedachte ihn mit einem abwägenden Blick. »Also, was die Dunkelheit betrifft ... Als Arzt werden Sie bestimmt schon von EPP gehört haben.«

»Erythropoetische Protoporphyrie?«

Sie nickte, und die schlaffe Haut ihres Halses ließ Jan an eine Schildkröte denken. »Nur dass es weiß Gott nichts mit ›poetisch‹ zu tun hat. Wissen Sie, wie schlimm es ist, wenn man das Tageslicht nur noch aus Kindheitserinnerungen kennt? Wenn einem sogar eine gewöhnliche Glühbirne Schmerzen verursacht, bei denen man sich wünscht, es wäre bald vorbei? Nein, natürlich können Sie das nicht wissen. Aber vielleicht können Sie es ahnen.«

Jan nickte verständnisvoll. EPP war eine äußerst seltene Stoffwechselstörung, die meist schon in früher Kindheit auftrat und bei den Betroffenen im Lauf der Jahre zu extremer Lichtempfindlichkeit führte. Bei fortschreitender Erkrankung vertrugen die Betroffenen nicht einmal mehr

III

Kunstlicht. Soweit Jan wusste, war bis heute noch keine wirksame Therapie dagegen entdeckt worden. Nur die Vermeidung direkten Lichteinflusses konnte die Schmerzen verhindern.

Mit zitternden Händen nahm Agnes Nowak die Teekanne und goss Jan ein. Er sah die deformierten Finger und Handgelenke, die der Grund für den süßlichen Salbengeruch sein mussten.

»Aber die Schmerzen sind nicht das Schlimmste«, sagte sie. »Wirklich schlimm ist die Einsamkeit, die damit einhergeht. Niemand hält es lange im Dunkeln aus, erst recht nicht, wenn man es nicht *muss*. Als Kind hatte ich kaum Freunde, und das hat sich bis heute nicht geändert. Den meisten ist eine Person suspekt, die das Licht scheuen muss. Aber ich darf nicht klagen. Ich hatte einen liebenden Mann, der für mich da gewesen ist, und einen Sohn, der sich um mich gekümmert hat. Nicht jeder in meiner Situation kann dieses Glück erleben. Nur dass ich jetzt …« Sie schloss die Augen und schüttelte den Kopf. Als sie dann wieder zu Jan sah, rann eine Träne durch das Furchennetz ihrer Wange. »Und Sie sind also ein Freund von meinem Volker?«

»Nun ja, Freund ist vielleicht zu viel gesagt, aber wir hatten vor einiger Zeit einmal miteinander zu tun.«

»Ja, er hatte über Sie geschrieben.« Sie wischte sich mit der Hand übers Gesicht und nickte. »Damals, als das im Wald passiert war. Dafür hat er Sie sehr bewundert, mein Volker. Er hat gesagt, dass Sie sehr mutig gewesen sind. Ein richtiger Held. Mein Volker hat Menschen sehr bewundert, die Mut zeigen. So war er ja auch selbst. Immer auf der Suche nach der Wahrheit. Die Wahrheit muss man immer ans Licht bringen, hat er gesagt, auch wenn man dafür Opfer bringen muss. Weil es unsere Pflicht ist, die

Lüge in dieser Welt zu bekämpfen.« Sie ließ ihre Hände in den Schoß sinken und seufzte. »Und jetzt hat ihm diese Suche nach der Wahrheit das größte Opfer abverlangt.«

»Haben Sie denn eine Vermutung, wer es getan haben könnte?«

»Das hat mich auch schon die Polizei gefragt.« Mit ihren arthritischen Händen nahm sie einen Keks aus der Glasdose und betrachtete ihn wie etwas völlig Fremdartiges. »Dieser Stark und sein Kollege, der gestorben ist.«

Jan dachte an Kröger. Wie schnell sich doch Nachrichten vom Tod verbreiteten. Selbst zu Leuten, die kaum im Kontakt mit der Außenwelt standen.

Agnes Nowak legte den Keks vor sich hin und machte eine hilflose Geste. »Aber ich konnte ihnen nicht helfen. Volker hat mir nie von seiner Arbeit erzählt. Wir haben über vieles gesprochen, aber nie über das, woran er gerade arbeitet. Mama, es ist besser, wenn du nichts darüber weißt, hat er immer gesagt. Er war ein guter Junge. Andere in seinem Alter sind verheiratet, haben Kinder und keine Zeit, sich um ihre alte Mutter zu kümmern, aber er war da anders.«

Jan erinnerte sich, was Carla ihm einst über Volker Nowak erzählt hatte. Sie hatten über ihn gesprochen, nachdem Volker den Artikel über Jan geschrieben hatte. Damals hatte Carla gemeint, Volker sei ein merkwürdiger Kerl, einerseits aufgedreht und kindisch, aber dann auch wieder introvertiert und unnahbar.

»Der hat ein Geheimnis, da gehe ich jede Wette ein«, hatte sie gesagt. Und nun saß Jan diesem Geheimnis gegenüber. Einer Frau, die ihren erwachsenen Sohn »mein Volker« und »einen guten Jungen« nannte.

»Frau Nowak, ich bin hier, weil mich Ihr Sohn am Tag seines Todes angerufen hat. Er wollte sich mit mir treffen, aber er sagte nicht, warum. Haben Sie vielleicht eine Ahnung, weshalb er mich sprechen wollte?«

»Nein, er hat nichts zu mir gesagt. Aber ich weiß, dass er große Stücke auf Sie gehalten hat.«

»Wussten Sie, dass Volker sich verfolgt fühlte?«

»Nun ja, gesagt hat er nichts«, sagte sie und sah Jan mit ängstlicher Miene an. »Aber ich habe Augen, verstehen Sie? Ich habe gemerkt, dass er vor irgendetwas Angst hatte. Und als wir dann diese Begegnung hatten …« Sie unterbrach sich mitten im Satz, legte den Kopf schief und nickte Jan zu. »Sie haben Sie *doch* geschickt, nicht wahr? Geben Sie's zu. Natürlich haben sie Sie geschickt. Deswegen sind Sie hier. Weil ich Ihnen von dem erzählen soll, was wir gesehen haben.«

Nun sah sie Jan auf eine Art an, die ihm vertraut war. Er sah diesen Blick täglich, wenn er sich mit wahnhaften Patienten unterhielt – Leuten, die davon überzeugt waren, dass sie etwas wussten, das ihnen niemand glaubte.

»Ich versichere Ihnen, dass mich niemand geschickt hat«, sagte er, aber er konnte ihr ansehen, dass er sie damit nicht überzeugte. »Warum glauben Sie denn, dass mich die Polizei damit beauftragt hat?«

»Weil Sie wollen, dass ich Ihnen von dieser Begegnung erzähle.«

»Wem sind Sie denn begegnet?«

Für einen kurzen Moment schien sie zu überlegen, dann kam ihre Antwort, knapp und überzeugt.

»Einem Geist.«

Jan spürte, wie sich sein Puls beschleunigte. »Einem *Geist*?«

»Nun sehen Sie mich nicht so an, als hätte ich nicht mehr alle Tassen im Schrank.« Sie machte eine abwehrende Handbewegung, aus der Empörung und Enttäuschung zugleich sprachen. »Genauso haben auch die Polizisten reagiert. Sie halten mich für eine verrückte alte Schachtel, die nicht mehr klar im Kopf ist. Und jetzt schicken Sie mir auch noch einen Psychiater ins Haus.«

»Frau Nowak, ich versichere Ihnen noch einmal, dass …«

»Vielleicht haben Sie damit sogar ein bisschen Recht«, fiel sie ihm ins Wort. »Vielleicht bin ich ja wirklich nicht mehr ganz normal. Wenn man den Großteil seines Lebens im Dunkeln verbringen muss, wird man eben anders. Im Dunkeln hört und sieht man oft merkwürdige Dinge, *sehr* merkwürdige Dinge, und nicht alles davon kann man erklären. Aber die Frau, die Volker und ich gesehen haben, war wirklich da.«

»Eine Frau?« Jan rutschte auf seinem Stuhl ein Stück nach vorn. »Was für eine Frau?«

Agnes Nowak zuckte die Schultern, wobei sie schmerzhaft das Gesicht verzog. »Ich weiß es nicht. Man konnte sie ja kaum erkennen. Sie war da, und dann war sie wieder weg.« Sie sah ihn eindringlich an. »Glauben Sie denn an Geister?«

Jan räusperte sich. »Wenn Sie mich so direkt fragen, nein.«

»Das dachte ich mir schon«, sagte sie, und es klang nicht einmal enttäuscht. »Sie sind wohl kein besonders gläubiger Mensch, Dr. Forstner?«

»Ich glaube an den gesunden Menschenverstand«, entgegnete Jan wahrheitsgemäß. »Anders könnte ich meinen Beruf gar nicht ausüben.«

»Das wundert mich nicht.« Sie wandte den Blick von ihm ab und sah in das Dunkel des Raumes. Jan hatte den Eindruck, als würde sie sich damit von ihm entfernen. Als würde sie mit der Dunkelheit verschmelzen, die sich in ihren Augen spiegelte. »Sie haben nie in die Finsternis geblickt, zumindest nicht wirklich. Man glaubt, dort sei alles schwarz in schwarz, aber je länger man sie betrachtet, desto mehr kann man in ihr sehen.«

Ihr Gesicht hatte einen entrückten Ausdruck angenommen, was es erst recht wie eine Maske aussehen ließ. Und auch wenn sie weiter mit Jan sprach, schien sie doch mehr mit sich selbst als mit ihm zu reden.

»Wissen Sie, früher war ich sehr religiös. Nun ja, die Religion ist eben die letzte Zuflucht der Schwachen und Verzweifelten – und ich war wegen meiner Krankheit *sehr* verzweifelt, wie Sie sich denken können. Anfangs hatte ich gebetet, Gott möge mich von meinem Fluch erlösen und mich heilen. Aber er tat es nicht. Also glaubte ich lange Zeit, er habe mir damit eine Prüfung auferlegt. Ich versuchte, einen Sinn in meinem Leiden zu sehen. Und dann kam auch noch diese verfluchte Arthritis hinzu.« Sie hob eine Hand und betrachtete ihre Finger, die wie dürre knorrige Äste aussahen. Als sie sie wieder in den Schoß sinken ließ, ballte sie eine Faust, was ihr sichtlich Schmerzen bereitete. »Aber als er mir dann auch noch meinen Mann nahm, begann ich ihn zu hassen. Was für ein krankes Wesen musste dieser *liebe* Gott sein? Machte es ihm vielleicht Freude, seine Geschöpfe mit Schmerzen, Krankheiten und Tod zu quälen und ihnen dabei zuzusehen?«

Sie seufzte und schien einen Moment über diese Fragen nachzudenken, ehe sie weitersprach. »Irgendwann fragte ich mich dann, ob es sein konnte, dass es ihn womöglich gar nicht gab, so dass er weder daran schuld sein noch mir helfen konnte. Unter uns gesagt, denke ich das auch heute noch. Aber verraten Sie es nicht dem Pfarrer. Es wäre schade, wenn mich dieser nette junge Mann nicht mehr besuchen käme.«

»Ich werde ihm kein Sterbenswort verraten. Verspro- chen.«

Sie schien ihn nicht gehört zu haben, und falls doch, ließ sie es sich nicht anmerken. »Wie dem auch sei, auch wenn es keinen Gott gibt, ist da dennoch etwas. Wenn man lange genug im Dunkeln ist, spürt man es. Es gibt eine Welt jenseits unseres Verstandes. Es muss einfach so sein. Was sollte sonst aus unseren Gedanken werden – aus dem, was wir eine Seele nennen, oder, wie Sie, den ›Men- schenverstand‹? Ich glaube fest daran, dass etwas von uns bleibt, wenn wir körperlich schon längst nicht mehr sind. Und deshalb glaube ich auch an Erscheinungen wie die- se Frau. Vielleicht klingt das Wort ›Geist‹ für Sie albern, aber lassen Sie es uns so nennen. In Ermangelung eines besseren Wortes. Denn ich schwöre Ihnen, mein Volker und ich haben einen Geist gesehen. Einen Vorboten seines nahen Todes.«

Mit einem bedeutsamen Nicken lehnte sie sich in ihrem Stuhl zurück und ließ das Gesagte wirken. Nur das Ticken der Standuhr war zu hören.

Jan betrachtete die Frau mit einer Mischung aus Be- sorgnis und Mitleid. Zweifellos hatte die langjährige Krank- heit ihr Denken beeinträchtigt und dazu geführt, dass sie im Dunkeln halluzinierte. Auch der Geist mochte möglicher- weise nur in ihrer Vorstellung existiert haben, aber dennoch glaubte Jan, dass es auch einen realen Hintergrund gab. Immerhin hatte ihr Sohn kurz vor seiner Ermordung mit einer Frau gestritten.

»Dieser Geist«, sagte er, »können Sie mir dazu mehr erzählen?«

»Natürlich.« Sie saß starr in ihrem Stuhl. Im Zwielicht des Raumes wirkte ihr runzliges Gesicht wie das einer To- ten. »Aber ich weiß nicht, ob ich das will. Sie müssen mich doch ohnehin schon für verrückt halten, nicht wahr? Die Polizei hat mir ja auch nicht geglaubt.«

Jan schüttelte entschieden den Kopf. »Frau Nowak, ich glaube Ihnen, dass Sie jemanden gesehen haben. Eine Frau, die Sie für einen Geist gehalten haben. Und ich wüsste gerne mehr darüber.«

Sie lächelte und entblößte das unnatürliche Weiß ihrer Zahnprothese. »Das haben Sie jetzt aber sehr diplomatisch ausgedrückt. Dieser Polizist könnte noch von Ihnen lernen. Also gut, ich erzähle es Ihnen. Vielleicht werden Sie mir ja glauben.«

19

»Mein lieber Felix, da hat Ihnen Gott eine schwere Prüfung auferlegt.«

Bischof Hagen seufzte betroffen und lehnte sich auf die Lederunterlage seines wuchtigen Schreibtischs. Er war ein stattlicher Mann mit schütterem Haar und tiefliegenden Augen, die Felix Thanner nun besorgt musterten.

»Das hat er wohl«, entgegnete Thanner und rieb sich die Schläfen. Die dunkle Wandtäfelung des großen Büros verströmte einen Geruch nach Holzpolitur, der ihm Kopfschmerzen und leichte Übelkeit bereitete. Doch sicherlich war auch seine Aufregung daran schuld. »Ich weiß einfach nicht, wie ich damit umgehen soll.«

»Nun, aus weltlicher Sicht kann ich Ihr Dilemma durchaus verstehen«, versicherte der Bischof. »Sie fürchten, dass diese Person einem weiteren Menschen schaden könnte, und das lässt sich nach Ihrer Darlegung des Sachverhalts nicht ausschließen. Doch es liegt nicht an uns, in

Gottes Plan einzugreifen. Wir sind nur die Exekutive. Aber immerhin hat ER diese Frau zu Ihnen geführt. Das ist doch schon ein Anfang. Wer weiß, vielleicht zeigt sie bald auch die nötige Reue, ihre Schuld nicht nur vor dem Herrn zu bekennen.«

»Daran habe ich berechtigte Zweifel, Exzellenz. Sie machte auf mich eher den Eindruck, als habe sie sich ihre Last nur von der Seele reden wollen. Wirkliche Einsicht oder gar Reue konnte ich dabei nicht erkennen.«

Mit nachdenklichem Nicken ließ sich der Bischof in seinen Stuhl zurücksinken und seufzte schwer. »Nun ja, das ist bedauerlich, aber ich wüsste nicht, wie ich Ihnen helfen könnte. Ihnen muss doch klar sein, dass Sie das Beichtgeheimnis unter allen Umständen zu wahren haben, ganz gleich, ob die Sünderin ihre Schuld aufrichtig bereut oder nicht. Sie hat eine schwere Last auf Ihren Schultern abgeladen, Felix, aber tragen müssen Sie diese Last allein. Und mit Hilfe unseres Herrn, versteht sich.«

»Aber was ist, wenn sie es wieder tut? Wenn sie in ihrem Wahn einen weiteren Mord begeht, den ich hätte verhindern können!« Thanner musste sich zusammennehmen, nicht laut zu werden. »Ich kann doch nicht tatenlos zusehen und hoffen, dass sie selbst zur Polizei geht.«

»Wissen Sie denn wirklich, dass sie es getan hat? Haben Sie irgendeinen Beweis, außer ihrer Beichte?«

»Nein, aber alles, was sie mir gesagt hat, war stimmig. Es gibt keinen Anlass, an ihren Worten zu zweifeln. Und wie ich Ihnen bereits erzählt habe, hat mich meine Recherche zu dem zweiten Mord geführt, den sie ebenfalls begangen haben muss.«

»Sind Sie sich da so sicher, mein Sohn? Sagten Sie nicht, Sie halten diese Frau für ... nun ja, geistig verwirrt?«

»Schon, aber glauben Sie mir bitte, ich habe ihre Aussagen nachgeprüft. Ich bin mir absolut sicher, dass sie die Wahrheit gesagt hat.«

Bischof Hagen schürzte die Lippen und betrachtete seine über dem Bauch gefalteten Hände. »Wenn dem so ist, kann ich Ihnen nur den Rat geben, sie bei Ihrer nächsten Unterhaltung davon zu überzeugen, dass sie sich der Polizei stellen muss. Appellieren Sie an ihr Gewissen. Geben Sie ihr zu verstehen, wie sich eine gläubige Katholikin in dieser Lage verhalten muss. Nur wenn sie sich ihrer irdischen Strafe stellt, findet sie auch Vergebung vor dem Jüngsten Gericht.« Dann hob er mahnend den Finger. »Allerdings, mein lieber Felix, und das wissen Sie ebenfalls, dürfen Sie das nur dann tun, wenn die Frau das Thema *von sich aus* erneut anspricht.«

»Und wenn sie es nicht tut?«, fragte Thanner mit der Beharrlichkeit eines Mannes, der hoffte, es würde doch noch eine andere Lösung für ihn geben. »Was soll ich tun, wenn sie sich *nicht* darauf einlässt, wenn sie *nicht* auf meinen Rat hört? Oder wenn sie erst gar nicht wieder zu mir kommt?«

»Felix, Felix.« Der Bischof schüttelte den Kopf. »Aus Ihnen spricht Ihr jugendliches Heißblut. Jetzt denken Sie bitte erst einmal in Ruhe nach. Was haben Sie sich denn von mir erwartet? Dass ich Sie vom Beichtgeheimnis entbinde? So viel Naivität hätte ich Ihnen nicht zugetraut.«

Thanner sprang von seinem Stuhl auf. »Naivität?«, fuhr er den Bischof an. »Irgendwo gibt es einen Mann, auf den es diese Frau abgesehen hat. Das hat sie mir deutlich zu verstehen gegeben. Wie soll ich damit umgehen? Wir können doch nicht nur die Täterin schützen. Man muss doch auch an weitere potenzielle Opfer denken. Soll ich das einfach ignorieren? Das kann unmöglich Gottes Wille sein, denken Sie nicht?«

Auch der Bischof erhob sich und straffte sich demonstrativ zu voller Größe.

»Nun hören Sie mir einmal gut zu, Felix«, sagte er sehr ernst. »Ich kann verstehen, dass Sie dieses Ereignis in einen Gewissenskonflikt gebracht hat. Aber ich will Sie noch einmal ermahnen, Ihre Kompetenzen nicht zu überschreiten. Das Beichtgeheimnis ist *unantastbar*. Es wurde geschaffen, um reuige Sünder zu schützen, die sich dem Herrn anvertrauen. Was Sie dabei zu hören bekommen und wie Sie selbst darüber denken, spielt keine Rolle. Sie haben sich zur römisch-katholischen Kirche bekannt und noch mehr: Sie repräsentieren sie! Bevor Sie sich also weiter im Ton vergreifen und womöglich gar noch Gott lästern, will und muss ich Sie daran erinnern, welche Aufgabe Sie übernommen haben. Wenn Sie sich damit überfordert fühlen, rate ich Ihnen zu einer Auszeit. Vielleicht sollten Sie in Exerzitien gehen und Ihre Sorgen dem Herrn anvertrauen? Das könnte Ihnen sicherlich eine große Hilfe sein.«

»Nein«, widersprach Thanner energisch. »Ich werde mich doch nicht vor meiner Aufgabe drücken.«

»Halten Sie es, wie es Ihnen für richtig erscheint, Felix. Aber vergessen Sie dabei nicht, dass alles Weitere, was diese Frau betrifft, nicht in *unserer*, sondern in *Gottes* Hand liegt. Sie sind Pfarrer, kein Polizist. Habe ich mich klar genug ausgedrückt?«

Thanner spürte, dass er am ganzen Leib zitterte. »Aber dieser Mann … Es muss doch eine Möglichkeit geben, ihm zu helfen.«

Der Bischof nickte bedächtig und sah Thanner wie ein Oberlehrer an, der zu einem besonders begriffsstutzigen Schüler spricht. »Die gibt es, mein Sohn, und Sie kennen diese Möglichkeit.«

»Wie meinen Sie das?«

»Beten Sie für ihn«, sagte der Bischof und ließ sich wieder auf seinen Stuhl sinken. »Und beten Sie für das Seelenheil der armen Sünderin. Im Gebet liegt die Kraft, vergessen Sie das nicht. Im Brief an die Hebräer steht: ›Lasst uns voll Zuversicht hingehen zum Thron der Gnade, damit wir Erbarmen und Gnade finden und so Hilfe erlangen zur rechten Zeit.‹ In diesem Sinn sollten wir auf den Herrn vertrauen. Und vor allem Sie, mein lieber Felix.« Er griff nach einer Unterschriftenmappe, die neben ihm lag, öffnete sie und sah noch einmal zu Felix Thanner auf. »Ich betrachte unser Gespräch damit als beendet. Nun gehe hin in Frieden.«

Zitternd stand Thanner vor ihm. Inmitten des großen Arbeitszimmers, das Platz genug geboten hätte, um darin einen Empfang zu veranstalten, kam er sich einsam und verlassen vor. Auch schien der unerträgliche Politurgeruch nur noch stärker geworden zu sein. Thanner hatte Sodbrennen, und sein Schädel pochte. Dennoch konnte er nicht gehen. Etwas in ihm – ein Gefühl oder eine Ahnung, ja, vielleicht auch die Stimme Gottes – hielten ihn davon ab.

Du hast etwas übersehen, sagte dieses Gefühl. *Etwas sehr Wichtiges. Der* eigentliche Grund, *der dich hierhergeführt hat. Es ist nicht der Bischof gewesen. Es war etwas anderes.*

Für einen Augenblick dachte Thanner, es sei seine pure Verzweiflung, gepaart mit der irrigen Hoffnung, der Bischof würde es sich doch noch einmal anders überlegen und ihm mehr Hilfe anbieten, als nur an seinen Glauben an die Gerechtigkeit Gottes zu appellieren.

Sieh genauer hin. Etwas ist hier, das du schon so oft gesehen hast. Und jetzt ist es wichtig!

Sein Blick schweifte über die in Goldrahmen gefassten

Heiligenbilder, die sich an der Wand hinter Bischof Hagens Schreibtisch reihten. Der Bischof war ein leidenschaftlicher Sammler sakraler Kunst und diese Bildergalerie sein großer Stolz, wie er vor einiger Zeit in einem Interview mit der Kirchenzeitung betont hatte.

Einige der Gemälde waren sehr alt. Sie zeigten Afra von Augsburg, den heiligen Antonius, den heiligen Georg im Kampf mit dem Drachen und ... Christophorus mit dem Christuskind auf der Schulter.

Ja, das ist es!

Thanner durchfuhr es heiß und kalt. *Das* war es gewesen, wonach er Ausschau gehalten hatte. Nun verstand er, weshalb ihn diese innere Stimme nicht hatte gehen lassen wollen – und ja, vielleicht war es tatsächlich ein Wink des Herrn, der den Verzweifelten Hilfe bot.

»Hören Sie nicht, Felix?«

Erst jetzt wurde ihm bewusst, dass der Bischof ihn angesprochen hatte.

»Ich habe Sie gefragt, ob noch etwas sei.«

Thanner nickte. »Als Beichtpriester kann ich ihr nicht helfen. Aber als Seelsorger sehr wohl.«

Bischof Hagen sah skeptisch zu ihm auf. »Sofern sich die Frau an Sie in dieser Funktion wendet, ja. Aber *nur* dann. Hat sie es denn getan?«

Wieder betrachtete Thanner das Christophorus-Gemälde und dachte an die Statue in der Seitenkapelle. An das Kerzenmeer und den roten Schal, der das Kind zu einem Mädchen gemacht hatte. »Indirekt schon.«

Die Frau hatte nicht mit Worten um seine Hilfe gebeten, aber dennoch hatte sie sich auch außerhalb des Beichtstuhls an ihn gewandt. So war diese Audienz doch nicht vergeblich gewesen, dachte er.

Als sich Felix Thanner wenig später in den stockenden Nachmittagsverkehr einfädelte, beobachtete er die Menschen am Straßenrand.

Er dachte an die Unbekannte und den Mann, auf den sie es abgesehen hatte. Sie waren wie die Passanten auf dieser Straße. Zwei Menschen, von denen er so gut wie nichts wusste.

Aber vielleicht würde sich das bald ändern. Denn je länger er über seinen Einfall – oder seine Eingebung, wer konnte das schon sagen? – nachdachte, desto zuversichtlicher wurde er.

Es gab einen Weg, herauszufinden, wer die Frau war. Auch wenn sich Thanner nicht zu hundert Prozent sicher sein konnte, dass es tatsächlich funktionieren würde, aber es war immerhin eine Möglichkeit. Und er würde damit nicht gegen die Regeln verstoßen.

Doch als er so dahinfuhr, kam ihm noch ein anderer Gedanke, der ihm weit weniger gefiel. Diese Frau hatte mindestens zweimal seine Kirche aufgesucht. Sie hatte Thanner mit der Statue ein Zeichen gegeben und ihn im Beichtstuhl angesprochen, um sich seiner Verschwiegenheit sicher zu sein. Was, wenn *er selbst* der Mann war, auf den sie es als Nächstes abgesehen hatte?

20

Jan öffnete den Regenschirm, den er stets im Kofferraum seines alten VW Golf mit sich führte, und betrat den Fahlenberger Friedhof durch das schmiedeeiserne Tor. Während er die kastaniengesäumte Allee zur Leichenhalle entlangging und der Kies unter seinen Schuhen knirschte, dachte er über die Geschichte nach, die Agnes Nowak ihm erzählt hatte.

Es war eine rätselhafte Geschichte gewesen. Sie hatte ihn an die alten Schauergeschichten erinnert, die er als Junge heimlich unter der Bettdecke gelesen hatte. Romane und Geschichten von E. T. A. Hoffmann, Edgar Allan Poe, Wilkie Collins oder Bram Stoker. Damals hatte er noch an Geister geglaubt, an übersinnliche Phänomene, an die Art von Erscheinungen, wie Agnes Nowak sie ihm geschildert hatte. Aber heute war er erwachsen. Er war ein rational denkender Mensch, der gelernt hatte, dass Gespenster, Geisterstimmen und Spukphänomene Produkte der menschlichen Fantasie waren. Sie waren Halluzinationen oder Fehlinterpretationen von einfachen realen Gegebenheiten. Die Tatsache, dass man sie mit dem Jenseits in Verbindung brachte, begründete sich in der Furcht vor der eigenen Sterblichkeit und der Hoffnung auf ein Leben nach dem Tod.

Jan hatte inzwischen viel zu viele dieser realen Schauergeschichten gehört – sie bewiesen ihm nur, wie erfindungsreich die menschliche Vorstellungskraft sein konnte. Marienerscheinungen, Ungeheuer, Monster, Dämonen und Götter aller Art, in der Psychiatrie war ihre Zahl Legion.

Dennoch war sich Jan sicher, dass Agnes Nowak jemanden gesehen hatte. Natürlich einen Menschen, keinen Geist. Doch in der grauen Einsamkeit des Friedhofs, in der nichts zu hören war außer dem Heulen des Windes, dem Verkehr auf der nahe gelegenen Schnellstraße und dem Prasseln des Regens auf seinem Schirm, ließ ihn die Erinnerung an ihre Erzählung schaudern.

Sie hatte in ihrem Stuhl gesessen, eine bleiche Gestalt, die seit Jahrzehnten das Sonnenlicht nicht mehr gesehen hatte. Ihre verkrümmten Hände hatten ihre Teetasse umklammert, als sei dies der einzige Weg, den Bezug zur Realität zu halten, während sie über etwas sprach, das ihr niemand glauben würde.

»Mein Eckardt starb, kurz nachdem Volker in die Schule gekommen war«, hatte sie mit entrücktem Blick begonnen. »Er war ein herzensguter Mann, nur leider war dieses Herz zu schwach. Er starb völlig überraschend. Mein einziger Trost war, dass er nicht lange leiden musste.

Es schmerzt mich noch heute, dass ich bei seiner Beerdigung nicht dabei sein konnte. Jener September war einer der sonnigsten und heißesten seit Jahren, und wieder einmal erschien mir meine Krankheit wie ein Fluch. Erst nach Sonnenuntergang konnte ich mich von meinem Eckardt zum letzten Mal verabschieden, und ich versprach ihm, ihn regelmäßig zu besuchen.

Ich habe keinen Führerschein, müssen Sie wissen. In meiner Generation war das für eine Frau nicht üblich, und dazu kam mein Leiden. Also musste ich mir jedes Mal ein Taxi bestellen, wenn ich sein Grab besuchen wollte. Immer abends, wenn der Friedhof eigentlich schon für Besucher geschlossen war. Der damalige Pfarrer hatte mir eigens dafür einen Schlüssel anfertigen lassen. Ein feiner Zug von ihm, finden Sie nicht?«

»O ja, durchaus«, hatte Jan ihr beigepflichtet, aber sie schien ihn nicht gehört zu haben. Sie war ganz in die Vergangenheit entrückt gewesen.

»Seither besuche ich Eckardts Grab jeden Samstagabend, sobald es dunkel ist. Und in all den Jahren habe ich es nicht einmal versäumt oder aufgeschoben. Selbst wenn es mir richtig schlecht ging, bin ich hingefahren. Solange

Volker noch keinen Führerschein hatte, fuhr ich mit dem Taxi, und später hat er mich gebracht. Jeden Samstag, bei jedem Wetter. Das war ich meinem Eckardt schuldig. Wir hatten uns als Nachbarskinder kennengelernt und uns schon mit acht geschworen, dass wir eines Tages heiraten und für immer zusammenbleiben würden. Und so ist es dann auch gekommen – nur dass dieses ›für immer‹ viel zu kurz gewesen ist.« Sie hatte geseufzt und an ihrem Tee genippt, ehe sie weitersprach.

»Und so sind wir auch letzten Samstag wieder auf dem Friedhof gewesen. Volker und ich. Es war schon spät, weil Volker lange arbeiten musste – für ihn gab es nie ein Wochenende, wissen Sie – , aber so war es bei uns öfter. Wir sind beide Nachtmenschen … das heißt, wir *waren* es beide. Volker musste es wohl von mir geerbt haben. Wir sind nie besonders früh aufgestanden, aber dafür waren wir bis spät in der Nacht auf. Und was den Friedhofsbesuch anbetraf, spielte das auch keine Rolle, denn wir hatten ja den Schlüssel.

Ich denke, es war so gegen halb elf, als wir an Eckardts Grab ankamen. Wie immer stellte ich ihm frische Blumen in die Vase – Gladiolen, die hat er über alles geliebt, auch wenn sie übel riechen –, und als ich wieder neben Volker trat, fiel mir auf, dass er mit zusammengekniffenen Augen ins Dunkle starrte. Er sah irgendetwas, auch wenn ich nicht gleich erkennen konnte, was es war.

›Das gibt es doch gar nicht‹, hörte ich ihn murmeln, doch noch ehe ich ihn fragen konnte, was er damit meinte, sah ich es schließlich auch. Zwei Grabreihen von uns entfernt stand eine dunkle Gestalt. Es war eine Frau, da bin ich mir sicher. Sie trug einen grauen Mantel und ein Kopftuch, und über ihr Gesicht hing eine lange blonde Strähne herab. Mehr konnte ich nicht erkennen, auch wenn sich meine Augen im Lauf der Jahre an das Sehen im Dunkeln gewöhnt haben. Aber ich sah, dass sie den Kopf gesenkt hatte. Wie eine Statue.

Erst als Volker sie ansprach, bemerkte sie uns. Er fragte, wer sie sei und wie sie um diese Zeit hereingekommen sei, denn wie immer hatten wir das Eingangstor hinter uns wieder abgeschlossen. Doch die Frau antwortete nicht. Stattdessen zuckte sie erschrocken zusammen und lief davon. Aber nicht zum Ausgang, wie es jeder normale Mensch getan hätte, sondern in die entgegengesetzte Richtung.

Volker lief ihr nach. In einiger Entfernung hörte ich ihn reden, aber ich konnte nicht verstehen, was er sagte. Und dann …«

Sie hatte wieder an ihrem Tee genippt und dann geschwiegen. Erst als Jan sie angesprochen und gefragt hatte, was dann geschehen sei, hatte sie ihre Erzählung fortgesetzt.

»Da war dieser Schrei. Nein, kein Schrei, vielmehr ein Heulen. Es muss diese Frau gewesen sein, aber sie klang wie … ja, wie ein Tier … oder wie ein Wesen aus einer anderen Welt. Es war entsetzlich. Ich saß in meinem Rollstuhl und zitterte wie Espenlaub. Ich kann zwar ein paar Schritte gehen, aber auf dem Kies fühle ich mich im Rollstuhl sicherer.« Sie hatte ängstlich die Augen verdreht, als hätte sie sich in diesem Moment wieder auf dem Friedhof und nicht zu Hause in der Dunkelheit ihres Wohnzimmers befunden. »Gleich darauf war es wieder ruhig«, hatte sie mit gepresster Stimme geflüstert. »Alles war so schrecklich still. Es mussten einige Minuten vergangen sein – drei oder vier, vielleicht auch mehr –, bis Volker wieder zurückkam. Er war kreidebleich. Ich fragte ihn, was geschehen sei und wohin die Frau verschwunden sei, denn wäre sie zum Ausgang gelaufen, hätte sie wieder an mir vorbeikommen müssen. Doch Volker schüttelte nur den Kopf. Wieder und wieder, und ich fragte ihn noch einmal.

›Sie ist weg‹, sagte er. ›Einfach verschwunden.‹

›Aber das kann nicht sein‹, sagte ich. ›Das ist nicht möglich. Dort hinten gibt es keinen Ausgang. Es gibt nur das große Tor.‹

›Mama, da war niemand‹, behauptete er plötzlich. So wahr ich hier sitze. Eben noch hatte er gesagt, sie sei verschwunden, und keine zwei Atemzüge später gab er vor, dass da niemand gewesen sei. Dabei hatte ich sie doch gesehen und sie schreien gehört. Dieser Schrei klingt mir noch immer im Kopf nach. Er war so entsetzlich. Deshalb konnte ich nicht verstehen, weshalb Volker mich anlog. Ich verstehe es noch immer nicht. Doch Volker sagte nichts mehr. Er schob mich nur zurück zum Auto und fuhr mich nach Hause. Er sprach kein Wort mehr darüber. Dann schloss er sich in seinem Zimmer ein.«

Das war der Moment gewesen, in dem sie sich wieder Jan zugewandt hatte. Mit ihrem Blick hatte sie ihn angefleht, ihr zu glauben.

»Wissen Sie jetzt, was ich mit dem Geist gemeint habe? Volker hat ihn gesehen, aber er hat sich nicht getraut, es offen auszusprechen. Er hat sich dafür geschämt, weil er nicht an das Übernatürliche geglaubt hat. Dabei hätte er doch wissen müssen, dass ich es verstehen würde. Wer, wenn nicht ich?«

Nun stand Jan selbst am Grab von Eckardt Nowak. Er sah die Gladiolen. Der starke Regen hatte ihnen die Köpfe abgeknickt.

Was danach gewesen sei, hatte er Agnes Nowak gefragt.

Ob Volker mit irgendjemandem über diesen Vorfall geredet hatte?

»Ich weiß es nicht«, hatte sie entgegnet. »Als ich am nächsten Morgen aufstand, war er bereits aus dem Haus. Erst am späten Nachmittag kam er wieder heim. Er war völlig durcheinander, als ob ihm etwas schreckliche Angst machte, und verbrachte den Abend in seinem Zimmer. Nicht einmal essen wollte er. Er habe keine Zeit, sagte er. Und dann … Dann ging er. Für immer.« Sie hatte geschluchzt und sich ein Taschentuch auf die Augen gedrückt. »Er soll einen Schirm mitnehmen, weil es so regnet. Das war das Letzte, was ich zu meinem Jungen gesagt habe.«

Jan ging zwei Grabreihen weiter zu der Stelle, die Agnes Nowak beschrieben hatte.

Der schmale Gang führte zurück zum Hauptweg und von dort zum Ausgang. Jan folgte ihm in die entgegengesetzte Richtung, kam an einer leeren Schubkarre vorbei und gelangte schließlich zu einem freien Platz vor der Friedhofsmauer, in dessen Mitte eine Statue des guten Hirten mit einer Kinderschar stand.

Wenn Volker und die Unbekannte in diese Richtung gelaufen waren, mussten sie hier bei den Kindergräbern aufeinandergetroffen sein. Von hier aus gab es kein Weiterkommen, man konnte nur zurückgehen.

Aber was war dann geschehen? Was hatte Volker zu der Frau gesagt? Warum hatte sie geschrien? Und warum hatte er so plötzlich behauptet, sie sei verschwunden?

Jan umschritt die Statue und kam zu einem vergitterten Torbogen. Dahinter war ein freier Platz mit einem Container für Gartenabfälle zu sehen. Er rüttelte an dem Tor, doch es war verschlossen.

»He, Sie da! Wenn Sie rauswollen, der Ausgang ist am anderen Ende.«

Jan wandte sich zu der Stimme um. Sie gehörte zu einer zerknautschten Erscheinung, die mehr an einen Obdachlosen als an einen Friedhofsgärtner oder einen Totengräber erinnerte. Doch Jan kannte den Mann, wenn auch nur vom Sehen.

Heinrich Pratt war ein echtes Fahlenberger Urgestein. Er hatte schon für die Gemeinde gearbeitet, als Jan noch zur Schule gegangen war. Seither hatte die Zeit deutliche Spuren an Pratts Erscheinung hinterlassen. Das einstmals junge Gesicht mit den markanten Pockennarben schaute nun wie ein welker Lederapfel unter der Kapuze seiner abgewetzten Regenkleidung heraus, und soweit Jan erkennen konnte, war er inzwischen gänzlich ergraut.

»Ist dieses Tor immer abgeschlossen?«, fragte Jan.

Pratt nickte. »Ja, immer. Außer ich muss zum Container. Da hinten ist sowieso nur die Zufahrt für das Müllfahrzeug. Warum wollen Sie das wissen?«

»Und wer außer Ihnen hat einen Schlüssel dafür?«

Pratt sah ihn argwöhnisch an. »Ich wüsste nicht, was Sie das angeht.«

Jan entschied sich zu einer Notlüge. »Nun ja, ich habe gestern Abend ein Gesteck auf ein Grab gelegt, und heute Morgen war es weg. Also muss es jemand über Nacht entwendet haben, und mich interessiert, wer außer Ihnen Zugang zum Friedhof hat.«

»Das kann nicht sein«, entgegnete Pratt energisch. »Außer meinem Schlüssel gibt es nur noch den im Pfarrhof. Und für Edith Badtke lege ich beide Hände ins Feuer, wenn's sein muss. Oder wollen Sie etwa mir unterstellen, dass *ich* Ihr Gesteck geklaut habe?«

»Nein, nein«, wehrte Jan ab. »Aber vielleicht gibt es ja noch einen versteckten Zugang? Eine Öffnung in der Mauer, durch die der Dieb eingedrungen sein könnte?«

Pratt stemmte die Fäuste in die Hüften und schüttelte den Kopf. »Gibt es nicht, davon wüsste ich. Und jetzt muss ich weiter. Die Arbeit erledigt sich schließlich nicht von selbst. Wenn Sie Anzeige erstatten wollen, gehen Sie zur Polizei. Aber lassen Sie mich damit in Frieden. Ich habe Ihr Gesteck nicht angerührt.«

Mit mürrischem Schnauben wandte er sich um, stapfte zu seiner Schubkarre und schob sie davon.

Seltsam, dachte Jan. Wenn an jenem Abend tatsächlich eine Frau auf dem Friedhof gewesen war und ihn nicht zusammen mit den Nowaks verlassen hatte, dann musste sie hier die ganze Nacht über eingesperrt gewesen sein. Vorausgesetzt, sie hatte keine Leiter dabei gehabt, um die Friedhofsmauer zu übersteigen. Zwar gab es im vorderen Bereich einige niedrigere Stellen, aber darauf war ein hoher schmiedeeiserner Gitterzaun angebracht. Sie hätte hinüberklettern müssen. Dafür hätte sie aber schon sehr sportlich sein müssen und überaus geschickt – wenn man die scharfen Messingspitzen des Zauns betrachtete.

Vor allem aber stellte Jan sich die Frage, was die Frau spätabends auf dem Friedhof gewollt hatte. Sie hätte doch jederzeit am Tag herkommen können.

Außer, sie hätte etwas zu verbergen gehabt. Aber was?

21

Die Regenfront hielt sich hartnäckig. Wie der Wetterdienst berichtete, hatte sich ein aus Skandinavien kommendes Tiefdruckgebiet über dem Südwesten Deutschlands festgesetzt, wo es beharrlich seine schwarze Wolkenlast entlud. Dennoch war Jan gleich nach seiner Rückkehr nach Hause zu einem Spaziergang aufgebrochen. Die Bewegung im Freien half ihm, seine Gedanken zu ordnen.

Während der kalte Wind an seinem Schirm zerrte, nasses Laub umherwirbelte und die Bäume im Fahlenberger Stadtpark wie gemächlich tanzende Riesen wiegte, dachte Jan an Agnes Nowak und den Geist, den sie auf dem Friedhof zu sehen geglaubt hatte.

Die Erscheinung auf dem Friedhof musste eine Frau aus Fleisch und Blut gewesen sein, sonst hätte Volker sie nicht verfolgt. Aber wer war sie?

Vor allem beschäftigte ihn die Frage, ob es da einen Zusammenhang gab: Waren die Frau vom Friedhof, die Frau, mit der Nowak kurz vor seiner Ermordung gestritten hatte, und die Frau, die Jan Blumen und die beunruhigende Kinderzeichnung geschickt hatte, möglicherweise ein und dieselbe? Handelte es sich um eine geistig gestörte Person, und hatte Nowak deshalb Jans professionelle Meinung wissen wollen?

Wenn es so war, in welchem Verhältnis hatte Nowak zu dieser Frau gestanden? Immerhin musste er sie gekannt haben. Aber woher?

Und warum hatte er seine verwirrte Mutter belogen, bis diese an einen Geist glaubte? Um sie vor dieser mysteriösen Unbekannten zu schützen?

Je länger Jan darüber nachdachte, desto verwirrender erschien ihm die ganze Angelegenheit. Falls es tatsächlich einen Zusammenhang geben sollte, konnte er ihn nicht erkennen.

Als er trotz seines Schirms – der nur wenig Schutz bot, da ihm der Regen beinahe waagerecht entgegenwehte – völlig durchnässt war, kehrte er zu seinem Haus zurück. Kurz vor der Gartentür angekommen, blieb er verdutzt stehen.

Die Außenleuchte erhellte den Hauseingang, aber es war niemand zu sehen. Der Timer des Bewegungsmelders war auf zwei Minuten eingestellt, also musste vor kurzem jemand an der Haustür gewesen sein. Jan sah sich nach allen Richtungen um, doch wie immer um diese Zeit und vor allem bei diesem garstigen Wetter wirkte das Viertel wie verlassen.

In diesem Moment erlosch das Licht wieder. Die zwei Minuten waren um.

Jan ging weiter auf sein Haus zu. Merkwürdig, dachte er, der Bewegungsmelder sprang doch nur auf Personen an, das hatte ihm der Elektriker seinerzeit versichert. Er habe den Sensor so hoch eingestellt, dass er nicht von einem Tier ausgelöst werden konnte. In der Gegend gab es nachts zu viele Katzen und bisweilen auch Marder, die andernfalls für Dauerbeleuchtung gesorgt hätten.

Wieder schaute Jan sich um, doch da war niemand. Er sah die Straße entlang. Wie weit konnte man in etwas weniger als zwei Minuten kommen? Auf jeden Fall weit genug, um aus dem Blickfeld zu verschwinden. Man musste nur um die Kurve am anderen Ende der Straße laufen. Und bei diesem Regen würde man sicherlich nicht gerade gemütlich dahinschlendern.

Ja, so musste es gewesen sein. Jemand hatte bei ihm geläutet und festgestellt, dass er nicht zu Hause war. Also war er wieder gegangen.

Oder sie.

So schlicht und einfach diese Erklärung auch sein mochte, Jan fühlte sich deshalb nicht beruhigt. Wieder sah er sich um. Er wurde den Eindruck nicht los, dass er von irgendjemandem beobachtet wurde. Vielleicht aus einer der unbeleuchteten Hausecken oder aus einem der Nachbargärten, die im Dunkeln lagen. Vielleicht auch aus seinem eigenen Garten, von dem in der Dunkelheit so gut wie nichts zu erkennen war.

Nur das rhythmische Trommeln der Regentropfen auf den Hausdächern war zu hören, und irgendwoher drangen gedämpfte Stimmen und Musik zu ihm, die von einem zu lauten Fernseher stammen mussten.

Jan beschleunigte seinen Gang und war erleichtert, als er die Haustür erreichte. Der Bewegungsmelder war wieder angesprungen. Jan zuckte zusammen. Vor ihm auf der Fußmatte lag ein Kuvert. Es zeigte mit der Rückseite nach oben, als sei es dort in aller Eile hingeworfen worden.

Vielleicht, weil sie mich hat kommen sehen.

Er hob den Umschlag auf. Es war ein Briefumschlag wie tausend andere, der dennoch auf unheimliche Weise vertraut wirkte. Noch bevor Jan ihn umdrehte, wusste er, dass sein Name in kindlicher Schrift auf der Vorderseite stehen würde.

Eilig schloss er auf, schlüpfte hinein, schloss die Tür hinter sich und lehnte sich dagegen.

Seine Hände zitterten, als er den Umschlag betrachtete. Dieses Mal war es anders als bei dem Kuvert zuvor und dem Blumenstrauß. Dieses Mal hatte Jan Angst.

Das erste Kuvert hatte er auf einem Parkplatz der Klinik bekommen, und auch die Blumen waren in die *Klinik* geliefert worden. Doch dieser Umschlag hatte vor seiner Haustür gelegen. Die Unbekannte war *bei ihm zu Hause* gewesen.

Sie nähert sich mir, schoss es ihm durch den Kopf.

Mit dem Hausschlüssel öffnete er den Umschlag und war nicht verwundert, eine weitere Zeichnung darin vorzufinden. Darauf waren wieder die hellgrüne Wiese und die knallgelbe Sonne mit den Strichstrahlen zu sehen, die an einem türkisfarbenen Himmel strahlte. Der Strichriese mit dem Mädchen auf der Schulter hatte die Wiese verlassen, und Jan dachte: *Wahrscheinlich sind die beiden losgezogen, um sich in meinen Alpträumen einzunisten.* Eine Vorstellung, die ihm ein nervöses Kichern entlockte, obwohl ihm nach Lachen angesichts des Bildes wirklich nicht zumute war.

Denn nun war die Wiese mit einer Schar schwarz-weiß gefleckter Kühe bevölkert. Die Tiere waren allesamt enthauptet. Ihre Köpfe lagen auf einem Stapel am rechten Rand des Bildes. Unter dem Stapel hatte die Zeichnerin einen großen roten Fleck auf das Gras gemalt.

Blut.

Viel Blut.

22

Jan hatte sie nicht gesehen, dabei stand sie nur wenige Meter von ihm entfernt auf der anderen Straßenseite. Sie hatte sichergehen wollen, dass er ihr Geschenk auch wirklich fand, also hatte sie sich in den Schatten eines Hauseingangs gedrückt, bis er mit dem Umschlag ins Haus verschwunden war.

Vielleicht wäre dies ein guter Moment gewesen, sich ihm zu erkennen zu geben, dachte sie. Aber sie hatte es dann doch nicht getan, auch wenn es sie viel Überwindung gekostet hatte, nicht zu ihm zu gehen. Es war einfach noch zu früh dafür, das hatte sie inzwischen eingesehen. Zuerst musste er verstehen, wer und vor allem *wie* sie war. Erst dann konnten sie für immer zusammen sein.

Sie fror. Der Regen hatte sie bis auf die Haut durchnässt, und die Haare klebten ihr im Gesicht. Dennoch wollte sie noch nicht gehen. Sie konnte nicht. Sie musste noch ein wenig in seiner Nähe bleiben. Immerhin war heute ihr Geburtstag, und die Geburtstage waren das Allerschlimmste für sie. Dann waren die Erinnerungen besonders stark. Auch jetzt dröhnten sie in ihrem Kopf, als wollten sie mit aller Macht wieder zum Leben erwachen.

Die immer wiederkehrenden Bilder plagten sie wie ein Fluch. Ihr Vater, wie er über ihr stand. Sein blaues Hemd. Sein zorniges Gesicht, das mit Blut besudelt war. Sie selbst, wie sie vor ihm am Boden lag, und ihr Gesicht, auf dem seine Schläge wie Feuer brannten.

Die Erinnerung war wieder so lebendig, als erlebte sie all das jetzt, in diesem Moment. Sie trug das dünne Kleid, das sie seither so inbrünstig hasste, und sah zu ihrem Vater auf, der wie ein Riese vor ihr aufragte. Wie ein Gigant, der sie mit einem Fußtritt zermalmen konnte und es jetzt am liebsten auch getan hätte.

»Du bist eine Schande!«, schrie er sie an. »Eine gottverdammte Schande!«

Er trat noch einen Schritt näher – noch einen weiteren, und der Riese würde sie tatsächlich wie eine Fliege zerstampfen –, und sie konnte die Verachtung in seinem Blick sehen.

»Der Teufel allein mag wissen, womit ich dich verdient habe«, fuhr er sie an. »Ich habe mir immer einen Sohn gewünscht. Einen Erben, der eines Tages meinen Betrieb weitergeführt hätte. Ich hätte ihm alles gegeben. Alles! Aber was habe ich stattdessen bekommen?« Er verzog das Gesicht, dass sie für einen Augenblick glaubte, er würde sich gleich auf sie übergeben. »Ein Mädchen! Eine gottverdammte Heulsuse, verweichlicht und unnütz. Ja, das bist du. Zu nichts zu gebrauchen! Sieh dich doch nur einmal an. Dieses Kleid, dieses Geheule. Was bist du nur für eine jämmerliche Kreatur!«

Dann spürte sie seinen Tritt – und auch wenn es nur eine Erinnerung war, schmerzte es genauso sehr wie damals. Der klobige Schuh mit dem Stollenprofil auf ihrem zierlichen Körper. Der schmutzige Abdruck, den er auf ihrem Kleid hinterließ. Der Bluterguss, der wie ein großer violetter Schmetterling auf ihrer Brust zurückgeblieben war.

Aber zuallererst der Schmerz. Gewaltig, allumfassend, unvergesslich.

Und noch während ihr die Erinnerung zum hunderttausendsten Mal zeigte, wie sie sich am Boden krümmte und nach Atem rang, hörte sie das nahe Brüllen der Rinder wieder. Ein verzweifeltes Gebrüll, das sie seither nicht mehr aus dem Kopf bekommen hatte. Als habe sich das Echo für alle Ewigkeit in ihrem Schädel verfangen.

Sie wussten, dass der Tod nahe ist, dachte sie. *Und sie wussten, dass sie nichts mehr retten konnte. Aber bei mir ist es anders. Ich weiß, dass Jan mich retten wird. Er wird mir den Weg zeigen. Er hat den Schlüssel. Er hat es mir versprochen.*

Sie stellte sich Jans Gesicht vor, dachte an seine Hand, die ihr im Traum den Schlüssel zu ihrem Gefängnis entgegengehalten hatte, und fühlte sich ihm nahe.

Sie dachte an die vertraute Art, mit der er sie oft ansah. Alle anderen mochten dies vielleicht für freundschaftliche Zuneigung halten, aber sie wusste, dass es weit mehr war.

Es war Liebe. Wahre Liebe. Und bald würde alle Welt es wissen. Dann wären sie ein Paar, das niemand mehr trennen konnte.

Nicht mehr lange, dann hätten ihre Alpträume ein Ende.

Ein zaghaftes Piepen riss sie aus ihren Gedanken. Sie sah nach unten und merkte erst jetzt, dass sie sich aus dem sicheren Schatten des Hauseingangs entfernt hatte. Nun stand sie am Straßenrand und sah den Vogel im Rinnstein. Ein Rotkehlchen, das den rechten Flügel auf unnatürliche Weise von sich streckte. Er musste gebrochen sein. Wahrscheinlich war der Vogel von einem Auto erfasst worden und hatte sich am Straßenrand in Sicherheit gebracht.

Auch wenn Vögel keine Mimik haben, glaubte sie dennoch, den Schmerz in den Augen des kleinen Wesens zu erkennen. Den hilfesuchenden Blick, mit dem es zu ihr aufsah.

Das Mitgefühl, das sie in diesem Augenblick empfand, war überwältigend. Sie und dieser kleine Vogel waren sich so ähnlich. Sie litten beide unter Qualen, jeder auf unterschiedliche Weise und doch irgendwie gleich.

Wieder piepte der Vogel und versuchte aus der Nässe des Rinnsteins auf den Bürgersteig zu hüpfen, nur um gleich wieder flatternd abzurutschen.

»Du armes, kleines Ding«, flüsterte sie sanft, und als könnte der Vogel sie verstehen, hielt er in seinem Flattern inne und sah wieder zu ihr auf.

Sie erkannte die Hoffnung in seinen Augen und wurde erneut von diesem tiefen Mitleid überflutet – Mitleid, wie es nur Heulsusen empfanden.

Sie lächelte dem Vogel zu.

Dann zertrat sie ihn.

TEIL 2

BEGEHREN

»Here she comes.
Call 9-1-1.
This girl's a monster.«

»9-1-1« BLUEBOB

23

»So weit alles klar?«

Mit einer gewichtigen Geste schloss Matthias Wein-
gand die Reißverschlüsse der beiden Taschen und sah Felix
Thanner an. »Ist doch eigentlich ganz easy, oder?«

Der Pfarrer nickte.

»Danke, Matt. Ich glaube, ich habe alles verstanden.«

»Cool.« Der Ministrant grinste. Dem Dreizehnjäh-
rigen schien es zu gefallen, dass Thanner ihn mit seinem
Spitznamen ansprach, wie es sonst nur seine Freunde taten. »Dann wissen Sie ja jetzt Bescheid. Reicht übrigens
völlig, wenn Sie mir das Zeug irgendwann nächste Woche
wieder zurückgeben. Aber seien Sie bloß vorsichtig damit.
Mein Dad killt mich, wenn da was kaputtgeht.«

»Ich verspreche hoch und heilig, dass ich darauf achten
werde wie auf meinen Augapfel.«

Matt schob die Hände in die Hosentaschen und nickte,
lässig wie immer. »Klar, ich mach mir da bei Ihnen auch
keine Sorgen. Aber mein Dad wollte, dass ich Ihnen das
sage.«

»Verstehe.«

»Was haben Sie eigentlich damit vor?«

Thanner hatte diese Frage erwartet. »Nur ein kleines
Experiment. Nichts Wichtiges.«

»Aha«, machte der Junge. »Also falls Sie damit zufrieden sind, kann ich mit meinem Dad reden. Der macht
Ihnen bestimmt einen Freundschaftspreis. Kommt demnächst sowieso das Nachfolgemodell raus.«

»Das ist nett«, entgegnete Thanner, »aber ich hoffe, ich werde sie nur dieses eine Mal brauchen.«

Er wich Matts fragendem Blick aus, bedankte sich nochmals für die schnelle und unkomplizierte Hilfe, und dann bereiteten sie die Morgenandacht vor.

Nach der Andacht holte Felix Thanner die beiden Taschen aus der Sakristei, vergewisserte sich, dass er wirklich allein in der Kirche war, und stieg dann zur Empore hinauf. Oben angekommen, nahm er das Stativ und den Camcorder aus den gepolsterten Umhüllungen und dankte dem Herrn, dass er den Sohn eines Elektronikfachhändlers unter seinen Ministranten hatte.

Er befestigte die Kamera auf dem Stativ und positionierte sie so, dass der gesamte vordere Bereich der Kirche im Aufnahmewinkel lag. Dann testete er die Kamera.

Anfangs hatte er noch Bedenken, ob es wirklich so »easy« für ihn werden würde, wie der Junge behauptet hatte. Thanner war in technischen Dingen nicht sonderlich bewandert, und die letzte Videokamera, die er vor Jahren für seine erste Jugendfreizeit ausgeliehen hatte, war noch ein sperriges und überaus schweres VHS-Gerät gewesen, das nicht über halb so viele Funktionen wie Matts Modell verfügt hatte. Doch er stellte recht schnell fest, dass der Umgang damit in der Tat einfach und intuitiv zu bewerkstelligen war.

Schon nach wenigen Versuchen war Thanner mit der Testaufnahme zufrieden. Der Junge hatte ihn gut beraten.

Die Überwachungskamera funktionierte ähnlich wie ein Bewegungsmelder. Sie wurde aktiviert, sobald sie Veränderungen in dem Bild registrierte, auf das sie ausgerichtet war. Ihre Aufnahmen zeichnete sie auf Festplatte auf, was eine wochenlange Beobachtung der Kirche ermöglicht hätte, und die Bildqualität war hervorragend. Wer immer sich in der Kirche bewegte, würde auf dem Video zu erkennen sein.

Ein Poltern ließ ihn zusammenfahren. Erschrocken sah er über die Brüstung der Empore.

»Hallo? Ist da jemand?«

Für einen Augenblick vermutete er, dass Edith Badtke gekommen war, um nach ihm zu sehen und ihn an seinen Termin in der Waldklinik zu erinnern. Er lag zwar noch gut in der Zeit, aber es wäre nicht ungewöhnlich, dass sie ihn dennoch zur Pünktlichkeit ermahnte.

»Frau Badtke?«

Keine Antwort.

Thanner ging nach unten und sah sich um. Er war allein. Nur sein Atmen und das leise Wimmern des Windes, der sich im Deckengewölbe fing, waren zu hören.

Dann krachte es erneut, diesmal nur wenige Schritte von ihm entfernt, und Thanner sah, was das Geräusch verursachte. Jemand musste die Drahtschlaufe der defekten Seitentür nicht richtig eingehängt haben. Nun schlug sie im Wind gegen den Rahmen.

Erleichtert atmete Thanner auf, schloss die Tür und zurrte den Draht von innen fest. Es wurde Zeit, dass sich dieser Seif endlich um das Schloss kümmerte. Kunsthandwerk hin oder her, aber das dauerte nun entschieden zu lange.

Dann ging er in die Mitte des Kirchenschiffs und überprüfte, ob Stativ oder Kamera durch die Abstände in der Emporenbrüstung zu erkennen waren.

Nein, stellte er zufrieden fest. Man hätte schon ganz genau hinsehen müssen, um den Schatten des Stativs durch den Spalt auszumachen. Wenn man dort oben nichts vermutete, würde man auch nichts sehen.

»Also gut«, flüsterte er dem Portal zu. »Jetzt musst du nur noch zu mir kommen.«

24

An diesem Vormittag begann Jans Dienst mit dem Besuch der allwöchentlichen Klinikkonferenz, an der das ärztliche und therapeutische Personal, Psychologen, Seelsorger und Sozialarbeiter teilnahmen. Normalerweise wurden bei diesen Treffen klinikinterne Belange, besondere Ereignisse oder schwierige Patientenfälle besprochen, doch heute gab es nur ein einziges Thema.

Die Spendenaktion für die neue Pädiatriestation war ein voller Erfolg gewesen. Die Einnahmen waren deutlich höher ausgefallen als erwartet. Als Professor Straub die Summe nannte, ging zuerst ein überraschtes Raunen durch die Reihen, dann folgte begeisterter Applaus, woraufhin der Klinikleiter nochmals allen Beteiligten für ihr Engagement dankte.

Als die Konferenz beendet war und die Versammlung sich auflöste, wartete draußen auf dem Gang Felix Thanner auf Jan. Das Gesicht des jungen Pfarrers strahlte vor Freude, und Jan musste an einen kleinen Jungen denken, dem man freie Auswahl in einem Spielwarengeschäft versprochen hatte.

»Endlich einmal eine gute Nachricht«, sagte Thanner mit funkelnden Augen. »Das ist weitaus mehr, als ich je zu hoffen gewagt hätte. Andererseits wundert es mich nicht, Jan. Deine Präsentation muss einen ziemlichen Eindruck gemacht haben, was ich so mitbekommen habe. Angeblich soll die Frau des Rotariervorstands Tränen in den Augen gehabt haben.«

»Ach ja?« Jan hob die Brauen. »Das stammt doch sicherlich von Frau Badtke, oder?«

»Von wem sonst?«

Thanner schmunzelte. Er wirkte müde, fand Jan. Trotz seines Freudestrahlens waren die Augenränder nicht zu übersehen. Wahrscheinlich hatte er vor Aufregung wegen der heutigen Bekanntgabe des Spendenergebnisses kein Auge zugetan. Jan würde das nicht wundern, denn von allen, die sich für das Kinder- und Jugendprojekt eingesetzt hatten, war Felix Thanner derjenige gewesen, der sich mit dem größten Eifer dafür starkgemacht hatte.

Wieder einmal fragte sich Jan, warum Felix dieses Projekt so sehr am Herzen lag. Gab es vielleicht jemanden, an den er dabei dachte? Jemanden wie Jans kleinen Bruder Sven, an dem es etwas gutzumachen galt? Wollte auch Felix für andere da sein, weil er im entscheidenden Augenblick für eine ganz bestimmte Person nicht da gewesen war? Dann wären sie sich sehr ähnlich.

Dennoch wagte er es nicht, Felix danach zu fragen. Auch wenn sie sich gut verstanden, war ihre Beziehung bisher nur auf das Kollegiale beschränkt gewesen.

»Ich denke allerdings nicht, dass es nur an meinem Vortrag gelegen hat«, entgegnete Jan und deutete augenzwinkernd zur Decke. »Die Großzügigkeit unserer Spender hatte wohl eher mit deinem guten Draht nach oben zu tun.«

Felix erwiderte etwas, doch Jans Aufmerksamkeit wurde von einem hageren Mann abgelenkt, der sich am Ende des Ganges mit einer Assistenzärztin unterhielt. Die beiden sahen zu Jan herüber, und der Mann nickte. Dann kam er auf Jan zu.

Jan schätzte ihn auf Ende vierzig, vielleicht auch etwas älter. Er hatte klare kantige Züge und einen lippenlosen Mund, der aussah, als habe man ihm einen dunklen Strich ins Gesicht gezogen. Das Haar schien er sich mit einem Kurzhaarschneider selbst geschnitten zu haben – an einigen Stellen sah man die rötliche Kopfhaut durchschimmern –, und seine rechte Braue wurde von einer Narbe zerteilt, die er sich vor vielen Jahren zugezogen haben musste. Am auffälligsten waren jedoch die wachsamen Augen dieses Mannes. Ihnen schien nichts zu entgehen.

»Dr. Forstner? Hauptkommissar Stark.« Er streckte Jan die Hand entgegen. »Man sagte mir, dass ich Sie hier treffen würde.«

Der Händedruck des hageren Polizisten war kräftiger, als Jan gedacht hatte, aber irgendwie passte er zu seinem Auftreten. Die Art, mit der er Jan ansah, wirkte bestimmt und entschlossen.

»Nun haben Sie mich gefunden. Wie kann ich Ihnen helfen?«

Stark sah sich zu der Ärztegruppe hinter ihnen um, die sich lautstark auf dem Gang unterhielt. »Können wir irgendwo unter vier Augen sprechen?«

»Natürlich. Wenn Sie ein kleiner Spaziergang durch den Regen nicht abschreckt. Ich muss ohnehin zum Dienst auf meine Station.«

»Nur zu. Ich möchte Sie nicht aufhalten.«

Sie verließen das Verwaltungsgebäude, und Stark folgte Jan über das Klinikgelände. Der Regen hatte nachgelassen und war in leichten Niesel übergegangen, doch die dunklen Wolken, die von Osten auf den Klinikpark zukamen, drohten bereits mit weiteren heftigen Schauern.

»Sie werden sich bestimmt denken können, worüber

ich mit Ihnen sprechen möchte«, eröffnete Stark das Gespräch und steckte sich eine Zigarette an.

»Ich vermute, es geht um Volker Nowak?«

Stark stieß den Rauch durch die Nase aus. »Kannten Sie ihn denn gut?«

»Wir hatten nur einmal kurz miteinander zu tun. Und das ist schon eine ganze Weile her.«

»Privat?«

»Nein, es ging um einen Presseartikel.«

»Und danach? Kein weiterer Kontakt zu ihm?«

»Nein. Erst wieder, als er sich am Sonntag bei mir gemeldet hat.«

Der Polizist nickte nachdenklich. »Sie hatten angegeben, dass Sie mit ihm am Abend seiner Ermordung verabredet gewesen waren. Außerdem stand in dem Protokoll, dass Ihnen der Grund für dieses Treffen nicht bekannt war. Stimmt das?«

»Ja, das ist richtig. Nowak sagte mir nur, dass er sich verfolgt fühlte und dass er meinen fachlichen Rat einholen wollte.«

»Mehr nicht?«

Jan zuckte mit den Schultern. »Leider nein.«

Stark blieb stehen, inhalierte tief und sah dem Rauch hinterher. »Was für eine Art von fachlichem Rat könnte er Ihrer Meinung nach gesucht haben? Könnte es vielleicht mit einer Frau zu tun gehabt haben?«

Auch Jan hielt inne und musterte den Polizisten. »Gibt es denn eine Spur?«

»Wir ermitteln in mehrere Richtungen«, sagte Stark und drückte seine Zigarette am Mast einer Wegleuchte aus.

»Auch, was die Frau vom Friedhof betrifft?«

Ein knappes Lächeln umspielte Starks lippenlosen

Mund. »Sie haben also mit Nowaks Mutter gesprochen«, stellte er fest.

»Ja, habe ich. Und sie meinte, Sie würden sie nicht ernst nehmen.«

»O doch, das tue ich.« Stark hielt die Kippe zwischen den Fingern und sah sich nach einem Mülleimer um. Dann gab er es auf und steckte sie in seine Jackentasche. »Ich glaube nur nicht, dass Herr Nowak das Opfer eines Gespenstes geworden ist. Aber es wäre durchaus denkbar, dass die beiden in jener Nacht seiner späteren Mörderin begegnet sind.«

Stirnrunzelnd sah Jan den Polizisten an. »Sie haben also noch keine konkrete Spur?«

»Wie kommen Sie darauf?«

»Weil ich den Eindruck habe, dass Sie mir noch immer nicht gesagt haben, weshalb Sie mich sprechen wollen«, entgegnete Jan. »Sie versuchen mich einzuschätzen, nicht wahr?«

Wieder schien Stark zu lächeln. »Ich habe vergessen, dass ich mich mit einem Psychiater unterhalte. Sie durchschauen Ihr Gegenüber sehr schnell.«

»Nicht immer, aber ich gebe mir Mühe.«

Nun lächelte Stark wirklich. »Ja, Sie sind gut. Hätte ich mir eigentlich denken können nach dem, was ich in dem Buch über Sie gelesen habe.«

Jan ignorierte diese Anspielung, woraufhin er einen Ausdruck von Zufriedenheit in Starks Blick zu erkennen glaubte. Offenbar hatte der Kommissar für sich einordnen wollen, wie Jan mit seiner Bekanntheit umging.

»Was ist mit der Freundin dieses Drogendealers?«, fragte Jan. »Ich dachte, sie sei Ihre Hauptverdächtige? Zumindest hat das die Presse behauptet.«

Erneut kramte Stark seine Zigaretten hervor. Er riss den

Filter von einer Winston ab, und während er sie sich ansteckte, sah er Jan abschätzend an. »Kann ich mich darauf verlassen, dass diese Unterhaltung unter uns bleibt?«

»Selbstverständlich.«

»Na schön.« Stark blies den Rauch von sich. »Was ich Ihnen jetzt erzählen werde, darf aus ermittlungstaktischen Gründen noch nicht öffentlich werden.«

»Ich kann schweigen wie ein Grab.«

»Das glaube ich Ihnen gern, Herr Doktor, und Sie wären uns damit eine große Hilfe. Denn vorerst wollen wir die wahre Täterin noch etwas in Sicherheit wiegen.«

»Sie sind also überzeugt, dass es eine Frau ist?«

»Nun ja, da wäre zum einen die Frau vom Friedhof«, sagte Stark und begann seine Auflistung an den Fingern abzuzählen. »Dann haben wir noch die Aussage dieses Nachbarn, der kurz vor dem Mord den Streit zwischen Nowak und einer Frau gehört hat. Außerdem konnten wir trotz des starken Regens mehrere Spuren am Tatort sicherstellen, die darauf hindeuten, dass die Täterin Schuhgröße neununddreißig gehabt haben muss. Dem Sohlenprofil nach handelt es sich um Frauenstiefel, die vor kurzem in einem dieser Billigdiscounter angeboten wurden.«

Jan runzelte die Stirn. »Und trotzdem glauben Sie nicht, dass es die Freundin dieses … wie nennt er sich noch?«

»Dagon, wie diese syrische Gottheit. Eigentlich heißt er Adrian Stancu«, half ihm Stark, dann schüttelte er den Kopf. »Nein, seine Freundin kann es nicht gewesen sein. Sie hat ein überzeugendes Alibi.«

»Ach ja?«

»Ja, sie war in Rumänien, als Nowak ermordet wurde. Und, was noch wichtiger ist, sie war zu diesem Zeitpunkt höchstwahrscheinlich selbst tot.«

»Tot?«

Stark nickte bedeutsam. »Die rumänischen Kollegen sprechen von einer Hinrichtung. Wie es scheint, muss es mit ihrer großen Liebe zu Dagon doch nicht so weit her gewesen sein. Vielleicht hat sie aber auch einfach nur eingesehen, dass zwölf Jahre eine lange Zeit sein können.«

»Sie hatte einen anderen?«

»Ganz recht.« Stark zupfte sich einen Tabakkrümel von der Zunge. »Und Dagon scheint dafür kein Verständnis gehabt zu haben. Noch können wir ihm nicht nachweisen, dass er den Mord an den beiden in Auftrag gegeben hat, aber wenn man die Leiche einer Frau vorfindet, der man die Geschlechtsorgane ihres Liebhabers in den Rachen gestopft hat, ist es doch recht offensichtlich, finden Sie nicht?«

»Allerdings. Aber warum schließen Sie aus, dass Dagon selbst den Mord an Nowak in Auftrag gegeben hat?«

Stark hob eine Braue. »Tue ich das denn?«

»Hätten Sie mir sonst davon erzählt?«

Noch einmal zog der Polizist an seiner Zigarette, rupfte dann mit den Fingerspitzen die Glut ab und zertrat sie. Den restlichen Stummel schob er zu der ersten Kippe in die Jackentasche.

»Sie haben Recht, Doktor. Ich glaube einfach nicht an einen Rachemord. Es ist vielleicht nur ein Gefühl, aber ich denke, Dagon gut genug zu kennen. Ein Kerl wie er würde nie eine Frau mit einem Mord beauftragen. Und dann ist da noch dieser Zeuge. Der Mann hat die Frau auf dem Parkplatz zwar nicht gesehen, aber er hat Nowaks Streit mit ihr gehört. Also, selbst wenn sie eine Auftragsmörderin gewesen wäre, hätte sie sicherlich unauffälliger gehandelt und nicht erst die Nachbarschaft auf sich aufmerksam gemacht. Nein, die Rachemordtheorie ergibt für mich keinen Sinn.«

Jan sah auf die Uhr und nickte dann in Richtung seines Stationsgebäudes. »Ich sollte schon längst bei meinen Patienten sein. Wollen Sie mir nicht einfach sagen, was Sie *wirklich* von mir wollen?«

Stark seufzte und fuhr sich mit der Hand über seinen Stoppelkopf, in dem sich Regentropfen wie Schweißperlen gesammelt hatten. »Na gut, ich will Sie nicht länger als nötig aufhalten. Also geradeheraus: Können Sie sich vorstellen, dass die Mörderin hier in der Waldklinik in Behandlung ist oder war?«

Jan hatte schon vermutet, dass Stark darauf abzielte. Auch er hatte schon darüber nachgedacht. Vor allem in der vergangenen Nacht. Er hatte sich gefragt, ob das Bild mit den enthaupteten Kühen auf der Weide in Zusammenhang mit Nowaks Ermordung stand, ob die Frau, die ihm diese Nachrichten zukommen ließ, etwas damit zu tun hatte.

Zunächst hatte er daran gezweifelt. Es konnte doch ebenso gut sein, dass sie einfach nur krank war und Jans Hilfe suchte, während gleichzeitig auch eine Mörderin dort draußen unterwegs war. Es widerstrebte ihm, jemanden eines brutalen Mordes zu bezichtigen, nur weil diese Person unter offensichtlichen Wahnvorstellungen litt.

Doch etwas in ihm – ein sicherer Instinkt, der sich im Lauf seiner beruflichen Erfahrung geschärft hatte – war überzeugt, dass es tatsächlich nur eine Person gab. Die Urheberin der Zeichnung war auch Nowaks Mörderin. Zwar hatte er keinen Beweis dafür, aber dieser Instinkt ließ keinen Zweifel daran zu.

Doch falls das stimmte, wer war sie? Jemand, den er kannte? Wandte sie sich deshalb an ihn?

Sie suchte nach Hilfe – nach *seiner* Hilfe –, so viel stand für ihn fest. Dass sie sich ausgerechnet für ihn entschieden hatte, musste einen Grund haben.

Also war Jan im Geiste sämtliche Patientinnen durchgegangen, mit denen er bisher zu tun gehabt hatte. Bevor er seine Stelle in der Waldklinik angetreten hatte, war er als forensischer Psychiater tätig gewesen. Zwar hatte er mit etlichen Straftätern zu tun gehabt, doch es waren allesamt Männer gewesen. Wenn es also tatsächlich eine seiner Patientinnen war, dann mussten sie sich hier in Fahlenberg begegnet sein.

Doch keine dieser Frauen schien aus seiner Sicht als Mörderin infrage zu kommen. Natürlich konnte er sich nicht hundertprozentig sicher sein, aber das konnte man auch bei gesunden Menschen nicht. Jeder war in der Lage zu töten, wenn er einen entsprechenden Grund hatte – und sei es aus Notwehr oder im Affekt.

»Ich kann mir vorstellen, wie meine Frage sich für Sie anhören muss«, holte ihn Stark aus seinen Gedanken zurück. »Aber ich muss nun einmal sämtliche Möglichkeiten prüfen.«

»Sie möchten also, dass ich Ihnen Auskunft über meine Patientinnen gebe? Ihnen ist doch klar, dass ich damit gegen meine Schweigepflicht verstoßen würde?«

»Durchaus, durchaus«, erwiderte Stark mit einer abwehrenden Geste. »Aber ich muss Sie hoffentlich nicht an Paragraf einhundertachtunddreißig des Strafgesetzbuches erinnern?«

»Klingt wie eine Drohung.«

»Verstehen Sie mich nicht falsch, ich bitte Sie nur um Ihre Mithilfe in einem besonders grausamen Mordfall. Einem Mordfall, der möglicherweise von einer geistig schwer gestörten Person begangen wurde.«

»Dann wissen Sie sicherlich, dass ich laut dieses Paragrafen nur dann gegen meine Schweigepflicht verstoßen darf, wenn ich glaubhaft nachweisen kann, dass eine meiner Patientinnen den Mord begangen hat. Wie kommen Sie überhaupt darauf, dass diese Frau mit der Waldklinik zu tun haben könnte?«

Stark schob die Hände in die Hosentaschen und sah Jan eindringlich an. »Was halten Sie von einem Deal, Doktor? Ich erzähle Ihnen, was ich weiß, und Sie tun mir denselben Gefallen. Einverstanden?«

Jan sah den Kommissar verwundert an. Er schien es ernst zu meinen, und dafür musste es einen Grund geben. »Also gut, dann legen Sie los.«

»Dieser Zeuge, der Mann auf dem Balkon«, sagte Stark, »er hat sich an etwas erinnert. Er stand dort nur kurz, um nicht zu viel von der Sportübertragung zu verpassen, aber auf seine Zigarette wollte er nicht verzichten, was ich gut nachvollziehen kann. Er hörte also Nowak und die Frau unten auf dem Parkplatz. Sie stritten, doch durch den Hall zwischen den Hauswänden und dem lauten Fernseher in seinem Wohnzimmer verstand er nicht, worum es bei diesem Streit ging. Es hat ihn auch nicht sonderlich interessiert, wie er sagte. Aber dann, rückblickend sozusagen, fiel ihm ein kurzes Wort wieder ein, das mindestens zweimal von den beiden genannt wurde: *Klinik*. Damit könnte doch Ihre Klinik gemeint gewesen sein, die Psychiatrie?«

Jan zuckte mit den Schultern. »Könnte, muss aber nicht.«

»Natürlich«, sagte Stark, dann machte er ein Gesicht wie jemand, der ein Geheimnis verrät, »aber sehen Sie, ich stelle mir das so vor: Nowak will gerade in seinen Wagen steigen und zu Ihnen in die Kneipe fahren. Er will Ihnen etwas über diese Frau erzählen. Möglicherweise will er Ihnen auch zeigen, was er über sie herausgefunden hat, und Sie nach Ihrer Einschätzung dazu fragen.«

»Moment«, unterbrach ihn Jan. »Wie kommen Sie darauf, dass er mir etwas zeigen wollte?«

»Hatte ich das noch nicht erwähnt?« Stark wischte sich erneut über den Kopf und seufzte. »Dann muss ich es wohl vergessen haben.«

»Was haben Sie vergessen?«

»Nowaks Computer. Sein Laptop. Er war nirgends zu finden, also vermuten wir, dass er ihn bei sich hatte, als er zu Ihnen fahren wollte.«

»Und Sie denken, dass ihn diese Frau jetzt haben könnte?«

Stark nickte. »Sie wird ihn an sich genommen haben, weil sie wusste, dass sich etwas darauf befindet, das ihr möglicherweise schaden könnte.«

»Aber was sollte das gewesen sein?«

»Ich habe keine Ahnung, Doktor. Wie gesagt, es ist nur eine Vermutung, aber Nowak war Journalist, und ein besonders neugieriger obendrein, wie wir beide wissen.« Der Hauptkommissar machte eine kurze Pause, als wartete er auf Jans Zustimmung, dann sprach er weiter. »Es wäre doch durchaus denkbar, dass sie ihn deswegen verfolgt hat. Nun trifft sie ihn also, bedrängt ihn und verlangt die Herausgabe ihrer Daten. Nowak weigert sich, doch sie bleibt beharrlich. Sie lässt einfach nicht locker. Es kommt zum Streit, woraufhin ihr Nowak zu verstehen gibt, dass sie aus seiner Sicht ein Fall für die Klapsmühle sei.«

»Psychiatrische Fachklinik.«

»Wie bitte?«

»Psychiatrische Fachklinik. Das ist der Begriff, den wir bevorzugen.«

Stark hob entschuldigend die Hände. »Natürlich. Verzeihen Sie, es war nicht so gemeint. Also, Nowak empfiehlt ihr, sich psychiatrisch behandeln zu lassen. Das bringt sie erst recht in Rage. Sie packt ihn am Schopf, und bevor er sich's versieht, reißt sie seinen Kopf zwischen Auto und geöffnete Tür und wirft sich mehrmals mit aller Wucht dagegen. Erst als er tot ist, begreift sie, was sie getan hat. Sie lässt von ihm ab, schnappt sich den Computer und läuft davon. Das ist natürlich reine Spekulation, aber was halten Sie davon?«

Jan zuckte mit den Schultern. »Denkbar, dass es so gewesen sein könnte.«

»Und?« Der Polizist sah ihn erwartungsvoll an. »Gibt es irgendjemanden in der Klinik, dem Sie eine solche Tat zutrauen würden?«

»Hören Sie, ich bin nicht mit allen Fällen in diesem Haus vertraut. Natürlich kann es vorkommen, dass eine psychisch kranke Person einen Wutausbruch hat, manchmal auch mit ernsten Folgen, aber ich kann deshalb ja nicht alle Patienten der Waldklinik unter Generalverdacht stellen.«

»Das habe ich auch nicht von Ihnen verlangt, Dr. Forstner. Aber gesetzt den Fall, es gäbe eine Patientin, der Sie eine solche Tat zutrauen, würden Sie es mir dann sagen?«

»Warum kommen Sie damit ausgerechnet zu mir? Wenn Sie Auskunft über unsere Patienten möchten, brauchen Sie eine richterliche Verfügung und müssen sich an den Klinikleiter wenden. Warum also ich?«

»Weil Nowak sich an *Sie* gewandt hat. Er hätte sich schließlich an *jeden* Psychiater hier wenden können. Aber er wollte sich ausgerechnet mit *Ihnen* treffen. Warum sollte er das tun, wenn er nicht gedacht hätte, dass Sie die Frau kennen?«

»Es tut mir leid, aber ich kann Ihnen nicht weiterhelfen. Unter meinen Patientinnen befindet sich keine, die als mögliche Täterin infrage käme.«

»Auch nicht unter Ihren ehemaligen Patientinnen? Ich meine, wie viele Leute behandeln Sie im Jahr? Hundert? Zweihundert? Oder mehr?«

Jan atmete tief durch, ehe er antwortete. »Herr Stark, unser Deal war, dass wir uns sagen, was wir über diesen Fall *wissen*. Von Vermutungen oder wilden Verdächtigungen war nicht die Rede. Das wenige, was ich weiß, habe ich Ihnen bereits gesagt. Einen konkreten Verdacht im Hinblick auf meine Patientinnen habe nicht.«

Stark legte den Kopf schief. »Auch keine, die Sie in Schutz nehmen würden?«

»Nein, bestimmt nicht«, versicherte ihm Jan. »Schon gar nicht bei einem Mord.«

Das entsprach auch der Wahrheit. Eine Mörderin hätte er niemals in Schutz genommen, aber er würde alles tun, um seine Patientinnen vor einer polizeilichen Befragung zu bewahren, wenn er selbst dazu keinen berechtigten Anlass sah.

»Na schön«, seufzte der Polizist. »Ich halte Sie ohnehin schon viel zu lange von Ihrer Arbeit ab. Aber eine allerletzte Frage habe ich noch.«

»Dann fragen Sie.«

Ein durchdringender Ausdruck trat in das Gesicht des Polizisten. Es war, als wollte er Jans Gedanken lesen, und für einen Augenblick hätte Jan schwören mögen, dass Stark dazu sogar in der Lage war.

»Ich weiß, dass Sie etwas vor mir zurückhalten«, sagte Stark, und es klang nicht einmal wie ein Vorwurf. »Ich kann es Ihnen natürlich nicht beweisen, aber mein Gespür trügt mich nur sehr selten. Deshalb weiß ich auch, dass hinter Ihrer Zurückhaltung keine böse Absicht steht. Wahrscheinlich haben Sie sehr wohl eine Person im Auge, aber es fehlt Ihnen an Beweisen. In dem Fall würde ich an Ihrer Stelle ebenfalls stillhalten, bis ich mehr weiß. Aber vielleicht könnten Sie mir zumindest einen Anhaltspunkt geben? Und sei es nur, damit ich sehe, dass ich mit meiner Einschätzung Ihrer Person nicht völlig falsch liege.«

Für einen Augenblick standen sie sich schweigend gegenüber. Dann sagte Jan: »Ich denke, wir sind beide gut in unserem Beruf. Und wir lieben Fakten.«

Schmunzelnd griff der Hauptkommissar nach seinen Zigaretten. Wieder nahm er eine davon heraus, riss den Filter davon ab und klopfte sie auf sein Päckchen. »Deshalb haben Sie mein Wort, dass wir keine Ihrer Patientinnen unnötig belästigen werden. Also?«

»Na gut, aber es ist nur … wie nannten Sie es? … *reine Spekulation.*«

Stark ließ sein Feuerzeug aufschnappen und nickte. »Nicht mehr und nicht weniger.«

»Gab es in den letzten Jahren irgendwelche Fälle von Tierverstümmelungen in dieser Gegend?«

Verwundert sah Stark ihn an. »Wie bitte?«

»Verstümmelungen«, wiederholte Jan. »Zum Beispiel an Rindern.«

Stark legte die Stirn in Falten und überlegte. »Nein, nicht dass ich wüsste.«

»Aber Sie *würden* es wissen, wenn es solche Fälle gegeben hätte?«

»Ja, sicher.«

»Sehen Sie«, sagte Jan und machte eine bedauernde Geste, »dann habe ich mich wohl geirrt. Und genau deshalb werde ich nichts sagen. Nicht, bevor es konkrete Beweise gibt.«

Damit verabschiedete er sich und ging zum Eingang des Stationsgebäudes.

»Dr. Forstner«, rief Stark ihm nach.

Jan sah sich zu ihm um.

»Glauben Sie nicht, dass ich Ihre Haltung nicht verstehe, Doktor«, sagte Stark. »Diese Frau ist krank. Sie braucht Hilfe. Aber sie ist auch eine Mörderin. Vergessen Sie das nicht.«

Jan nickte. Natürlich wusste er das. Aber was sollte er tun, solange er keine Ahnung hatte, wer sie war?

25

Die Stirn gegen die kühle Fensterscheibe gepresst, sah sie auf die beiden Männer im Park hinab. Ein stechender Kopfschmerz machte ihr zu schaffen. Er hatte erst vor ein paar Minuten begonnen, gleich nachdem sie die beiden dort unten entdeckt hatte. Nun pochte er in ihren Schläfen, stach in ihren Schädel und beeinträchtigte ihr Denken. Es fühlte sich an, als müsste sie jeden einzelnen Gedanken aus ihrem Gehirn herauspressen, wie Saft aus einer unreifen Frucht.

Doch noch schlimmer als die Kopfschmerzen war der Anblick des Mannes, mit dem Jan sich unterhielt.

Ein Polizist.

Natürlich war er ein Polizist. Auch wenn er keine Uniform trug, stand es ihm doch geradezu auf die Stirn geschrieben. Sein Aussehen, seine Gesten, die Art, wie er Jan taxierte. Fordernd, bedrängend, distanzlos. Zum Kotzen!

Er ist meinetwegen hier.

Warum auch sonst? Er versuchte, Jan über sie beide auszuhören. Er wollte ihren Plan durchschauen, um sie davon abzuhalten.

Widerlicher Scheißkerl! Warum trifft dich nicht der Schlag, du ekelhafter Qualmer? Hoffentlich verreckst du daran!

Sie atmete heftiger, bis die Scheibe beschlug und die beiden Männer in ihrem Hauch verschwanden.

Diese verfluchten Kopfschmerzen … Und schuld daran ist nur dieser neugierige Reporter.

Ja, Volker Nowak. Wegen ihm war ihr jetzt die Polizei auf den Fersen.

Eine Welle grenzenlosen Hasses schwappte über sie hinweg. Die Art, wie sie dieser Scheißkerl angesehen hatte, kam ihr wieder in den Sinn.

›Sie sind krank‹, hörte sie ihn sagen, und noch schlimmer: ›Ich weiß, was Sie getan haben.‹

Einen Scheißdreck hast du gewusst, du Muttersöhnchen!

›Sie gehören in eine Klinik, und wenn Sie sich nicht selbst stellen, dann werde ich …‹

Es war so schnell gegangen. Und so einfach. Sie hatte ihn nur bei den Haaren packen müssen, und alles Weitere war von ganz allein geschehen. Beim ersten Mal hatte er noch geschrien, aber dann nicht mehr. Dann waren es nur noch knackende, gurgelnde Laute gewesen, und er hatte Blut gespuckt. Mit jedem Stoß ein bisschen. Als ob sie auf eine Ketchuptube geschlagen hätte. Und dann hatte er endlich Ruhe gegeben.

Die Erinnerung glitt qualvoll langsam in ihr Bewusstsein, aber als sie schließlich da war, empfand sie dabei etwas erschreckend Beruhigendes. Ihr war, als hätte sie es gerade noch einmal getan, und sie empfand bei dieser Vorstellung keinerlei Reue. Im Gegenteil, es war, als hätte sie dem neugierigen Schmierfinken die berechtigte Abreibung dafür verpasst, dass die Polizei seinetwegen nach ihr suchte.

Nun ließ ihre Anspannung nach, und auch die Kopfschmerzen klangen ab. Auf einmal wurde es wieder viel einfacher, zu denken.

Worüber rege ich mich eigentlich auf? Ich bin doch in Sicherheit.

Ja, das stimmte. Es gab doch überhaupt keinen Grund, sich aufzuregen. Sie hatte ein gutes Versteck, vielleicht sogar das beste überhaupt, und außerdem würde Jan sie beschützen. Er würde diesen widerlichen Polizisten abwimmeln, und der Kerl würde ihm glauben.

Schließlich war Jan ihr Held. Sie liebte ihn, so wie auch er sie liebte, und deswegen würde er alles tun, damit ihre Liebe nicht in Gefahr geriet.

Es gibt keinen Grund, dass ich mir Sorgen mache.

Wenn, dann gab es nur einen, auf den sie achtgeben musste: den Pfarrer, dem sie sich anvertraut hatte. Felix Thanner. Auf ihn musste sie ein Auge haben.

Sie brauchte Thanner, um von aller Sünde freizukommen, um für Jan bereit zu sein, auch wenn sie fürchtete, dass es ein Fehler gewesen war, ausgerechnet mit Thanner zu sprechen.

Erst recht, nachdem sie mitbekommen hatte, was er heute Vormittag getan hatte. Er hatte Angst vor ihr und ihr deswegen eine Falle gestellt, und vorhin hatte sie ihn dann auf dem Klinikgelände wiederentdeckt. Das war nicht gut. Das konnte gefährlich werden, wenn sie nicht besser aufpasste.

Nein, der kettenrauchende Polizist war keine Gefahr für Jan und sie. Aber der Pfarrer ... *der Pfarrer.*

Wieder ließ ihr Atemnebel auf der Scheibe nach, und nun sah sie, wie sich die beiden Männer trennten.

Du hast ihn abgewimmelt, nicht wahr, mein Liebster? Ja, das hast du.

Nicht mehr lange, dann wäre dieses ganze Versteckspiel ohnehin nicht mehr nötig. Dann würde es keine Rolle mehr spielen, was die anderen von ihnen beiden dachten.

Aber bis dahin müssen wir vorsichtig sein. Wir müssen aufeinander aufpassen. Du und ich, Jan. Nur noch für kurze Zeit. Bis alles für uns bereit ist.

Ein Geräusch hinter ihr riss sie aus ihren Gedanken. Jemand kam zur Tür herein. Sie nahm sich zusammen, schüttelte ihren Zorn ab, wandte sich um und lächelte.

Nicht mehr lange, dachte sie. *Nicht mehr lange.*

26

Als Jan sein Büro betrat, lächelte Bettina ihm entgegen.

»Wir haben zwei Neuzugänge«, sagte sie. »Ich habe Ihnen die Akten auf den Tisch gelegt.«

Jan warf einen kurzen Blick auf die beiden Patientenakten. Normalerweise gab es zum Schichtwechsel ein kurzes Übergabegespräch, doch Julia Neitinger, die Jan nun ablösen sollte, schien nicht mehr auf der Station zu sein.

»Ist Frau Dr. Neitinger denn schon gegangen?«

Bettina schüttelte den Kopf. »Nein, sie ist heute gar nicht zum Dienst erschienen.«

»Ist sie krank?«

»Keine Ahnung«, sagte die junge Schwester mit einem Schulterzucken. »Sie hat sich nicht abgemeldet. Frau Dr. Kunert ist kurzfristig für sie eingesprungen. Sie ist aber vor ein paar Minuten gegangen. Ich soll Ihnen ausrichten, dass sie zu einem privaten Termin musste und nicht länger auf Sie warten konnte.«

»Ich bin aufgehalten worden«, murmelte Jan und dachte an Julia.

Seltsam, unentschuldigtes Fehlen passte nicht zu ihr. Gut, sie war launisch, und es war nicht immer einfach, mit ihr klarzukommen – *vor allem nicht, wenn sie einem im betrunkenen Zustand auf der Damentoilette Avancen machte*, dachte Jan –, aber als Ärztin war Julia klar strukturiert und zuverlässig. Sie mochte privat einige Schwierigkeiten haben, insbesondere was den Umgang mit Alkohol und Männern betraf, aber beruflich war sie eine ganz andere Person. Jemand, auf den man sich verlassen konnte. Allein aus Schamgefühl wäre sie nicht zu Hause geblieben, dafür nahm sie ihre Arbeit zu ernst.

Ob ihr etwas zugestoßen war? Vielleicht war sie ernstlich krank?

Er überlegte, ob er sie zu Hause anrufen sollte, entschied sich jedoch dagegen.

»Ich habe übrigens noch etwas für Sie«, sagte Bettina und nahm ein Stück Alufolie von einem Teller.

»Hier, das ist von Lutz aus der Frühschicht. Er hat heute Geburtstag. Das ist echte Bresaola, soll ich Ihnen sagen, und Sie sollen es sich schmecken lassen.«

Sie hielt Jan den Teller entgegen, auf dem sich luftgetrocknete Schinkenscheiben, Oliven und Weißbrotstücke stapelten. Ihr italophiler Kollege schien es besonders gut gemeint zu haben.

»Oh, vielen Dank.«

Jan nahm den Teller, und Bettina musste seinen Blick dabei richtig gedeutet haben.

»Okay, ich gesteh's«, sagte sie und wirkte etwas verlegen, »ich habe Ihnen meine Portion dazugelegt. Aber verraten Sie es ihm bitte nicht. Lutz hat ihn sich extra von seiner Schwägerin aus Milano schicken lassen.«

»Natürlich«, sagte Jan und stellte den Teller vor sich ab. »Sie mögen wohl keinen Schinken?«

»Ich bin überzeugte Vegetarierin. Wissen Sie, meine Mutter hat als Verkäuferin in einer Metzgerei gearbeitet, als ich noch klein war, und ich fand es schon damals eklig, die zerteilten Tiere in der Auslage anschauen zu müssen. Ich kam mir da immer vor wie in der Pathologie. Ich weiß noch, der Metzger hat mir einmal ein Stück Rindersalami gegeben und darauf gedrängt, dass ich sie vor seinen Augen probiere. Seine Spezialität, hatte er gesagt. Danach war mir so schlecht, dass ich sofort aufs Klo gerannt bin.« Sie sah zu Jans Teller und machte eine entschuldigende Geste. »Sorry, ich wollte Ihnen den Appetit nicht verderben. Kann ja jeder halten, wie er will. Nur für mich ist Fleisch eben nichts.«

Auf einmal hatte Jan Bilder vor sich. Bilder von einem Rosenstrauß, roten Kleidern – eins auf einer kindlichen Strichzeichnung und ein reales Kleid mit einem tiefen Ausschnitt – und von enthaupteten Kühen auf einer grünen Wiese. Und da war noch diese Stimme vom Telefon, die er nicht hatte zuordnen können.

Während die Schwester ging, zog er das Briefkuvert aus seiner Jackentasche und legte es neben einen ihrer Notizzettel, auf dem sie ihn auf Julias Vertretung durch Andrea Kunert hinwies.

JAN FORSTNER

Auf dem Kuvert stand sein Name in großen Druckbuchstaben, die Notiz war hingegen in Schreibschrift geschrieben. Doch berücksichtigte man, dass die Schrift auf dem Kuvert verstellt war, gab es auch Gemeinsamkeiten. Beide Schriften waren dezent nach links geneigt und wirkten mädchenhaft. In beiden Fällen war ein schlichter blauer Kugelschreiber verwendet worden, und beide Male hatte die Schreiberin gleichmäßig aufgedrückt.

Es konnte also durchaus möglich sein, dass …

»Bettina?«

»Ja?«

»Haben Sie noch einen Moment Zeit für mich?«

Die Schwester hatte gerade die Tür hinter sich schließen wollen, nun kam sie zu Jan zurück.

»Natürlich. Worum geht es denn?«

Jan zeigte ihr das Kuvert. »Haben Sie das hier schon einmal gesehen?«

Sie sah ihn fragend an. »Habe ich irgendetwas falsch gemacht?«

Kam es ihm nur so vor, oder vermied sie tatsächlich, das Kuvert anzusehen?

»Vielleicht sollte ich direkter fragen«, entgegnete Jan und deutete mit dem Kinn auf den Umschlag in seiner Hand. »Haben Sie mir das geschickt?«

»Ich?«

Sie wirkte ehrlich konsterniert, und falls sie diese Reaktion nur spielte, wirkte es sehr überzeugend, fand Jan.

Er nickte. »Ja, Sie.«

»Was ist das überhaupt?«

»Ein Brief an mich. Einer von zweien.«

Nun wurde sie puterrot, was Jan bisher noch nie bei ihr erlebt hatte. Sie blies sich eine blonde Strähne aus dem Gesicht, die aus ihrem Pferdeschwanz gerutscht war, und wirkte dabei so trotzig wie ein Kind, das man beim Ladendiebstahl erwischt hatte und das beschlossen hatte, seine Tat so lange wie möglich abzustreiten.

»Wie kommen Sie denn darauf, dass ich Ihnen Briefe schreibe?«

»Haben Sie es getan?«

»Nein.« Die Antwort kam schnell, und Bettina schüttelte den Kopf dabei so energisch, dass ihr die Strähne wieder ins Gesicht fiel. Doch diesmal beachtete sie sie nicht. »Auf was läuft das hier hinaus, Dr. Forstner?«

Er sah ihr direkt in die Augen und merkte, wie schwer es ihr fiel, seinem Blick standzuhalten. »Ich habe zwei Briefe von einer Frau erhalten, höchstwahrscheinlich von einer jungen Frau. Sie hat offensichtlich Probleme und bittet mich darin um Hilfe. Jedoch scheint ihr der Mut zu fehlen, mich persönlich anzusprechen.«

»Und Sie denken, dass *ich* das bin? Sehe ich für Sie denn so aus, als hätte ich Probleme?«

Jan musterte sie eingehend. »Gibt es etwas, über das Sie mit mir sprechen möchten?«

Noch immer war sie tiefrot, und ihre Lippen bebten, aber für Jan ließ sich nicht einschätzen, ob diese Mimik Verunsicherung oder Entrüstung ausdrückte.

»War das alles?«, fragte sie mit gepresster Stimme. »Ich muss wieder zur Arbeit.«

»Sagen Sie mir nur noch, von wem die Rosen gewesen sind.«

»Also ich ...« Sie rang um Fassung. »Das weiß ich doch nicht. Irgend so ein Typ von Fleurop hat sie vorbeigebracht. Was haben Sie denn auf einmal?«

Jan entgegnete nichts. Ihre Entrüstung schien nicht gespielt. Vielleicht machte er gerade einen großen Fehler.

»War's das jetzt, Dr. Forstner? Kann ich endlich gehen?«

Jan nickte nur, woraufhin sie sich umdrehte und ging. An der Tür angekommen, sah sie sich noch einmal zu ihm um.

»Schade, dass Sie mich so einschätzen«, sagte sie. Dann verschwand sie auf dem Gang und ließ Jan mit einem unguten Gefühl zurück.

27

Felix Thanner fröstelte. Auf der Empore war es kalt und zugig, aber noch mehr war es die Aufregung, die seine Hände zittern ließ, während er den Camcorder an seinen Laptop anschloss.

Er machte alles so, wie Matt es ihm gezeigt hatte. Zwar war der Monitor deutlich kleiner als der Fernseher im Pfarrhaus, aber man konnte dennoch genug darauf erkennen, und Thanner hatte nicht abwarten wollen, bis Edith Badtke ihren Arbeitstag beendete. Also gab er der Anonymität der menschenleeren Kirche den Vorzug, auch wenn sie kalt wie ein Grab war.

Als er die Wiedergabe startete und das Bild des leeren Hauptschiffs auf dem Bildschirm erschien, fühlte er, wie sich sein Puls noch mehr beschleunigte. Er würde etwas sehen. Mindestens eine Person war hier gewesen, so viel stand fest, denn nach seiner Rückkehr von der Seelsorgesprechstunde in der Waldklinik hatte er vier brennende Kerzen vor der Christophorus-Statue vorgefunden. Nur vier, kein weiteres Kerzenmeer, aber immerhin.

Außerhalb der Gottesdienste kamen um diese Jahreszeit nur wenige Besucher in die Kirche. Im Sommer war es anders, dann konnte man immer wieder Touristen antreffen, die sich für den historischen Altar oder die Gemälde und die Deckenausmalungen interessierten, von denen man vermutete, dass es sich um Frühwerke des bekannten Rokokomalers Jacopo Amigoni handelte.

Doch die Touristensaison war längst vorüber. Zudem steckten Touristen nur selten Opferkerzen an. Sie kamen, machten Fotos und gingen wieder.

Aber nun brannten vier Kerzen. Vier.

Wie gebannt starrte Thanner auf den Monitor und

wischte sich erneut die feuchten Handflächen an der Hose ab. Zuerst war nur das Bild der leeren Kirche zu sehen. »Kann sein, dass es am Anfang etwas dauert«, hatte Matt ihm erklärt. »Das Motiv muss erst eingelesen werden, damit die Software spätere Abweichungen im Bild erkennen kann.« Also wartete Thanner ungeduldig, bis sich etwas veränderte.

Dann endlich, als der eingeblendete Zähler zwei Stunden und siebenundvierzig Minuten nach der Aktivierung der Überwachung anzeigte, bemerkte Thanner etwas. Er rückte dichter an den Monitor und atmete tief durch.

Jemand hatte die Kirche betreten. Anfangs war es nur ein Schatten, den das offen stehende Portal in das Mittelschiff warf, da sich die Person von unterhalb der Empore näherte. Doch dann kam die Gestalt ins Bild. Es war eine Frau.

Mit vor Anspannung geballten Fäusten verfolgte Thanner ihren Weg, der sie durch den Mittelgang führte.

»Dreh dich wenigstens einmal um«, flüsterte er dem Bild ihres Rückens zu.

Die Frau bewegte sich langsam, beinahe zögerlich. Sie trug einen dunklen Mantel und ein buntes Kopftuch. Beides war vom Regen nass und glitzerte im Licht der Hängeleuchten.

Aufgrund der Perspektive und der leicht gebückten Haltung der Frau ließ sich ihre Größe nur schwer ermessen. Sie mochte eins siebzig sein, schätzte Thanner, vielleicht aber auch größer.

Als sie die vorderste Gebetsbank erreicht hatte, bekreuzigte sie sich mit einer knappen Verbeugung in Richtung des Altars und kniete nieder. Danach vergingen fast fünfzehn endlose Minuten, in denen Thanner immer wieder den Atem anhielt und hoffte, sie werde sich endlich umsehen, damit er ihr Gesicht erkennen konnte.

Doch sie tat ihm diesen Gefallen nicht. Stattdessen erhob sie sich schließlich und ging zur Seitenkapelle, wo sie für exakt drei Minuten und zweiundzwanzig Sekunden verschwand.

Thanner schauderte und spürte die Gänsehaut auf seinen Armen, während über ihm der Wind im Gebälk ächzte. Immer wieder musste er gegen die Versuchung ankämpfen, den Schnelllauf zu betätigen. Er musste sich in Geduld üben, auch wenn es ihm schwerfiel. Andernfalls lief er Gefahr, möglicherweise ein wichtiges Detail zu übersehen.

»Nun mach schon«, flüsterte er dem Monitor zu. »So lange kann es doch nicht dauern, um vier Kerzen anzuzünden.«

Endlich kam sie wieder aus der Kapelle und ging nun den Seitengang entlang.

»O nein!«

Thanner biss sich auf die Unterlippe. Durch das Deckenlicht lag das Gesicht der Frau im Schatten ihres Kopftuchs. Auch die Zeitlupenfunktion und das Heranzoomen des Bildes halfen nicht. Mehr als ihr Kinn war nicht zu erkennen. Kein besonders markantes Kinn und erst recht kein vertrautes. Oder doch?

»Komm schon«, zischte Thanner. »Nur ein bisschen mehr Licht, nur ein ganz kleines bisschen mehr Licht!«

Als hätte die Kamera sein Flehen gehört, zeigte sie ihm keine Sekunde später das Gesicht der Frau. Reflexartig drückte Thanner die Pausentaste und glaubte seinen Augen nicht zu trauen.

»Das … aber das …«, stammelte er und schüttelte den Kopf.

Durch das starke Zoom war das Gesicht, das nun fast den gesamten Monitor füllte, nur undeutlich zu erkennen.

Aber das grobkörnige Bild war dennoch scharf genug, um einen Irrtum auszuschließen.

Noch immer kopfschüttelnd betrachtete Felix Thanner sein wohl treuestes Gemeindemitglied, die einundachtzigjährige Antonia Schiller. Vor kurzem noch hatte sie ihm den Diebstahl von falschem Kaviar gebeichtet, und so wie Thanner sie einschätzte, waren die vier Kerzen – zuzüglich ihrer Gebete und Rosenkränze – ihre Reuegabe gewesen. Er wäre jede Wette eingegangen, dass sie sich die Kerzen in den letzten Tagen wortwörtlich vom Mund abgespart hatte. Ebenso war er überzeugt, wenn er die Opferdose neben dem Kerzenregal überprüfte, würde der Betrag darin exakt mit dem Gegenwert der vier Kerzen übereinstimmen.

Nein, dachte er, diese Frau würde weder Hunderte von Kerzen anzünden, ohne dafür zu bezahlen, noch wäre sie – nicht nur allein aufgrund ihrer Gebrechlichkeit – in der Lage gewesen, sich zu der Statue emporzustrecken und einen Schal darum zu wickeln.

Enttäuscht betätigte er wieder die Abspieltaste. Er ließ sich zurücksinken und verfolgte die weitere Aufnahme, die jedoch nur die leere Kirche zeigte. Die einzige Person, die knapp zwei Stunden später noch ins Bild kam, war er selbst. Er sah sich zu, wie er aus der Sakristei kam und sich versicherte, allein in der Kirche zu sein, ehe er kurz in die Seitenkapelle und dann zum Aufgang der Empore ging. Dann schaltete er ab.

Er starrte auf die Kamera und seufzte. Was hatte er auch erwartet? Dass die Frau ihm gleich am ersten Tag vors Objektiv lief? Das wäre ein mehr als wünschenswerter, aber äußerst unwahrscheinlicher Zufall gewesen. Es war ja noch nicht einmal gesagt, dass die Unbekannte überhaupt wiederkommen würde.

Aber immerhin funktionierte die Kamera, tröstete er sich, und Matt hatte sie ihm für einige Tage überlassen. Also konnte er noch hoffen.

Während er die Kamera erneut fokussierte und die Aufnahme aktivierte, fragte er sich zum hunderttausendsten Mal, wer der Mann sein mochte, von dem die Frau gesprochen hatte. Was wollte sie von diesem Mann, und warum hatte sie ausgerechnet ihm davon erzählt?

Hatte sie es womöglich wirklich auf *ihn* abgesehen?

Aber warum?

Vielleicht aus einem Grund, den man nur durch einen Wahn erklären konnte – einem Grund, der für einen normal denkenden Menschen gar nicht nachvollziehbar war.

Auch wenn ihn dieser Gedanke ängstigte, hatte er andererseits etwas Beruhigendes. Dann wäre nur er selbst in Gefahr. Und er war wachsam genug, um auf sich aufzupassen, immerhin war er gewarnt. Blieb nur zu hoffen, dass er sich nicht täuschte.

Gerade als er die Wendeltreppe hinabsteigen wollte, hörte er, wie an der Seitentür gerüttelt wurde. Jemand versuchte hereinzukommen, doch da Thanner den Draht am defekten Schloss von innen festgezurrt hatte, war es nicht möglich.

Er hörte eine Frauenstimme, die leise vor sich hin schimpfte, und spürte, wie sich seine Nackenhaare aufstellten. Noch einmal wurde an der Tür gerüttelt, dann gab die Frau auf.

Thanner eilte die Stufen hinunter zur Tür. Er löste das Drahtprovisorium und sah auf den Kirchhof hinaus.

Da war niemand mehr. Nur der Regen, der jetzt wieder stärker niederging.

»Haben Sie das gemacht?«

Erschrocken wirbelte Thanner zu der Stimme hinter ihm herum.

Edith Badtke kam auf ihn zu und deutete auf die Seitentür. Regentropfen perlten aus ihrer Hochsteckfrisur.

»Eine gute Idee, den Draht *innen* zu befestigen. Darauf hätte ich auch selbst kommen können, dann hätten wir uns eine Neulieferung Opferkerzen gespart«, sagte sie. Sie sah ihn besorgt an. »Geht es Ihnen nicht gut? Sie sind ja schon wieder ganz blass.«

»Ja, das heißt nein«, stammelte Thanner, dessen Herz noch immer wie wild schlug. »Ich war nur erschrocken, das ist alles.«

»Sie brauchen einen kräftigen Tee«, entschied Edith Badtke mit entschlossener Miene. »Außerdem wollte ich Ihnen Bescheid geben, dass die Gerichtsmedizin den Leichnam von Herrn Nowak heute Vormittag zur Beisetzung freigegeben hat. Wenn es Ihnen recht ist, setze ich die Beerdigung für morgen an.«

»Schon für morgen?«

»Seine Mutter möchte es so. Er soll so schnell wie möglich seinen Frieden finden, meint sie. Und da ja die Beerdigung von Herrn Kröger für übermorgen eingeplant ist, dachte ich …«

Thanner fuhr zusammen, als er über Edith Badtkes Schulter hinweg eine Bewegung neben dem Kirchenportal bemerkte. Seine Sekretärin hatte die Flügeltür offen gelassen, und nun stand eine Gestalt im Eingang – eine blonde Frau im Mantel, die zu Felix Thanner herübersah. Sie hielt eine Hand vors Gesicht, so dass für den Bruchteil eines Moments nur ihre Augen und die langen nassen Haare zu erkennen waren. Dann machte sie eilig kehrt und lief in den Regen hinaus.

»Halt!«, rief Thanner ihr nach. »Bitte warten Sie!«

Er schob seine verblüfft dreinblickende Sekretärin beiseite und eilte der Frau hinterher. Doch als er den Vorplatz erreicht hatte, war sie bereits verschwunden. Aufgeregt sah sich Thanner nach allen Richtungen um, beobachtete vorbeifahrende Autos und Passanten, doch die Frau war nicht mehr da. Als habe sie der Regen verschluckt.

Edith Badtke war ihm nachgelaufen, nun sah sie ihn fragend an. »Wer war denn da?«

Thanner rieb sich nachdenklich das Kinn. »Ich weiß es nicht«, sagte er, während er immer noch die Straße absuchte. »Aber ich gäbe was drum, wenn ich es wüsste.«

28

Heinrich Pratt stellte den Motor des Minibaggers ab. Er stieg aus der Fahrerkabine und zog ein Maßband aus der Hosentasche. Durch den Dauerregen war das Grab schwer auszuheben gewesen, vor allem, weil der Boden in diesem Teil des Friedhofs besonders lehmhaltig war. Dennoch hatte ihn sein Augenmaß nicht getäuscht. Zufrieden stellte er fest, dass das Grab exakt den Vorschriften entsprach. Es maß zweieinhalb Meter in der Länge, eins fünfzig in der Breite, und die Tiefe betrug einen Meter achtzig.

Er nickte. *Routiniertes Augenmaß.*

Pratt wischte sich den Regen aus dem Gesicht, schaltete den Scheinwerfer aus und schloss den Bagger ab. Dann trottete er mit seiner Taschenlampe zum Leichenschauhaus zurück, wo im Nebenraum trockene Kleidung und ein Feierabendbier auf ihn warteten.

Die Uhr der Friedhofskapelle schlug sechs, doch der

Dunkelheit nach hätte es ebenso gut bereits neun sein können. Pratt hasste den Spätherbst, wenn die Tage immer kürzer und die Nächte immer länger wurden. Er hätte schon längst zu Hause sein können, wenn ihn die alte Badtke nicht noch mit dem Aushub von Nowaks Grab beauftragt hätte.

Was soll's, dachte er. Zu Hause wäre er ohnehin nur vor dem Fernseher eingepennt, und da er nach Stunden bezahlt wurde, kam ihm ein wenig Mehrarbeit gar nicht so ungelegen. Selbstverständlich würde er das Feierabendbier mit in seine Stundenabrechnung einbeziehen. Das hatte er sich verdient, wenn ihn die alte Kratzbürste schon bei diesem Sauwetter draußen schuften ließ.

Bei dem Gedanken musste er grinsen, doch das Grinsen erstarb sofort wieder, als er ein dumpfes Geräusch vernahm. Es kam aus Richtung der Leichenhalle und hörte sich an, als sei dort etwas Schweres umgefallen.

Erschrocken blieb er stehen.

Da wird doch nicht …

Nein, das konnte nicht sein, beruhigte er sich. Beide Särge standen auf stabilen Podesten – sowohl der von Nowak als auch der Sarg des alten Kröger, bei dem er sich beinahe einen Bruch gehoben hätte. Da konnte nichts umfallen.

Er hielt die Lampe höher und zuckte zusammen, als der Lichtstrahl zwei Gestalten unter der Überdachung der Leichenhalle erfasste. Einen Mann und eine Frau.

Die Frau saß in einem Rollstuhl, direkt vor der zweiflügeligen Glastür, hinter der die beiden Särge aufgebahrt waren. Ein wenig abseits stand der Mann und rauchte.

»He, machen Sie das aus!«, rief er und hielt die Hand vor Augen. Seinem Akzent nach musste er Osteuropäer sein.

»Was machen Sie hier?«, rief Pratt zurück. »Der Fried-hof ist schon geschlossen.«

Argwöhnisch ging Pratt ein weiteres Stück auf die bei-den zu, und als er dann die Frau erkannte, verstand er, wes-halb er die Lampe senken sollte. »Ach so, Sie sind das.«

»Entschuldigen Sie bitte«, sagte Agnes Nowak. »Ich wollte mich nur von meinem Sohn verabschieden.«

Als der Totengräber nahe genug bei ihnen war, konnte er das Emblem eines Taxiunternehmens auf der Leder-jacke des Mannes erkennen.

Begleitet vom leisen Summen des Elektromotors und dem Knirschen der Räder, die sich in den Kies gruben, rollte Agnes Nowak dicht zu ihm heran. Ihr Gesicht war so fahl, dass es beinahe aussah, als würde es im Dunkeln leuchten.

»Tut mir leid, wenn wir Sie stören, Herr Pratt. Wir bleiben auch nicht lange.«

Beeindruckt von der seltenen Anrede – es kam wirklich nur *sehr* selten vor, dass ihn jemand mit *Herr Pratt* an-sprach – winkte der Totengräber ab. »Nee, nee, das geht schon in Ordnung. Ich dachte nur …«

Wieder unterbrach ihn das dumpfe Geräusch, und als Pratt sich umsah, erkannte er, woher es stammte. Die Tür zum Anbau, in dem er seine Arbeitsgeräte – und eine si-cher versteckte Kiste Fahlenberger Schlossquellbier – auf-bewahrte, stand offen und bewegte sich im Abendwind.

Pratt runzelte die Stirn. Merkwürdig, er hätte schwören können, dass er sie fest zugezogen hatte.

»Die wird wohl Ihr Kollege offen gelassen haben«, sag-te der Taxifahrer.

»Mein Kollege?«

»Ja, so ein Kerl in 'ner Regenjacke. Ist durch die Tür raus, gerade als wir gekommen sind.«

Pratt glaube nicht recht zu hören. »Wie hat der aus-gesehen?«

»Keine Ahnung, ist ja schon dunkel«, sagte der Taxifah-rer und hob die Hände. »So mittelgroß, würd ich sagen. Und zierlich wie'n Mädchen.«

»Verdammtes Gesindel«, fluchte Pratt und stürmte in den Anbau.

Es lag noch nicht ganz zwei Jahre zurück, dass er Ha-kenkreuzschmierereien auf mehreren der alten Grabsteine im Norden der Anlage vorgefunden hatte. Und keinen Monat später hatte er eines Morgens die Überreste einer Party im selben Teil des Friedhofs entdeckt. Kerzen, Wod-kaflaschen, Red-Bull-Dosen und – er hatte es kaum glau-ben können – mehrere benutzte Kondome und einen Slip mit *Hello Kitty*-Aufdruck. Obendrein hatte sich einer der Teenager hinter einem der verwitterten Grabsteine über-geben. Natürlich hatte man nach den Tätern gefahndet, sie aber nie ausfindig machen können. Doch wenigstens hatte die Stadtverwaltung endlich Pratts Antrag auf eine Aufstockung der Friedhofsumzäunung zugestimmt.

Seither hatte es keine weiteren Vorfälle mehr gegeben, und Pratt hatte geglaubt, das Thema sei damit beendet. Während er nun den Anbau überprüfte, hoffte er instän-dig, dass er sich nicht getäuscht hatte.

Erleichtert stellte er fest, dass sich alles immer noch an seinem Platz befand. Wer immer hier hereingekommen sein mochte, er oder sie hatte nichts mitgenommen. Das Werkzeug hing und stand dort, wo es hingehörte, sämt-liche Gerätschaften waren an ihrem Platz, und auch die Bierkiste in seinem Spind war unberührt geblieben.

Ein Glück, dachte er. Da schienen die Nowak und ihr Fahrer genau zur rechten Zeit aufgetaucht zu sein.

Oder …

Pratt sah zu der Tür, die nach nebenan zur Aufbahrungshalle führte. Er erkannte regennasse Schuhabdrücke und schluckte. Zögernd ging er darauf zu und drückte die Klinke. Die Tür war offen.

»Gottverdammich«, fluchte er und sah sich das Türblatt an. Es war unversehrt, und da die Tür ein Sicherheitsschloss hatte, konnte das nur bedeuten, dass er heute Nachmittag nicht abgesperrt hatte, als die beiden Särge angeliefert worden waren. Er musste es vergessen haben. Wahrscheinlich, weil er sich mit dem Bestatter erst einmal ein Bier genehmigt hatte, gleich nachdem sie Krögers schweren Sarg auf das Podest gehievt hatten. Danach hatten sie noch darüber diskutiert, ob man für die Bestattung derartiger Schwergewichte einen Aufpreis verlangen sollte – so, wie es ja inzwischen auch schon teurere XXL-Plätze in Flugzeugen gab –, und aus einem Bier waren schließlich drei geworden.

»Fehlt etwas?«

Erschrocken fuhr Pratt zusammen und sah sich zu dem Taxifahrer um.

»Nein, sieht nicht so aus«, sagte er, dann sperrte er die Tür ab und rüttelte zur Sicherheit noch einmal daran. »Wohin ist der Kerl denn abgehauen?«

»Da lang.« Der Taxifahrer deutete mit der Zigarettenspitze in Richtung des Tors, hinter dem der Kompostcontainer stand. »Aber wie gesagt, kann auch 'ne Sie gewesen sein.«

»Egal, da hinten gibt es keinen Ausgang«, brummte Pratt. Er umklammerte das Schweizer Taschenmesser in seiner Jackentasche und stapfte los.

Das war wirklich merkwürdig, dachte er. Dahinten hatte er auch diesen Forstner getroffen. Ob es dort noch einen zweiten Ausgang gäbe, hatte der wissen wollen. Vielleicht eine offene Stelle in der Mauer, von der niemand wusste.

Besser, er ging auf Nummer sicher und sah nach, überlegte Pratt. Vielleicht war dort wirklich eine Lücke, die ihm bisher noch nicht aufgefallen war. Er untersuchte die Mauer, fand jedoch nichts. Auch das hintere Tor war wie immer abgeschlossen.

Als die Batterien seiner Lampe schließlich schwächer wurden und Pratt vom Regen völlig aufgeweicht war, machte er sich fluchend auf den Rückweg. Er würde morgen noch einmal bei Tageslicht nachsehen.

Immer wieder leuchtete er über die Grabsteine. Er wurde den Eindruck nicht los, dass sich dort irgendjemand vor ihm versteckte. Aber er sah niemanden, und wenn er ehrlich war, musste er sich eingestehen, dass er auch ganz froh darüber war.

Statt weiterzusuchen, lief er schneller, und als er schließlich wieder am Leichenschauhaus ankam, waren auch Agnes Nowak und ihr Fahrer nicht mehr da.

Hastig sperrte Pratt die Türen ab, überprüfte sie noch einmal, und dann beeilte er sich, zum Ausgang zu kommen. Sein Feierabendbier konnte er auch zu Hause trinken.

Erst als er den Motor seines alten Daimlers startete, fühlte er sich wieder sicherer. Kopfschüttelnd setzte er zurück und fuhr aus der Parklücke.

»Alter Spinner«, sagte er zu sich selbst und lachte verunsichert.

Seit mehr als dreißig Jahren arbeitete er nun schon auf dem Friedhof. Anfangs war es für ihn noch ein wenig unheimlich gewesen – vor allem abends und während der ersten Wintermonate –, aber nach all den Jahren kannte er inzwischen jeden einzelnen Grabstein und fühlte sich in der Stille der Gräber meist wohler als unter Menschen.

Doch heute Abend hatte er zum ersten Mal richtige Angst gehabt.

29

Bevor Jan seinen Dienst beendete, schaute er im Stationszimmer vorbei. Er hoffte, er würde dort auf Bettina treffen, um sich bei ihr für die falsche Verdächtigung zu entschuldigen. Seit ihrer Reaktion plagte ihn ein schlechtes Gewissen.

Doch das Zimmer war leer. Bettina musste bereits in den Feierabend gegangen sein. Nur das Radio lief, und ein aufgedrehter Moderator fragte: »Was meint ihr, Leute? Ist der Schleusenwärter da oben in Urlaub gegangen und hat vergessen, vorher das Ventil zuzudrehen?« Danach kündigte er einen zum Wetter passenden Klassiker der Eurythmics an: *Here Comes The Rain Again*.

Auf dem Weg aus dem Stationsgebäude zerrte Jan an seinem Regenschirm, der wieder mal klemmte, und war damit so beschäftigt, dass er beinahe Franco Spadoni umgerannt hätte. Der Psychiater stand unter dem Vordach des Stationsgebäudes, von dem ein wahrer Sturzbach herabschoss, und schien auf Jan gewartet zu haben.

»Ich muss mit dir reden«, sagte er, drückte eine Zigarette im Wandaschenbecher neben der Eingangstür aus und steckte sich gleich darauf eine neue an.

Bei ihrer letzten Begegnung hatte Jan noch gedacht, der Schichtdienst sei schuld an den Augenrändern und dem unrasierten Gesicht seines Kollegen. Doch nun wirkte der aus Sizilien stammende Arzt mit dem sonst so makellos braunen Teint ungesund bleich und aufgewühlt, als sei etwas Schlimmes geschehen. Jan fiel die Bemerkung ein, mit der Franco seine Frage, ob etwas mit ihm nicht in Ordnung sei, beim letzten Mal abgewunken hatte. *Eheliche Unstimmigkeiten.* Offenbar war das noch eine Untertreibung gewesen.

»Du siehst nicht gut aus, Franco. Was ist denn los?«

»Hast du Zeit für mich?«

»Natürlich.« Jan deutete auf die Zigarette. »Sag mal, ich habe gedacht, du hast vor Jahren das Rauchen aufgegeben?«

»Habe ich ja auch.«

»Na gut, sag schon, worum geht es?«

»Also, ich …«, Franco stieß hustend den Rauch aus und räusperte sich. »Ich wollte dich um einen Gefallen bitten. Um … nun ja, um einen Freundschaftsdienst.«

»Okay. Was kann ich für dich tun?«

Ein Wagen fuhr vom Parkplatz vor der Station, und Franco wartete, bis der Lärm des Motors verklungen war. »Vor zwei Monaten«, sagte er leise, »also, da war ich übers Wochenende auf einem Kongress.«

»Und?«

»Na ja, eigentlich war ich auf keinem Kongress.«

Jan nickte. Also hatte er mit seiner Vermutung richtig gelegen. »Aber du möchtest, dass ich bestätige, dass du dort gewesen bist?«

»Na ja, also … um ehrlich zu sein, ja.«

»Zusammen mit mir? Verstehe ich das richtig?«

»Genau.« Mit einer nervösen Geste drückte Franco die Zigarette aus und schob die Hände in die Hosentaschen. »Ich meine, nur falls Flavia sich bei dir melden sollte. Sie wird es wahrscheinlich nicht tun, aber falls doch … Es könnte ja sein.« Er zuckte mit den Schultern und fügte hastig hinzu: »Es war nur ein Ausrutscher, Jan. Das kannst du mir glauben.«

Seufzend schüttelte Jan den Kopf. »Ich will hier keinen auf Moralapostel machen, aber warum tust du so etwas? Flavia ist eine tolle Frau. Sie ist intelligent, attraktiv, eigenständig und eine großartige Mutter.«

»Ja, sicher, aber ich …« Franco rang nach Worten. Er sah zu der überforderten Regenrinne hinauf, von der unablässig Wasser herablief. »Weißt du, wir sind jetzt seit über zehn Jahren verheiratet, und in letzter Zeit … na ja, die Kinder, das Haus, der Alltag … Ich wollte einfach ausbrechen, Jan. Ich weiß nicht, wie ich es dir erklären soll. Irgendwie war mir einfach alles zu viel. Dann bot sich die Gelegenheit, und da bin ich schwach geworden.« Mit einer Geste hilfloser Verzweiflung ballte er die Hände zu Fäusten. »Glaub mir, ich habe es ja auch gleich wieder beendet! Da läuft nichts mehr. Es war nur eine kurze Affäre.«

Sie sahen sich an, dann nickte Jan, ohne etwas zu sagen.

In Francos Augen schimmerten Tränen. »Jan, ich will Flavia nicht verlieren! Ich liebe sie. Es ist nur … Ich weiß nicht, was mit mir los gewesen ist.« Er griff nach Jans Arm, und Jan konnte spüren, wie er zitterte. »Würdest du das für mich tun? Nur dieses eine Mal. Sie muss etwas gemerkt haben. Zumindest ahnt sie etwas.«

Jan löste sich aus seinem Griff und stellte den nutzlosen Regenschirm ab. »Und du hast wirklich nichts mehr mit dieser anderen?«

»Nein, bei allem, was mir heilig ist, ich schwöre dir, das ist vorbei. Und ich werde es auch nie wieder tun, so wahr ich hier stehe. Verstehst du, es war einerseits natürlich toll, aber mir ist sehr schnell klargeworden, was ich damit aufs Spiel setze. Mein Gott, es war ein Riesenfehler. Aber wenn ich Flavia die Wahrheit sagen würde, wäre alles vorbei. Du kennst sie doch. Sie würde mir das nie verzeihen.«

Jan sah die Qual in den Augen seines Kollegen, aber er

musste auch an Flavia denken, die ihm noch vor nicht allzu langer Zeit bei einem gemeinsamen Abendessen versichert hatte, dass sie die glücklichste Ehefrau von allen sei. Er wünschte ihr, dass sie es bald wieder sein würde, auch wenn es ihm nicht leichtfallen würde, sie deshalb möglicherweise belügen zu müssen.

Schließlich nickte er. »Auf welchem Kongress waren wir denn?«

»Pharmakologie.« Die Antwort kam wie aus der Pistole geschossen.

»Also gut«, seufzte Jan. »Aber mach so etwas nie wieder mit mir. Ich mag Flavia wirklich gern, und wenn die Wahrheit doch herauskommt, verlierst nicht nur du eine tolle Frau, sondern ich auch eine liebe Bekannte. Also bau keinen weiteren Mist, verstanden?«

Eine zentnerschwere Last schien von Franco abzufallen. »Wenn ich das irgendwie wieder bei dir gutmachen kann, dann ...«

»Das kannst du«, unterbrach ihn Jan. Er zog das Kuvert aus seiner Jacke und öffnete es. »Ich wollte es dir ohnehin zeigen. Hier, ich habe noch eine Zeichnung bekommen. Sagst du mir, was du davon hältst?«

»Zeig her.« Franco nahm das Blatt, und Jan konnte sehen, dass seine Hände noch immer zitterten.

»Oh«, stieß er aus, »das sieht ja übel aus.«

»Allerdings. Was meinst du dazu? Ich frage mich, ob es sich um echte Kühe handelt? Anfangs dachte ich das noch, aber inzwischen bin ich mir nicht mehr so sicher. Vielleicht steckt ja auch hier irgendeine Symbolik dahinter?«

Mit schief gelegtem Kopf betrachtete Franco die Zeichnung. »Mal überlegen. Die Weide, die Sonne, die Bäume. Ein richtiges Idyll. Schon beinahe kitschig, findest du nicht?«

»Das war das erste Bild auch.«

»Aber vielleicht ist das auch ein Trugschluss«, sagte Franco, ohne den Blick vom Bild zu nehmen. »Wenn man diese Zeichnung rein symbolisch interpretieren wollte, könnte die Kuhherde für die gesellschaftliche Konformität stehen. Alle diese Kühe sehen gleich aus, sie stehen sogar in die gleiche Richtung, und um sie herum ist eine vermeintlich heile Welt. Die abgeschlagenen Köpfe könnten die fehlende Individualität der angepassten Masse darstellen. Alle machen mit, weil es alle anderen auch tun, und keiner ist zu eigenständigem Denken fähig.«

»Interessante Theorie.«

»Na ja, wenn sie zutrifft, bedeutet das, dass deine Künstlerin alle Menschen in ihrem Umfeld gleichsetzt«, fuhr Franco fort. »Sie wirft sie in einen Topf. Und die Art, wie sie es tut, deutet klar auf ihre Aggression hin. Immerhin malt sie nicht einfach nur gesichtslose Wesen, wie es die meisten in diesem Fall tun würden. Nein, sie schlägt ihnen die Köpfe ab. Was wiederum bedeuten könnte, dass sie sich stärker als die Masse fühlt und sich selbst über alle anderen stellt.«

Er reichte Jan das Bild zurück, und Jan steckte es seufzend wieder in seine Jackentasche. »Diese Zeichnung habe ich bei mir zu Hause gefunden. Sie lag vor meiner Haustür.«

»*Mamma mia*!«, stieß sein Kollege aus. »Das ist nicht gut. Nein, das ist gar nicht gut.«

»Das kannst du laut sagen. Franco, ich weiß nicht mehr, was ich tun soll. Diese Frau stellt mir nach, und ich habe nicht die geringste Idee, wer sie sein könnte. Ich glaube nicht, dass sie eine meiner Patientinnen ist, auch keine ehemalige. Heute Nachmittag habe ich sogar schon eine der Schwestern verdächtigt.«

»Bettina?«

»Ja.« Jan nickte verblüfft. »Woher weißt du?«

»Kein Wunder, dass sie vorhin so entnervt reagiert hat, als ich gefragt habe, ob du noch drin bist. Wie, um alles in der Welt, bist du denn auf sie gekommen?«

»Weil ich schon langsam anfange, paranoid zu werden. Ist nicht gerade angenehm für mich, dass diese Frau weiß, wo ich wohne.«

»Hat sie niemand vor deiner Haustür gesehen?«

»Nein, mein Nachbar ist gerade im Urlaub. Und Rudi ist der Einzige, der direkt auf meinen Hauseingang sehen kann.«

»Hast du schon mit der Polizei gesprochen?«

»Was soll ich denen denn sagen, Franco? Diese Bilder, der Rosenstrauß oder der Anruf sind kein Verbrechen. Du hattest doch schon mit Leuten zu tun, die gestalkt wurden. Dann weißt du auch, wie schwer es ist, dagegen vorzugehen.«

Nachdenklich betrachtete Franco die Pfütze, die sich auf dem unebenen Vorplatz der Station gebildet hatte.

»Tja, das ist wirklich eine verzwickte Situation«, sagte er schließlich. »Ich kann dir nur raten, die Augen offen zu halten. So wie ich das sehe, kannst du davon ausgehen, dass sie sich dir über kurz oder lang offenbaren wird. Ich meine, sie setzt Signale und versucht auf sich aufmerksam zu machen. Sie zeigt dir ihr Innerstes, aber jetzt will sie sich nicht mehr bei dir in der Klinik melden. Vielleicht ist ihr auch noch gar nicht klar, dass psychisch etwas bei ihr nicht stimmt. Das würde dann auch zu dem zweiten Bild passen. Sie ist überzeugt, dass sie sich von der Menge abhebt und du ebenfalls, denk nur an den Riesen. Sie hält euch beide für etwas Besonderes.«

»Am Telefon bat sie mich, ihr zu helfen«, sagte Jan.

»Aber wenn du Recht hast, würde es bedeuten, dass sie gar nicht nach Hilfe sucht?«

»Zumindest nicht nach der Hilfe des Psychiaters.«

»Aber was will sie dann?«

»Dieser Rosenstrauß … Hat sie irgendwie erwähnt, dass sie in dich verliebt ist?«

»Du meinst Erotomanie?«

»Wäre doch möglich, dass sie einen Liebeswahn hat, oder? Aber um ehrlich zu sein, wüsste ich nicht, wie ich dir helfen könnte.«

Jan atmete tief durch. »Du hast mir schon geholfen. Immerhin hast du meinen Verdacht bestätigt. Das ist schon mal ein Anfang.«

Franco stellte sich vor ihn hin und sah ihn mit besorgter Miene an. »Du passt auf jeden Fall auf dich auf, okay?«

»Versprochen.«

Franco tippte ihm auf die Brust. »Wenn sie tatsächlich bei dir zu Hause auftaucht, dann spiel nicht den heldenhaften Psychiater. Nicht bei einer, die andere am liebsten köpfen würde.«

Und wenn sie es schon getan hat?, wollte Jan fragen, doch im selben Augenblick öffnete sich hinter ihnen die Tür, und zwei Schwestern stellten sich zu ihnen. Zigarettenpause.

»Ich muss los«, sagte Franco. »Flavia wartet, und ich will kein weiteres Öl ins Feuer gießen. Danke für deine Hilfe, mein Freund. Und gib auf dich acht!«

Er eilte durch den Regen zu seinem Wagen und ließ Jan mit dem Bild in der Jackentasche zurück.

30

Zu Hause wurde Jan von einem blinkenden Anrufbeantworter erwartet. Die Anzeige meldete drei neue Nachrichten, doch nur einmal hatte jemand aufs Band gesprochen. Es war Carla, und als Jan ihre Stimme hörte, machte sein Herz einen Sprung. Sie entschuldigte sich, dass sie bei ihrem letzten Gespräch so kurz angebunden gewesen war.

»Es ist alles nicht so einfach«, sagte sie, »aber ich hoffe sehr, wir werden es hinbekommen. Glaubst du, wir schaffen das? Ich muss jetzt wieder los, aber ich werde nicht mehr lange unterwegs sein. Die Tour ist fast zu Ende.« Und dann endete sie mit einem Satz, auf den Jan sehnsüchtig gewartet hatte. »Ich vermisse dich.«

Jan hörte die Nachricht noch einige Male ab, und mit jedem weiteren »Ich vermisse dich« wurde ihm leichter ums Herz. Danach stellte er sich unter die Dusche, stützte die Hände auf die Fliesenwand und ließ den heißen Wasserstrahl auf sich niederregnen. Er versuchte an nichts zu denken und den Kopf von allem freizubekommen, doch es gelang ihm nicht.

Seine Gedanken kehrten zu der Unbekannten und dem Bild mit den enthaupteten Kühen zurück. Wer war sie, und was wollte sie von ihm? Wie konnte er sie ausfindig machen, um endlich zur Ruhe zu kommen?

Du kannst davon ausgehen, dass sie sich dir über kurz oder lang offenbaren wird.

Francos Worte klangen in seinem Kopf nach. Sie bedeuteten, dass Jan es nicht selbst in der Hand hatte. Die Unbekannte wäre es, die auf ihn zukäme, nicht umgekehrt. Aber gerade das war eine Tatsache, mit der er sich nicht abfinden konnte. Es musste doch einen Hinweis in ihren

Botschaften geben. Irgendetwas, das ihm verriet, wer sie war.

Er stellte das Wasser ab, stieg aus der Dusche und nahm ein Handtuch vom Wandhalter.

Irgendeinen Anhaltspunkt, dachte er, während er sich abtrocknete. *Aber welchen?*

Draußen fuhr ein Wagen vorbei. Der Lichtkegel fiel durchs Badezimmerfenster. Jan blieb vor Schreck fast das Herz stehen. Das Scheinwerferlicht erhellte die Silhouette einer Person. Sie hatte ihr Gesicht an die Milchglasscheibe gepresst und beschattete es seitlich mit den Händen.

Jemand stand vor dem Fenster und sah zu ihm herein!

Gleich darauf war es wieder dunkel, das Auto war weitergefahren.

Hastig schlang Jan das Badetuch um die Hüften und lief zur Tür. Das Badezimmerfenster befand sich gleich rechts neben dem Hauseingang, dennoch war es weit genug entfernt, dass der Bewegungsmelder nicht aktiviert wurde, wenn man davorstand. Das Licht sprang jetzt an, als Jan die Haustür aufriss.

Beinahe gleichzeitig hörte er ein Rascheln im Vorgarten und sah eine Gestalt davonrennen. Es ging viel zu schnell, um sie erkennen zu können, aber Jan glaubte, die flatternden Schöße eines grauen Regenmantels zu sehen. Gleich darauf war die Gestalt um die Hausecke verschwunden. Sie lief in den hinteren Garten.

»Halt! Warten Sie!«

Barfuß und nur mit dem Handtuch um die Hüften rannte Jan ihr nach. Kalter Regen klatschte auf seine Haut, während ihn die Dunkelheit des Gartens umfing. Der Grasboden war nass und matschig, und Jan hatte Mühe, nicht auszurutschen. Schließlich blieb er stehen.

Um ihn herum herrschte absolute Finsternis. Das Haus

schirmte jegliches Licht der Straßenleuchten ab. Nur Jans Keuchen und das Prasseln des Regens auf den Bäumen und Büschen waren zu hören.

»Wo sind Sie?«

Er erhielt keine Antwort.

»Kommen Sie heraus. Ich will mit Ihnen reden.«

Da! Ein Rascheln links von ihm.

Vorsichtig ging Jan auf eine Reihe Wacholderbüsche zu, doch das Astwerk war viel zu dicht, und es war viel zu dunkel, um die Person zu sehen, die sich dahinter verbarg.

Jan zitterte vor Kälte und Aufregung. Sein Puls raste.

»Warum kommen Sie nicht heraus? Sie wollen doch zu mir, oder? Also, hier bin ich.«

Wieder das Rascheln. Jan konnte förmlich spüren, wie ihn die Person beobachtete. Es war, als könnte er ihre Blicke wie Berührungen auf seiner nackten Haut fühlen. Aber sie sagte nichts.

Dann auf einmal strich etwas Weiches an seinen Waden entlang. Jan stieß einen Schrei aus. Er wirbelte herum, stieß das weiche Etwas von sich, glitt aus und fiel zu Boden. Keinen halben Meter vor sich erkannte er einen kleinen dunklen Umriss, der ein empörtes Miauen von sich gab.

Die Nachbarkatze, dieses neugierige Biest.

Noch während ihm dieser Gedanke durch den Kopf schoss, stob die Gestalt aus den Büschen an ihm vorbei. Für den Bruchteil einer Sekunde konnte Jan den Luftzug ihres Mantels auf der Haut spüren. Er sprang auf und sah den schwarzen Schatten, der gleich darauf wieder im Dunkel verschwand. Sie lief durch den Garten und würde an der anderen Seite des Hauses entlang zurück auf die Straße rennen.

Statt ihr zu folgen, hastete er zurück zum Hauseingang, wo sie sich unweigerlich begegnen mussten. Seine nackten Füße patschten durch das Gras und dann auf dem Asphalt des Bürgersteigs. Keuchend blieb er stehen und sah sich um.

Niemand.

Entweder war sie schneller als er gewesen, oder sie war unterwegs stehen geblieben und versteckte sich weiterhin im Garten. So oder so, es hatte keinen Sinn, ihr noch einmal nachzulaufen. Vor allem nicht, wenn er nur ein Handtuch um die Hüften trug.

Er solle nicht den Helden spielen und lieber die Polizei alarmieren, sobald die Unbekannte wieder auftauchte, hatte Franco ihm geraten, und genau das würde er jetzt auch tun.

Am Hauseingang sah Jan sich noch einmal um. Die Straße war menschenleer.

Sie ist noch im Garten.

Er schloss die Tür, nahm das Telefon vom Flurtisch und wollte gerade ins Badezimmer gehen, um sich etwas überzuziehen, als er Schritte aus dem Wohnzimmer vernahm. Erschrocken fuhr er herum.

»Ach, hier bist du.«

Julia Neitinger stand vor ihm. Jan starrte sie ungläubig an. Mit ihr hätte er am wenigsten gerechnet.

»Tut mir leid, wenn ich dich erschreckt habe«, sagte sie. »Die Tür stand offen. Aber ich habe geläutet.« Sie deutete auf das Handtuch und schmunzelte. »Warst du etwa so auf der Straße unterwegs?«

Noch immer schlug Jans Herz wie wild. »Was willst du?«

Ihr Gesicht wurde wieder ernst. »Ich bin gerade bei dir vorbeigefahren und dachte mir, ich sollte mich noch einmal bei dir entschuldigen. Was da auf der Feier vorgefallen ist, war dumm von mir. Es ist mir schrecklich peinlich und tut mir wirklich leid.«

»Ich hab doch gesagt, ist bereits vergeben und vergessen.«

»Ja, ich weiß. Aber ich wollte es dir einfach noch einmal sagen.«

»Bist du deswegen nicht zum Dienst erschienen?«

Ihm fiel auf, dass sie weder Jacke noch Mantel trug. Die Gestalt im Garten hatte einen Mantel getragen. Aber was musste das schon heißen? Vielleicht lag er jetzt irgendwo im Gras hinter dem Haus?

»Nein«, sagte sie. »Das ist nicht der einzige Grund.«

Jan umkrampfte das Telefon. *Spiel nicht den Helden. Ruf die Polizei.*

Sie kam einen Schritt auf ihn zu. »Ich will mich von dir verabschieden.«

Er wich einen Schritt zurück und spürte die Haustür hinter sich. »Verabschieden?«

Sie senkte den Blick. »Ja, ich habe heute Vormittag fristlos gekündigt, und Professor Straub hat die Kündigung akzeptiert.«

»Du hast gekündigt? Warum?«

»Na ja«, sagte sie, ohne den Blick vom Boden abzuwenden, »ich habe eine ziemlich beschissene Zeit hinter mir. Nach der Fehlgeburt habe ich eine Therapie gemacht, aber es hat mir nicht wirklich geholfen. Irgendwie hat nichts funktioniert, was ich danach angepackt habe. Vor allem scheint die Psychiatriearbeit wohl nicht das Richtige für mich zu sein. Jetzt werde ich für ein Jahr nach Namibia gehen und dort an einem Hilfsprojekt mitarbeiten. Wird bestimmt gut für mich sein, eine Weile von allem wegzukommen.«

»Ja, ist vielleicht ein gute Idee«, sagte Jan und taxierte sie.

»Weißt du, Jan, meine letzte Beziehung nach der Scheidung war ein voller Reinfall. Danach war ich echt fertig. Und trotzdem war ich so dumm, mich kurz darauf wieder mit einem Mann einzulassen. Noch dazu mit einem *verheirateten* Mann. Dabei ...«, sie seufzte und sah zu ihm auf, »dabei war er gar nicht derjenige, für den ich mich *eigentlich* interessiert hatte.«

Jan musste nicht lange raten, wen sie damit meinte. Ebenso war ihm klar, wer der verheiratete Mann gewesen war, und im Geiste schüttelte er den Kopf über Francos Dummheit. Wie hatte er sich nur mit Julia einlassen können? Ausgerechnet mit ihr. Gut, sie war attraktiv und hatte das gewisse Etwas, das Männer anzog, aber er hätte doch wissen müssen, dass er sich damit nur Ärger einhandeln würde. Mit Julia war eindeutig etwas nicht in Ordnung, das hatte sich recht schnell in der Klinik herumgesprochen. Sie war mit einigen Kollegen angeeckt, aber man hatte ihr dennoch nicht die Chance für einen Neuanfang in Fahlenberg verbauen wollen. Immerhin hatte sie in ihrem Leben einiges durchmachen müssen. Und auch wenn sie privat ein schwieriger Mensch war, in ihrem Beruf war sie absolut zuverlässig. Das konnte sie perfekt trennen.

Und vielleicht verbarg sich hinter der professionellen Fassade noch ganz etwas anderes, dachte Jan jetzt.

Er zitterte, und das nicht nur der Kälte wegen. In dieser Situation konnte er unmöglich die Polizei rufen. Er war fast nackt, und das hätte ihm völlig falsch ausgelegt werden können.

Außerdem fühlte er sich verwundbar. Vorhin noch, als sie sich im Gebüsch vor ihm versteckt hatte, war ihm das in seiner Aufregung nicht bewusst gewesen. Er hatte endlich Klarheit schaffen wollen und sie aufgefordert, mit ihm zu sprechen. Doch nun war es anders. Nun kam er sich in die Enge getrieben vor. Nackt und schutzlos. Vor ihm stand eine Person, die unberechenbar sein konnte und – wenn sein Verdacht zutraf – in dieser Unberechenbarkeit zu einem Mord fähig war.

»Ich mag dich, Jan«, sagte sie und lächelte ihn an. »Ich mag dich sogar sehr. Du bist keiner dieser Draufgängertypen, die eine Frau ansehen und sich gleich weiß Gott was ausmalen. Du hast mich immer mit Respekt behandelt, auch wenn ich dir ziemlich auf den Geist gegangen sein muss. Das bin ich doch, oder?«

Er tastete nach der Türklinke. Das reichte. Er wusste jetzt, wer sie war. Alles Weitere würde Sache der Polizei sein.

Spiel nicht den Helden.

»Julia, ich hatte einen schweren Tag und bin todmüde. Außerdem möchte ich mir jetzt gerne etwas anziehen.«

»Ich verstehe schon.« Sie lächelte wieder, aber diesmal wirkte es nicht echt. »Sag mir nur noch eines: Hätte ich jemals eine Chance bei dir gehabt? Ich meine, wenn du nicht schon vergeben gewesen wärst?«

Jan öffnete die Tür und trat beiseite. »Bitte geh jetzt.«

Sie erstarrte und sah ihn mit großen Augen an.

»Das glaube ich nicht«, flüsterte sie. »Hast du etwa Angst vor mir?«

»Julia, bitte geh!«

Sie nickte. »Ja, du hast Angst vor mir. Das ... das wollte ich nicht. Verzeih mir bitte.«

Für einen Moment sah sie Jan wie versteinert an, und er befürchtete, sie würde seiner Aufforderung nicht nachkommen, aber dann ging sie an ihm vorbei.

Auf der Treppe blieb sie stehen und sah sich noch einmal zu ihm um. »Ich werde dich nicht mehr belästigen, keine Angst«, sagte sie. »Übermorgen bin ich weg von hier. Wie es nach diesem Jahr für mich weitergehen wird, weiß ich noch nicht, aber du hast mein Wort, dass ich nicht nach Fahlenberg zurückkommen werde.«

»Ich wünsche dir auf jeden Fall alles Gute«, sagte Jan. Wie gerne hätte er ihr geglaubt, aber er wusste, dass er das nicht durfte.

Sie kam noch einmal auf ihn zu, und Jan musste dem Drang widerstehen, ihr die Tür vor der Nase zuzuschlagen. Nicht, wenn er sie nicht reizen wollte. Sie sollte einfach friedlich gehen, zurück in ihr Apartment im Personalwohnheim fahren und ihm Zeit geben, die Polizei zu verständigen.

Julia zwang sich weiterhin zu einem Lächeln, aber in ihrem Blick spiegelte sich Traurigkeit. Er sah, dass sie mit den Tränen kämpfte. »Jan, bitte denk nichts Falsches von mir, ja?«

»Nein, das tue ich nicht.«

»Ich bin nicht so, wie alle von mir denken. Wirklich.«

»Das weiß ich.«

Jan sah, wie ihre Lippen zuckten. »Mach's gut«, flüsterte sie und drückte ihm einen Kuss auf die Wange. Dann drehte sie sich um und lief zu ihrem Wagen.

Am ganzen Leib zitternd, sah Jan ihr nach. Julia schaute nicht mehr zu ihm zurück. Sie stieg in ihren Wagen, und er konnte sehen, wie sie sich mit der Hand übers Gesicht wischte. Sie weinte. Dann fuhr sie davon.

Als gleich darauf das Telefon in Jans Hand klingelte, hätte er es vor Schreck beinahe fallen lassen. Seine Nerven lagen blank, und er musste mehrmals durchatmen, ehe er den Anruf entgegennehmen konnte.

»Was wollte die Schlampe von dir?«, kreischte eine Frauenstimme aus dem Hörer. »Los, sag es mir!«

<h1 style="text-align:center">31</h1>

Binnen Sekundenbruchteilen hatte sich alles verändert. Die Erkenntnis traf Jan wie ein Schlag. Er hatte sich wieder getäuscht. Auch Julia war nicht die unbekannte Frau. Diese hassverzerrte Stimme am Telefon war eine andere.

Jan lief zum Fenster. Sie musste seinen Hauseingang beobachtet haben, und tatsächlich sah er sie auf der anderen Straßenseite stehen. Sie hielt sich im Schatten von Rudis Haus, und nur ihr Regenmantel war zu erkennen.

»Hat sie dich angemacht?«, zischte sie aus dem Hörer. »Wollte sie gefickt werden?«

Das war seine Chance, aber er würde ihr weder im Handtuch hinterherlaufen, noch würde er sie ins Haus lassen. Er musste sie dort festhalten, wo sie war.

»Nein, sie ist nur eine Bekannte.« Er bemühte sich, ruhig zu sprechen, aber innerlich lief sein Verstand auf Hochtouren. Er musste dafür sorgen, dass sie in der Leitung blieb, und gleichzeitig die Polizei verständigen.

Mein Handy? Wo ist mein Handy?

Er lief zur Garderobe und durchsuchte seine Jacke. Nichts.

»Eine Bekannte«, echote sie verächtlich. »Du lügst. Natürlich wollte sie gefickt werden. Dieses dreckige Luder! Ich habe euch doch genau gesehen. Na, war's gut?«

Jan stürmte in sein Arbeitszimmer und durchwühlte seine Aktentasche. *Wo ist nur dieses gottverdammte Handy?*

»Hör mir zu«, sagte er und sah sich hektisch im Raum um. »Bitte hör mir zu. Es gibt keinen Grund, sich aufzuregen. Zwischen mir und dieser Frau ist nichts. Du wolltest mich doch sprechen, nicht wahr? Deswegen bist du doch gekommen.«

Seine Hose! Er lief ins Badezimmer und tastete die Taschen seiner Jeans ab, fand jedoch nur seinen Wagenschlüssel. Und dann fiel es ihm ein. Heute Nachmittag, kurz nach dem Gespräch mit Bettina, hatte sich sein leerer Akku gemeldet, und Jan hatte das Handy ans Ladekabel angeschlossen. Er hatte es auf seinen Schreibtisch gelegt, um es nicht zu vergessen. Dort lag es immer noch.

Na großartig!

»Jetzt hörst *du* mir einmal zu«, sagte die Unbekannte, und ihre Stimme klang bedrohlich ruhig. »So kann das nicht gehen, verstehst du? Ich werde nicht zulassen, dass so eine wie die an dir rummacht. Das tut mir *weh*. Weißt du eigentlich, wie weh mir das tut?«

Noch während sie sprach, warf Jan das Handtuch zu Boden und schlüpfte in seine Jeans. Hastig streifte er einen Pullover über und presste das Telefon wieder ans Ohr.

»Auf keinen Fall wollte ich dich …«

Er stutzte. Am anderen Ende der Leitung tutete das Freizeichen.

»Mist!«

Er stürmte zum Fenster. Die Frau war weg. Irgendwo heulte der Motor eines Autos auf, doch Jan konnte den davonfahrenden Wagen nirgends sehen.

Schlagartig wurde ihm klar, wohin sie fuhr.

»Julia!«

32

Als Jan den Parkplatz vor dem Personalwohnheim der Waldklinik erreichte, war der Streifenwagen bereits da.

Vorhin, als der erste Schreck so weit nachgelassen hatte, dass er wieder zu einem klaren Gedanken fähig gewesen war, hatte Jan zuerst daran gedacht, Stark anzurufen. Doch er hatte diesen Einfall gleich wieder verworfen. Er hätte dem Hauptkommissar viel zu viel erklären müssen, und dafür fehlte jetzt die Zeit. Zudem hatte er außer einem vagen Verdacht – der ausschließlich auf der Interpretation zweier abstruser symbollastiger Pseudo-Kinderzeichnungen beruhte – keinerlei Beweise, dass die Unbekannte auch die gesuchte Mörderin war. Immerhin war er nun schon zweimal mit seinen Verdächtigungen ins Fettnäpfchen getreten.

Also hatte er sich für einen knappen Anruf bei der Fahlenberger Polizeistation entschieden.

Eine Frau bedroht meine Kollegin. Dazu sein Name und seine Adresse. Das hatte genügt, um eine Streife loszuschicken.

Er sprang aus dem Wagen, lief zur Eingangstür und läutete an sämtlichen Türklingeln Sturm, bis endlich der Türöffner summte, dann hastete er die Treppen hoch.

Im dritten Stock traf er auf zwei Streifenbeamte und auf Julia, die in der offenen Tür ihres Apartments stand.

»Da ist er ja«, sagte sie und sah Jan verwundert entgegen. Sie trug ihr Haar jetzt offen und schien damit ihre geröteten Augen und die verwischte Wimperntusche verbergen zu wollen.

Völlig außer Atem sah Jan sich um. »Ist alles in Ordnung bei dir?«

Sie nickte verständnislos. »Jan, was soll das? Was hat das zu bedeuten?«

»Haben Sie uns angerufen?«, fragte einer der beiden Polizisten, ein kantiger Mann, dessen Namensschild ihn als *R. Wegert* auswies. Er musterte Jan, als habe ihm dieser einen üblen Streich gespielt.

Noch immer um Atem ringend, erklärte ihm Jan, was geschehen war.

»Eine Stalkerin also«, sagte Wegert und sah Julia an. »Und sie hat Sie bedroht?«

»Niemand hat mich bedroht«, erwiderte Julia und wandte sich wieder an Jan. »Hat sie das wirklich gesagt?«

»Nicht direkt«, schnaufte Jan, »aber sie hat gesagt, sie will verhindern, dass du dich nochmal an mich heranmachst. Das läuft wohl auf dasselbe hinaus.«

»Haben Sie eine Ahnung, wer diese Anruferin gewesen sein könnte?«, fragte Wegert. »Irgendeine eifersüchtige Exfreundin vielleicht?«

»Nein«, stöhnte Jan entnervt, »ich habe Ihnen doch schon gesagt, dass ich die Frau nicht kenne. Sie stellt mir seit einigen Tagen nach, aber sie hat sich mir noch nicht gezeigt.«

Die Tür des Nachbarapartments ging auf, und Lutz Bissinger kam heraus. Der Pfleger trug nur Shorts und ein T-Shirt des AC Mailand und machte einen verschlafenen Eindruck.

»Ist was passiert?«, fragte er, dann sah er Jan. »Oh, hallo, Dr. Forstner. Haben Sie bei mir geklingelt?«

Hinter ihm erschien eine weitere Gestalt in der Tür, die ebenfalls nur ein T-Shirt trug.

»Was ist denn los, Schatz?«, murmelte sie und legte einen Arm um Lutz. Es war Bettina. Als sie Jan sah, verzog sie das Gesicht.

»Gehen Sie wieder zurück in Ihre Wohnung«, sagte Wegert zu den beiden, dann wandte er sich wieder Jan zu.

»Ihre Besorgnis um Frau Dr. Neitingers Wohlergehen in allen Ehren, Dr. Forstner, aber für mich sieht das eher nach einem Falschalarm aus. Zumindest kann ich keine akute Gefahrensituation erkennen. Oder sehen Sie das anders, Frau Neitinger?«

Julia schüttelte den Kopf. »Nein, da war nichts. Ich werde von niemandem bedroht.«

»Und sollte Ihnen doch noch etwas Verdächtiges auffallen«, fügte der Polizist hinzu, »dann melden Sie sich umgehend bei uns.«

»Aber diese Frau …«, begann Jan, doch Wegert schnitt ihm das Wort ab.

»Um die werden wir uns kümmern, sobald Sie uns sagen können, wer sie ist. Vorher können Sie selbstverständlich eine Anzeige gegen Unbekannt erstatten.« Er nickte seinem Kollegen zu, und die beiden gingen zur Treppe zurück.

»Mehr wollen Sie nicht unternehmen?«, fuhr Jan die beiden an.

»Tut mir leid«, entgegnete Wegert, »aber solange kein Hinweis auf eine akute Gefahrenlage besteht, *können* wir nichts unternehmen.«

Damit ließen ihn die beiden Polizisten stehen. Während ihre Schritte im Treppenhaus verklangen, sah sich Jan zu Julia um.

»Du hast mich für diese Stalkerin gehalten, stimmt's?«, sagte sie leise. »Na ja, egal. Trotzdem danke.«

Noch bevor Jan etwas erwidern konnte, schloss sie die Tür. Auch Lutz und Bettina waren zurück in die Wohnung gegangen.

Jan blieb allein auf dem Flur zurück.

33

Stimmen, die ihn durch einen Alptraum begleiteten.

Ich habe einen Menschen getötet.
Da hat Gott Ihnen eine schwere Prüfung auferlegt, Felix.
Ich habe einen Menschen getötet.
Einen Menschen.
Getötet.
Eine schwere Prüfung.

Schwitzend und stöhnend wand sich Felix Thanner auf der Wohnzimmercouch, während er in einer anderen Welt – jener Traumwelt, die das Unterbewusstsein gelegentlich aufsucht, um all das aufzuarbeiten, was wir im wachen Zustand von uns weisen – die Hand auf den schmiedeeisernen Türgriff des Kirchenportals legte und dessen unangenehme Kälte spürte. Er zögerte, dann drückte er die Klinke nieder und öffnete die schwere Eichentür, die sich mit knarrenden Angeln vor ihm auftat.

Im Inneren der Christophorus-Kirche empfing ihn der vertraute Geruch nach Stein, Weihrauch und dunklem Holz. Kaltes Mondlicht fiel durch die Mosaikfenster und tauchte die Bankreihen in einen kaleidoskopartigen Schimmer.

Thanner schauderte. Um ihn herum herrschte gespenstische Stille, doch dann drang vom Altar ein leises Flüstern zu ihm her.

Er folgte dem Flüstern zum Mittelgang, und dann sah er die Frau. Sie kniete auf den Stufen, die zum Tabernakel emporführten, und hatte ihm den Rücken zugewandt. Ihr langes blondes Haar schien im Zwielicht der nächtlichen Kirche beinahe weiß.

»Wer sind Sie?«, fragte er. Seine Stimme war belegt, die Worte kamen nur heiser heraus.

Die Frau verharrte in ihrer Haltung. Sie sah sich nicht zu ihm um und flüsterte weiter.

»Wer sind Sie?«, wiederholte Thanner seine Frage, und als die Frau noch immer nicht reagierte, ging er weiter auf sie zu.

Je näher er ihr kam, desto mehr konnte er sie riechen. Ein strenger Geruch, wie nach verbranntem Holz, der ihm bei jedem weiteren Schritt mehr in die Nase stieg.

Als er unmittelbar hinter ihr stand, war der Gestank beinahe unerträglich. Es war, als hätte diese Frau eine Ewigkeit in einer Räucherkammer zugebracht.

Er sah zurück zur Empore. Dort oben, in der Dunkelheit zwischen den Geländerpfosten, hielt ein verborgenes elektronisches Auge über ihn Wacht. Es zeichnete jede seiner Bewegungen auf. Es sah, wie er sich wieder der Frau zuwandte. Es hörte, wie er sie erneut ansprach.

Wer – sind – Sie?

Der Autofokus der Kamera würde die Schärfe regulieren, wenn Thanner den Arm ausstreckte, seine zitternde Hand auf die Frau zubewegte, sie auf ihre Schulter legte und mit sanfter Bestimmtheit zu sich herumdrehte.

Doch dieses elektrische Auge konnte nicht spüren, wie es sich anfühlte, die Frau zu berühren. Der Körper unter ihrem Mantel war kalt und hart wie Eis. Und der Brandgeruch … *Dieser ekelhafte Brandgeruch!* Als sei sie auf dem Weg aus der Hölle zu ihm verkohlt.

Noch während er sie zu sich herumzog, wandte sie ihm ihr Gesicht zu. Das lange blonde Haar glitt raschelnd über den Mantelstoff, und dann konnte Thanner ihr Gesicht sehen.

Panisch wich er vor diesem Etwas zurück, das nicht

länger eine Frau war. Nein, es war nie eine Frau gewesen. Weder jetzt noch jemals zuvor. Dieses Wesen war kein Mensch. Es war eine Ausgeburt der Hölle. Da gab es kein Gesicht, weder Augen noch Nase, sondern nur ein einziges riesiges Maul mit langen, rasiermesserscharfen Zähnen.

Thanner starrte in einen weit aufklaffenden roten Abgrund, aus dem ihm Gestank und gurgelnde Laute entgegendrangen.

Und dann sprang es ihn an. Es verbiss sich in seinem Gesicht, und schlagartig wurde alles dunkel.

Schreiend schreckte Thanner aus dem Alptraum hoch. Er betastete sein Gesicht, realisierte, dass er nur geträumt hatte, und ließ sich seufzend gegen die Rückenlehne der Couch sinken. Schweißperlen rannen ihm über das Gesicht. Er starrte auf das Feuer im Schwedenofen und stieß ein heiseres Lachen aus. Es war ein Lachen, das ihn selbst schaudern ließ.

Dieses Maul, das ihn zu verschlingen gedroht hatte … Ihm war klar, was es zu bedeuten hatte. Die Situation überforderte ihn. Das Wissen, das er mit niemandem teilen konnte und durfte, hatte ihm sein unheimliches Gesicht gezeigt.

Da hat Gott Ihnen eine schwere Prüfung auferlegt, Felix.

O ja, das hatte er wirklich. Und der wichtigste Bestandteil dieser Prüfung schien für Felix Thanner darin zu bestehen, nicht den Verstand zu verlieren.

34

Eigentlich war nichts Besonderes dabei, nachts um halb drei zum Autobahnrastplatz zu fahren und sich eine Familienpackung Eiscreme zu kaufen. Während ihres Studiums und später, während ihrer Zeit als Ärztin im Praktikum, hatte Julia Neitinger das häufiger getan. Manchmal allein, meistens aber mit ihren damaligen Freundinnen, war sie spätabends oder frühmorgens losgezogen, um sich an einer Tankstelle, die rund um die Uhr geöffnet hatte, mit Eiscreme, Chips, einer Flasche Coke und hin und wieder mit Wein oder etwas Hochprozentigem einzudecken. Es war eine unbeschwerte Zeit gewesen, in der sie viel Spaß gehabt hatte.

Doch dann war sie Rolf begegnet, und nach ihm hatte es noch viele weitere Typen seiner Art gegeben. Jeder von ihnen gut aussehend, einfühlsam und charmant – bis sie irgendwann das bekommen hatten, was sie von ihr wollten. Danach hatten sie sich zu dem zurückverwandelt, was sie wirklich gewesen waren: verheiratete Männer, die ihres soliden Ehealltags überdrüssig waren – eines Alltags, um den Julia sie beneidete – und auf der Suche waren nach einem kleinen Abenteuer. Denn mehr als ein Abenteuer war sie für keinen von ihnen gewesen.

Jedes Mal aufs Neue hatte sie sich wie eine Prinzessin gefühlt gehabt, die ihren Prinzen küsste, nur damit sich dieser daraufhin als Frosch entpuppte, während sie weiterhin auf die große Liebe hoffte. Und immer wieder war sie auf denselben Typ Mann hereingefallen. Sie hätte sie durchnummerieren können: Rolf 1, gefolgt von Rolf 2 und 3 – bis der x-te Rolf sie schließlich geheiratet und nach dem Verlust des Kindes – sie hätte Laura heißen sollen, wäre sie nicht drei Wochen vor der Geburt gestorben – wieder verlassen hatte.

Während der Selbsterfahrungsseminare, die Bestandteil ihrer psychiatrischen Facharztausbildung gewesen waren, hatte sie versucht, den Grund für das pathologische Muster ihrer Partnerwahl zu erkennen und den Teufelskreis zu durchbrechen. Bis zu einem bestimmten Punkt war ihr das auch gelungen – *hallo, Papa, vielen Dank, dass du mich durch mein Leben begleitest, obwohl du längst schon tot bist* –, aber dann war ihr Dozent zu einem der weiteren Rolfs auf ihrer Liste geworden. Es war wie ein Fluch gewesen.

Doch nun würde sie es schaffen. Sie würde freikommen. Franco würde der letzte Rolf gewesen sein, und insgeheim dankte sie Jan, dass er nicht auf ihre Liste gewollt hatte.

Vielleicht war ihr Leidensdruck bisher noch nicht groß genug gewesen, um wirklich etwas zu ändern. Aber jetzt war das Maß voll. Namibia war eine Chance, die sie nutzen würde, und mit der Literpackung Haselnuss-Mandel-Schokolade – ohne Rum, denn auch den Alkohol würde sie künftig meiden, und sei es nur in einer Eiscremepackung – hatte sie sich selbst ein erstes Zeichen gesetzt.

Schon verrückt, dachte sie und warf einen Seitenblick auf die Eispackung, die neben ihr auf dem Beifahrersitz schaukelte, *Schokoladen-Nuss-Eis wird zu meinem Symbol für eine bessere Zukunft.*

Sie lachte. Die Idee gefiel ihr immer besser. Sie war spontan darauf gekommen, während sie nach dem Vorfall mit Jan ein endlos langes Schaumbad genommen hatte. Anfangs war ihr Jan noch eine Weile durch den Kopf gegangen, doch dann hatte sie es endlich erfolgreich geschafft, ihn dorthin zu schicken, wo er hingehörte. Zu seiner Carla.

Später hatte irgendjemand mehrmals an ihrer Apartmenttür geläutet, doch sie hatte sich nicht gerührt. Sie hatte in ihrer Badewanne gelegen, immer wieder heißes

Wasser nachlaufen lassen, sobald es ihr zu kühl wurde, und an die Eiscreme gedacht.

Wahrscheinlich würde sie nicht mehr als zwei oder drei Löffel von dem süßen Zeug herunterbekommen, aber darum ging es schließlich nicht. Es ging um die lebensfrohe und spontane junge Frau, die damit reanimiert werden sollte.

Erste Zuckungen auf dem EEG sind bereits erkennbar, dachte sie und lachte wieder. Morgen früh würde sie ihren alten Renault Clio seinem neuen Besitzer aushändigen, ihre Sachen zusammenpacken, den unnötigen Rest davon entsorgen, und die Ausschläge auf dem EEG-Monitor würden zunehmen, gleichmäßiger werden, und dann ...

»He!«

Grelles Scheinwerferlicht im Rückspiegel blendete sie. Julia fuhr dem Wetter angemessen. Der Regen erschwerte ihr die Sicht, und mehr als achtzig Stundenkilometer wären ein Wagnis gewesen, aber der Fahrer hinter ihr schien es eilig zu haben. Er fuhr derart dicht auf, dass man hätte glauben können, seine Scheinwerfer seien auf ihrer Heckstoßstange montiert.

»Halt Abstand, du Idiot!«, maulte sie dem Rückspiegel zu. »Wohl noch nie was von Aquaplaning gehört, was?«

Die Schnellstraße nach Fahlenberg war wie immer um diese Zeit so gut wie leer. Weit und breit gab es keinen Gegenverkehr.

»Warum überholst du nicht, wenn du's so eilig hast?«

Ärgerlich tippte sie das Bremspedal an, woraufhin ihr Hintermann den Abstand vergrößerte. Doch gleich darauf fuhr er wieder auf. Diesmal so dicht, dass sie schon befürchtete, er werde sie rammen.

Entnervt seufzend betätigte sie den rechten Blinker und signalisierte ihm, sie zu überholen. Doch er blieb weiterhin hinter ihr, und seine Scheinwerfer tauchten ihre Fahrerkabine in taghelles Licht.

»Arschloch, dämliches«, schimpfte Julia und kippte ihren Rückspiegel. Es war schon schwer genug, etwas auf der regennassen Fahrbahn zu erkennen – vor allem, da ihre Wischerblätter auch schon bessere Tage gesehen hatten –, und der blendend helle Rückspiegel schmerzte in ihren Augen.

Wieder ließ sich der Wagen hinter ihr zurückfallen, nur um sofort wieder aufzufahren.

»Herrgott, du Spinner, fahr doch endlich vorbei!«

Erneut setzte sie den Blinker, und diesmal schien der Fahrer hinter ihr verstanden zu haben. Sie hörte das Aufheulen seines Motors, dann scherte er ruckartig aus und zog an ihr vorbei.

Der Regen war zu stark, und es war zu dunkel, um zu erkennen, wer den Wagen fuhr. Da es sich ebenfalls um einen älteren Kleinwagen handelte, schätzte Julia, dass es ein jugendlicher Diskoheimkehrer war. Sicherlich saß er nicht allein im Auto, und wahrscheinlich würden sich seine Mitfahrer in diesem Moment vor Lachen ausschütten.

Haha, seht mal die Tussi. Die hat sich ins Hemd gemacht!

Na und?, dachte sie. *Sollen sie doch lachen, ich werde mir meine gute Stimmung nicht kaputt machen lassen. Dafür funktioniert die Reanimation im Augenblick viel zu gut.*

Der Kleinwagen scherte vor ihr ein und gab Gas. In einiger Entfernung leuchteten die roten Lichter einer Ampel, doch die Jungs – vielleicht auch Mädels – in dem Auto schien dies nicht zu beeindrucken. Sie schossen über die verlassene Kreuzung zur Autobahnauffahrt und wurden kurz darauf von der regennassen Dunkelheit verschluckt.

Julia bremste an der roten Ampel und seufzte kopfschüttelnd.

»Spinner. Irgendwann sehen wir uns in der Notaufnahme wieder. Und dann ist das Geheule groß. Obwohl, ich werde *hier* in keiner Notaufnahme mehr arbeiten.«

Als die Lichter auf Grün wechselten, fuhr sie an, beschleunigte und dachte an die Eiscreme auf dem Beifahrersitz.

Nur zwei, drei Löffel? Nein. Eher zehn oder zwölf. Sie hatte jetzt richtigen Heißhunger darauf. Ja, vielleicht würde sie die ganze Packung leeressen. Wer konnte schon sagen, wann und ob sie in Namibia Eiscreme bekommen würde? Nicht, dass das von Bedeutung für sie wäre, aber lieber stillte sie ihren süßen Heißhunger, solange es noch möglich war, anstatt …

Zwei rote Reflektoren leuchteten vor ihr auf. Julia schrie. Zu spät erkannte sie den Kleinwagen, der mit abgeschaltetem Licht auf dem Mittelstreifen dahinschlich.

Die Zeit reichte nicht einmal, um zu bremsen. Sie riss das Steuer nach rechts, schoss an dem dunklen Auto vorbei und durchbrach die Leitplanke.

Dann drehte sich die Welt. Oben wurde zu unten, unten zu oben.

Der Aufschlag folgte hart und schmerzhaft.

35

Das Telefon riss Jan aus dem Schlaf. Er schreckte hoch und fand sich an seinem Küchentisch wieder. Vor ihm türmte sich ein Stapel aus Adressbüchern, Almanachen längst vergangener Schulzeiten, Fotoalben und mehreren Boxen mit all den alten Fotos, die ihren Weg in die Alben noch nicht gefunden hatten. Jan hatte mit dem Kopf auf einem großen Notizblock gelegen, und nun spürte er das Kribbeln des Abdrucks, den die Spiralbindung an seinem linken Ohr hinterlassen hatte.

Der Block war mit Namen vollgeschrieben. Namen, die Jan nach und nach wieder durchgestrichen hatte. Den Kugelschreiber hielt er noch immer in der Hand.

Die ganze Nacht über hatte er sich den Kopf zermartert, wer die unbekannte Frau sein könnte. Also hatte er die Namen sämtlicher Frauen notiert, die ihm eingefallen waren. Jedes weibliche Wesen, das jemals in irgendeiner Art eine Rolle in seinem Leben gespielt hatte – Bekannte, Nachbarinnen, ehemalige Mitschülerinnen, Kommilitoninnen, Kolleginnen, Patientinnen und natürlich auch seine ehemaligen Beziehungen. Letztere waren nicht besonders viele gewesen, und keiner von ihnen hätte er ein derart wahnhaftes Verhalten zugetraut, doch er hatte bei seinem Brainstorming niemanden auslassen wollen. Zunächst einmal kam jede infrage – und doch auch wieder nicht. Denn keiner der Namen auf dieser Liste war in der Lage, auch nur den geringsten Verdacht bei ihm zu erregen.

Schließlich war ihm der Gedanke gekommen, dass es sich bei der Frau tatsächlich um eine Unbekannte handelte. Eine Person, die er nicht kannte, die aber ihn zu kennen glaubte. Vielleicht durch Carlas Buch.

Dieser Gedanke hatte ihn fast verzweifeln lassen. Denn wenn es wirklich so war, hatte er nichts in der Hand, womit er sich gegen diese Frau zur Wehr setzen konnte. Er war ihr schutzlos ausgeliefert, während sie ihr Spiel mit ihm trieb.

Das alles wäre nicht weiter schlimm gewesen – er hätte abwarten können, bis sie sich eines Tages aus irgendeiner Unachtsamkeit heraus selbst verriet –, aber gestern Abend hatte sie ihm zum ersten Mal Angst gemacht. Sie hatte ihm ihre unberechenbare Seite gezeigt. Eine gefährliche Seite, die ihn in seinem Verdacht bestärkte, sie könnte tatsächlich die Mörderin von Volker Nowak sein. Und dass sie gegebenenfalls zu weiteren Morden in der Lage war, sofern ihr kranker Geist dies für nötig hielt.

Diese Angst hatte ihn angetrieben, gewissenhaft nachzuforschen, ob es nicht vielleicht doch einen Anhaltspunkt gab. Irgendetwas, das er bisher übersehen hatte. Einen Strohhalm, an den er sich klammern konnte.

Doch er hatte nichts gefunden.

Ich weiß nicht, wer sie ist, lautete das frustrierende Resultat seiner Nachtaktion.

Irgendwann gegen Morgen musste er schließlich am Küchentisch eingenickt sein, und als er sich jetzt aufrichtete, gab sein Rücken einen unguten Knacklaut von sich. Jans Nacken schmerzte von der unbequemen Haltung, aber noch mehr setzten ihm seine Kopfschmerzen zu. Sein Puls pochte in den Schläfen, als wollte sich das Blut jeden Augenblick den Weg ins Freie sprengen.

Kein Wunder, dachte er und schob die Flasche Single Malt von sich, die direkt neben dem Notizblock aufragte. Gestern war ihm in seiner Verzweiflung sehr nach einem Schluck zumute gewesen, doch heute Morgen reichte allein der Anblick der Flasche aus, dass sich sein Magen verkrampfte.

Wieder klingelte das Telefon. Ein penetranter Laut. Der Anrufer hatte es durchläuten lassen, bis sich der Anrufbeantworter zugeschaltet hatte. Dann hatte er aufgelegt, ohne eine Nachricht zu hinterlassen, nur um gleich darauf wieder anzurufen. Wer immer es auch war, er war beharrlich. Er – *oder sie*.

Jan wankte durch das Esszimmer zur Theke in der

Küche, auf der das Mobilteil lag. Das Display zeigte *Externer Anruf*. Keine Rufnummer.

»Hallo?« Seine Stimme klang vom Schlaf belegt, und der Whisky hatte seine Zunge in ein trockenes, pelziges Etwas verwandelt.

Jan hörte ein Rascheln am anderen Ende der Leitung, dann ein zögerlich leises »Habe ich dich geweckt?«.

»Carla? Bist du das?«

Die Antwort war ein entnervtes Seufzen. »Nein, ich bin *nicht* Carla«, zischte die Frauenstimme, und Jan spürte, wie sich seine Nackenhaare aufstellten.

Sie ist es!

Schlagartig war er stocknüchtern, und auch die Nackenschmerzen waren vergessen. Diese Stimme hatte eine weitaus höhere Wirkung als jede Kanne starker Kaffee und alle Aspirin in seinem Medizinschrank zusammen.

»Das Miststück hat dich verlassen, schon vergessen? Sie macht jetzt Karriere mit deiner Geschichte, das weißt du doch. Sicherlich vögelt sie schon längst mit einem anderen, und auch das weißt du. Nein, mein Lieber, *die* ruft dich bestimmt nicht mehr an.«

Jans Hand krampfte sich um das Telefon. »Wer sind Sie?«

»Ach, Schatz, nun lass doch diese albernen Spielchen. Ich bin heute wirklich nicht in der Laune dafür.«

Er presste die freie Hand auf seine pochende Schläfe und musste sich zusammennehmen, nicht zu schreien. Sie durfte diesmal nicht auflegen. Nicht, bevor er nicht wusste, wer sie war. Dennoch wurde seine Stimme laut.

»Sag mir deinen Namen!«

»Also gut.« Wieder das Seufzen, doch diesmal klang es, als hielte sie Jans Frage tatsächlich für einen Scherz. Sie war überzeugt, dass er sie kannte. Aber er konnte diese

Stimme beim besten Willen niemandem in seinem Bekanntenkreis zuordnen. Diese heisere, mal hell, mal dunkel schwankende Stimme passte zu keiner der Frauen, die er kannte.

»Nenn mich Jana.«

»Jana«, echote Jan. »Ist das dein richtiger Name?«

»Spielt das eine Rolle? Jan und Jana«, sie kicherte. »Uns verbindet das A, der erste Buchstabe. Der wichtigste. Das ist doch passend, findest du nicht? Schließlich bist du mir der Wichtigste von allen. Ich habe doch nur dich.«

Das war ein Anfang, dachte er. Hier konnte er ansetzen.

»Nur mich? Was ist mit anderen Freunden, Familie?«

Die Antwort war ein schnelles und entschlossenes »Nein«. Dann fügte sie mit kalter Stimme hinzu: »Es gibt niemanden, niemanden, der *wichtig* wäre. Nur *du* bist mir wichtig.«

Jan fuhr sich durchs Haar und überlegte. Er war auf dieses Gespräch nicht vorbereitet. In der Klinik hätte er sich auf ein Patientengespräch zuerst eingestellt, er hätte sich vorher über die Person informiert. Nun aber hatte sie ihn überrascht – wieder einmal –, und hinzu kamen seine Kopfschmerzen, die sich jetzt nach dem ersten Schrecken wieder einstellten.

Professionalität, Herr Doktor, gemahnte er sich. *Versuch, so viel wie möglich über sie in Erfahrung zu bringen. Das ist deine Chance.*

»Deshalb hast du mir auch die Bilder geschickt?«, fragte er. »Du willst, dass ich dich verstehe.«

»Haben sie dir gefallen?«

»Sie waren«, Jan suchte nach dem richtigen Wort, »ausdrucksstark. Voller Symbole.«

»Ich habe gewusst, dass sie dir gefallen werden«, entgegnete sie fröhlich. »Ich habe dir meine Träume gemalt.

Es sind schlimme Träume, die man nicht immer von der Wirklichkeit unterscheiden kann, so echt sind sie. Aber am Ende kommst jedes Mal du und rettest mich. Jedes Mal. Du bist mein Held. Du kannst es mit ihnen allen aufnehmen. Ach, Jan, was wäre ich nur ohne deine Liebe?«

Allmählich bekam Jan ein Bild von dieser Frau. Kein äußerliches, eher ein Profil. Eine vorläufige Diagnose. Wenn er jetzt zu dem Durcheinander auf dem Küchentisch hinübersah, musste er beinahe lachen. Wie hatte er nur annehmen können, dass er sie tatsächlich kannte? Höchstwahrscheinlich waren sie beide sich noch nie zuvor begegnet, auch wenn Jana vom Gegenteil überzeugt sein mochte.

Du hättest auf dein Bauchgefühl hören sollen, mein Bester.

Jana – in Ermangelung des wirklichen Namens würde er sie vorerst so nennen müssen – litt vermutlich unter einer halluzinatorisch-schizophrenen Störung. Das wäre eine Erklärung für ihre wirklichkeitsnahen Träume, bei denen es sich vermutlich um Wahnbilder handelte. Wahnbilder, in denen er ein Riese war und sie wie ein kleines Kind auf der Schulter trug, während um sie herum Kühe mit abgeschlagenen Köpfen weideten.

Jana war gestört, aber noch wichtiger war, dass sie sich selbst darüber im Klaren sein musste. Vielleicht nicht völlig, aber zumindest ein Teil von ihr *wusste* es. Deshalb wurde Jan zum Retter in ihren Wahnfantasien – er, der Psychiater, auf den sie sicherlich durch Carlas Buch oder die Presseberichte über den Psychiatrieskandal aufmerksam geworden war. Eine dieser Schlagzeilen hatte ihn in typischer Boulevardmanier als »heldenhaften Psychiater« bezeichnet, und Jana musste dies wörtlich genommen haben.

Hinzu kam jedoch, dass sie ihre Hoffnung auf Jans professionelle Hilfe mit Liebe verwechselte. In ihrem Wahnkonstrukt musste er mittlerweile eine derart idealisierte Position eingenommen haben, dass daraus ein Liebeswahn entstanden war.

Eine schizophrene Erotomanin, dachte Jan. Nein, das machte die Sache durchaus nicht einfacher. Erst recht nicht, wenn sie tatsächlich einen Mord begangen hatte und sich dessen bewusst war.

»Bist du noch da?« Nun klang ihre Stimme wie die eines schüchternen kleinen Mädchens, das fürchtete, es habe etwas falsch gemacht.

»Jana, ich würde dir gerne helfen. Würdest du das zulassen?«

»Nein, Jan«, entgegnete sie, und das Mädchen klang sofort wieder wie eine Frau. Als habe man einen Schalter bei ihr umgelegt. »Kein Konjunktiv. Du *wirst* mir helfen. Das hast du mir *versprochen*. Du hast mir den Schlüssel zu meinem Gefängnis gezeigt, weißt du das denn nicht mehr?«

Kein Konjunktiv, echote es in Jans Gedanken. Wer würde sich so ausdrücken? Jemand, der über eine gewisse Bildung verfügte.

Natürlich hatte Jan keine Ahnung, wovon diese Frau sprach. Was immer sie auch mit diesem Schlüssel meinte, es musste mit ihren Wahnvorstellungen zu tun haben. Dennoch ließ er sich darauf ein. Keinesfalls durfte er riskieren, dass sie auflegte.

»Selbstverständlich erinnere ich mich«, versicherte er ihr. »Aber ich kann dir nur helfen, wenn du zu mir kommst. Wenn ich den Schlüssel habe, muss ich dich sehen, damit wir gemeinsam den Weg aus deinem Gefängnis finden.«

»Du willst, dass ich zu dir komme?«

»Ja.«

Sie schwieg und schien zu überlegen. Jan lauschte in die

Stille am anderen Ende der Leitung und versuchte angestrengt, ein Geräusch auszumachen, das Aufschluss gab über ihren Aufenthaltsort. Doch anscheinend befand sich Jana in einer absolut ruhigen Umgebung. Dem gedämpften Klang ihrer Stimme nach zu urteilen, musste sie sich in einem Raum befinden. Kein allzu großer Raum, da es keinen Hall gab. Außer ihrem leisen, gleichmäßigen Atem hörte Jan nichts.

»Nein, Jan«, sagte sie schließlich. »Ich glaube, das ist keine gute Idee. Es ist noch zu früh. Die Zeit ist zwar nicht mehr fern, bis wir unseren Plan Wirklichkeit werden lassen können, aber noch bist du nicht ganz dafür bereit, fürchte ich.«

»Welcher Plan?«

Abermals seufzte sie. »Ach, mein Lieber, das weißt du doch ganz genau. Wir haben schon so oft darüber gesprochen.«

»In deiner Traumwelt?«

»Wenn du sie so nennen möchtest, ja.«

Jan hatte damit gerechnet, dass sie sich gegen seinen Vorschlag wehren würde. Die meisten Patienten, mit denen er zu tun hatte, benötigten erst eine geraume Zeit, ehe sie sich zu einem Termin mit einem Psychiater überwinden konnten. Immerhin war das ein Eingeständnis, nicht mehr aus eigener Kraft weiterzukommen – und im Fall dieser Frau gesellte sich noch das Eingeständnis hinzu, dass etwas mit ihrem Geist nicht stimmte. Es würde das Ende ihrer imaginären Welt bedeuten, und wie bei allen Psychotikern war diese Konsequenz mit Ängsten verbunden. Auf einmal würden Dinge, die man bisher als real betrachtet hatte, als Wahngebilde entlarvt werden, und das konnte in der Anfangsphase zu einer Desorientierung führen.

Doch Jan blieb beharrlich. Wenn er sie überführen

wollte, musste er sie mit der Argumentation ihres eigenen Wahns überzeugen.

»Jana, dann weißt du auch, dass das so nicht funktionieren kann. Um den Plan *verwirklichen* zu können, müssen wir uns auch in der *Wirklichkeit* begegnen. Nur du und ich.«

Fast glaubte er hören zu können, wie sie energisch den Kopf schüttelte. »Ich kann doch nicht bei dir zu Hause vorbeikommen, Jan. Das geht nicht. Die Gefahr wäre zu groß.«

»Welche Gefahr?«

»Dass du das von mir wollen würdest, was alle Männer wollen. Es würde unsere Beziehung verunreinigen, verstehst du? Und das dürfen wir nicht riskieren. Für unseren Plan müssen wir rein sein, absolut rein. Nur dann wird es funktionieren.«

Das, was alle Männer wollen, dachte Jan. Fürchtete sie sich vor seiner Nähe, weil er ein Mann war? War sie missbraucht worden? War das der Grund für das kleine Mädchen auf dem Bild und die teils kindlich verstellte Stimme? Ertrug sie es nicht, als Frau gesehen zu werden, weil sie damit schlimme Erfahrungen hatte machen müssen?

Es konnte so sein, musste aber nicht. Ebenso gut war es möglich, dass sie sich in ihrer erwachsenen Alltagswelt nicht mehr zurechtfand und sich deshalb in ein kindliches Ich flüchtete. Auch das hatte er schon bei Patientinnen erlebt. Vor allem, wenn ihre behütete Jugend ein abruptes Ende gefunden hatte – etwa durch den Tod oder die Krankheit der Eltern –, kam es immer wieder vor, dass sie sich in die Rolle des Kindes flüchteten, das beschützt werden wollte.

»Dann treffen wir uns eben an einem neutralen Ort«, schlug Jan vor. »Vielleicht irgendwo in der Stadt?«

»Wo alles um uns herum die Ohren spitzt? Nein, Jan,

unser Plan geht doch nur dich und mich etwas an. Auf keinen Fall dürfen wir Gefahr laufen, dass dieses neugierige Pack da draußen etwas davon mitbekommt. Sie würden es sonst nur verhindern wollen.«

»*Was* würden sie verhindern wollen?«

»Ach, Schatz, das weißt du doch selbst am besten. Darum ist es wichtig, dass niemand uns hören kann.«

»Ja, du hast Recht«, bestätigte Jan, während er gleichzeitig die Faust vor Aufregung ballte. Jetzt hatte er sie, wo er sie haben wollte. Einen Versuch war es wert. »Gut, Jana. Warum kommst du dann nicht in mein Büro? Dort können wir reden, ich kann die Tür abschließen, und niemand kann uns belauschen.«

»Ins Irrenhaus?« Sie klang ehrlich verwundert. »Warum sollte ich ins Irrenhaus gehen?«

»Na, ich arbeite dort.«

Ein lauter Knall kam aus dem Hörer, so als ob jemand mit der flachen Hand auf eine Tischfläche schlug. »Nein, Jan, nein, nein, nein! Sag nicht, dass ich *verrückt* bin! Tu das nie, nie wieder!«

Jan zuckte zusammen. Ihm war, als balancierte er ein rohes Ei auf einem Löffel, das nun zu Boden zu fallen drohte.

»Aber ich habe doch nicht …«

»Doch, genau das hast du!«, fuhr sie ihn an. »Was glaubst du eigentlich, wer du bist, hä? Du dringst in meine Träume ein, versprichst mir das Blaue vom Himmel, und jetzt willst du mich ins *Irrenhaus* schicken? Das ist gemein, Jan, *hundsgemein*! Das macht mich wütend, verstehst du? Sehr, *sehr* wütend!«

»Jana, ich …«

»Nein!«, kreischte sie. »Ich werde nicht dulden, dass du mich so behandelst. Du kannst mich nicht einfach so als Irre abstempeln.«

Obwohl sie es freilich nicht sehen konnte, hob er abwehrend die freie Hand. »Jana, bitte hör mir zu. Das lag nicht in meiner Absicht. Ich wollte doch nur …«

»Psssst«, zischte es aus dem Hörer. »Ist schon gut, Liebling.« Wieder schien jemand einen Schalter bei ihr umgelegt zu haben, so sanft und warm, wie ihre Stimme auf einmal wieder klang. »Tut mir leid, dass ich mit dir geschimpft habe. Das wollte ich nicht. Ich will doch keinen Streit mit dir. Ich werde nur manchmal ein wenig … na ja, ein wenig aufbrausend eben. Vergibst du mir?«

Jan atmete auf. »Kein Problem, wir alle verlieren hin und wieder mal die Beherrschung. Das ist …«

»Danke«, unterbrach sie ihn, und es war zu hören, dass sie nun erleichtert lächelte. »Danke, Jan. Du verstehst mich. Ich habe heute einfach keinen guten Tag, weißt du. Die Nacht war schon schlimm gewesen, und dann … Diese Schlampe, die dich gestern belästigt hat, sie war ständig in meinem Kopf.«

So sehr, dass du mir Angst machen musstest, dachte Jan und fragte: »Hattest du wieder Alpträume?«

»Ja … das heißt nein.« Sie klang verwirrt. »Es waren keine Träume, glaube ich. Träume sind irgendwie anders. Nein, ich denke, es ist wirklich passiert. Jan, ich glaube, ich bin böse gewesen. Ich habe etwas getan, das mir sehr leidtut. Aber ich konnte einfach nicht anders. Ich …«

Jans Puls beschleunigte sich. Vielleicht war dies nur ein weiteres ihrer kranken Spiele, aber etwas in seinem Innern sagte Jan, dass dem nicht so war.

Jan hatte das Wohnheim um kurz nach zehn verlassen.

Die Nacht war schon schlimm gewesen …

Was meinte sie damit?

»Warst du bei ihr?«

Wieder das Rascheln. »Ich muss jetzt auflegen, Jan. Wir sprechen ein anderes Mal, ja?«

»Jana, sag mir, was du getan hast!«, schrie er sie an. »Was heißt, du bist böse gewesen?«

»Ich liebe dich. Vergiss das nie.«

»Jana, warte!«

Ein Klicken, dann tutete das Freizeichen.

Fluchend unterbrach auch Jan die Verbindung, woraufhin das Telefon wieder zu klingeln begann.

»Jana?«

»Was ist denn los? Bei dir ist ständig besetzt.« Es war Franco. Noch bevor Jan etwas antworten konnte, fragte er: »Hat man es dir schon gesagt?«

»*Wer* soll mir *was* gesagt haben?«, fragte Jan und spürte, wie ihm flau wurde.

Was er hörte, übertraf seine schlimmsten Befürchtungen.

Als Jan die Intensivstation des Fahlenberger Stadtklinikums betrat, wurde er bereits von Franco erwartet.

Sein Kollege saß vor der Tür zu Julias Zimmer und starrte mit ausdruckloser Miene auf den Linoleumboden. In der blauen Schutzkleidung, die für alle Besucher vorgeschrieben war, wirkte der Italiener ungesund bleich, als würde er jeden Augenblick vom Stuhl fallen. Als er Jan auf sich zukommen sah, erhob er sich langsam.

»Franco, wie geht es ihr?«

Francos Augen waren gerötet. Er kämpfte um Fassung.

»Sie ist bei Bewusstsein, kann sich aber an nichts erinnern«, sagte er leise. »Offenbar war sie völlig eingequetscht. Der Arzt meinte, als er das Unfallfoto sah, konnte er kaum glauben, dass sie das überlebt hatte. Jan, sie ...« Er schluckte. »Julia hat sehr viel Pech gehabt. Man musste ihr einen Arm amputieren, und die Frakturen des anderen sind äußerst kompliziert. Aber da ist noch etwas ...«

»Noch etwas?«

Franco nickte. »Sie hat ein spinales Trauma. Drei Lendenwirbel sind gebrochen.«

»O nein!« Jan stieß den Atem aus und sah zur Decke. »Soll das heißen, sie ist ...«

»Höchstwahrscheinlich wird sie querschnittsgelähmt sein, ja.«

36

»Danke, dass du gekommen bist.«

Julia sah zu Jan auf. Ihr Mund verzog sich zu etwas, das wohl ein tapferes Lächeln sein sollte. Ihr Gesicht war durch zahlreiche Blutergüsse entstellt. Das rechte Lid war blauviolett angeschwollen, und das Wenige, das von ihrem Auge darunter zu erkennen war, blutrot verfärbt. Mehrere Schürfwunden führten über den Nasenrücken und ihre Stirn und verschwanden unter der Bandage, aus der seitlich Strähnen ihres blonden Haars hervorlugten.

Doch es waren nicht die Wunden und Hämatome, die Jan erschreckten, auch nicht der verbundene Armstumpf und der gebrochene zweite Arm, der unter einer dicken Gipsschicht nur zu erahnen war. Es war die Unbeweglichkeit, zu der sie fortan verdammt sein würde. Wie sie vor ihm lag, schien es, als habe man sie inmitten der piepsenden Kontrollgeräte aufgebahrt. Das weiße Laken bedeckte ihren reglosen Körper wie ein Leichentuch.

»Wie fühlst du dich?«, fragte er und stellte einen Besucherstuhl neben das Bett.

Ihr Lächeln erstarb.

»Nicht mehr wie ich selbst«, flüsterte sie und leckte sich über die trockenen Lippen. »Sie sagen, es sei noch zu früh für eine endgültige Diagnose. Die Schwellungen, die auf den Nervenstrang drücken, müssten erst abklingen und so weiter. Aber sie müssen mir doch nichts vormachen.«

»Vielleicht haben sie aber Recht?«

»Jan, das ist lieb von dir, aber bevor ich in die Psychiatrie gewechselt habe, hatte ich mit genügend solcher Fälle zu tun. Wir beide wissen, was Paraplegie bedeutet.« Sie verzog erneut gequält die Lippen. »Na, wenigstens komme ich jetzt um dieses widerliche Flugzeugessen herum. Und wahrscheinlich wäre es mir in Namibia ohnehin zu heiß gewesen.«

»Julia, du darfst jetzt nicht aufgeben. Immerhin lebst du noch.«

»Ja, Jan, ich lebe noch. Weißt du, was die Ironie an der ganzen Sache ist?«

»Was?«

»Dass ich mich an nichts mehr erinnern kann. Den Bremsspuren nach zu urteilen muss mir wohl etwas vors Auto gelaufen sein. Meint jedenfalls die Polizei. Ein Reh vielleicht. Alles, was ich noch weiß, ist, dass ich Eiscreme gekauft habe und dass ich wieder zurück ins Wohnheim wollte. Eiscreme.« Sie stieß ein verzweifeltes Lachen aus, und ihre Augen füllten sich mit Tränen. »In Zukunft werde ich wohl jemanden brauchen, der mich damit füttert.«

Jan zog ein Kleenex aus dem Behälter auf ihrem Nachttisch und tupfte ihr vorsichtig die Tränen ab. Dabei musste er sich zusammennehmen, um das Zittern seiner Hand zu verbergen.

»Julia, ich würde dich gerne etwas fragen.«

»Was denn?«

»Bevor du losgefahren bist, ist da irgendetwas gewesen? Hast du vielleicht einen Anruf bekommen?«

»Einen Anruf?« Sie überlegte kurz. »Nein, ich glaube nicht. Ich weiß noch, dass ich lange gebadet habe, und dann hatte ich plötzlich Lust auf Eis. Auf dieses *verdammte* Eis. Denkst du etwa, dass jemand ...« Sie sprach den Satz nicht zu Ende.

»Es ... es wäre möglich«, sagte Jan, obwohl sich ein Teil seines Verstandes bereits absolut sicher war. Zwar gab es noch immer keinen konkreten Beweis, aber das hier konnte unmöglich Zufall sein.

Nein, Jana hatte ihm nicht nur gedroht. Sie hatte ihm nicht nur Angst machen wollen. Sie war – um es mit ihren Worten zu sagen – *böse* gewesen.

»Ist dir denn jemand gefolgt, als du zum Rastplatz gefahren bist?«

Nachdenklich rollte Julias sichtbares Auge hin und her, ehe es ratlos zu Jan aufsah. »Keine Ahnung. Darauf habe ich nicht geachtet. Ich weiß nur noch, dass mir auf dem Rückweg irgend so ein Drängler fast hinten draufgefahren ist. Aber dann hat er mich überholt. Warum fragst du?«

»Nun ja, vielleicht war es kein Reh, sondern etwas anderes, dem du ausweichen musstest.«

»Du meinst diese Stalkerin, nicht wahr? Die, wegen der du die Polizei zu mir geschickt hast.«

»Ja.«

Julia stieß einen tiefen Seufzer aus. »Jan, ich weiß es nicht. Der Unfall hat bei mir zu einer kongraden Amnesie geführt. Es ist, als habe man ihn aus meinem Gedächtnis radiert. Da ist nur ein schwarzes Loch. Aber was macht das schon? Selbst wenn es diese Frau gewesen ist. Jetzt ist sowieso alles egal, verstehst du?«

»Ist schon in Ordnung«, sagte Jan leise und tupfte abermals ihre Tränen ab. »Tut mir leid, ich wollte dich nicht …«

»Ich muss jetzt schlafen, Jan. Ich weiß, du meinst es gut.«

»Natürlich.«

Jan erhob sich.

»Jan?« Sie sah ihn mit einem Blick an, dem Jan kaum standhalten konnte. Noch nie hatte er bei jemandem eine derartige Verzweiflung gesehen.

Wieder leckte sich Julia über die Lippen. »Würdest du Franco ausrichten, dass er mich nicht mehr besuchen soll? Er hat meinetwegen schon genug Ärger gehabt. Sag ihm, dass ich ihn mag, aber dass er mir nichts schuldig ist. Was er neulich gesagt hat, war vollkommen richtig. Es ist besser, wenn wir uns nicht mehr wiedersehen.«

»Gut, ich werde es ihm ausrichten. Kann ich sonst noch etwas für dich tun?«

Sie keuchte, und erneut huschte das verzweifelte Lächeln über ihr Gesicht. »Ja. Du könntest mir ein Kissen aufs Gesicht drücken. Ich würde mich auch nicht wehren, versprochen. Nicht einmal, wenn ich noch könnte.«

Jan senkte den Kopf und ging. Als er wieder auf dem Krankenhausflur stand, musste er mit den Tränen kämpfen.

Er fühlte nur noch Hass. Abgrundtiefen Hass auf eine Frau, die sich Jana nannte.

37

»*Cazzo*! So eine gottverdammte Scheiße!«

Franco trat nach einem verirrten Kieselstein, der unter der Überdachung des Klinikeingangs lag. Der Stein schoss gegen einen Abfallkorb, prallte ab und schlitterte über den regennassen Asphaltweg.

»Ganz ruhig!« Jan stellte sich vor ihn. »Ausrasten bringt uns jetzt nicht weiter.«

Franco nickte seufzend, durchwühlte seine Jackentaschen und brachte ein zerdrücktes Päckchen Lucky Strike zum Vorschein.

»Du musst zur Polizei gehen«, sagte er und steckte sich mit zitternden Händen eine Zigarette an.

Kopfschüttelnd wich Jan seiner Rauchwolke aus. »Was soll ich denen sagen? Ich habe *nichts*. Keinen Hinweis auf die Identität dieser Frau. Genau genommen gibt es auch keinen Beweis, dass sie tatsächlich Julias Unfall verschuldet hat. Wenn es einen gäbe, hätten sie ihn am Unfallort entdeckt. Bremsspuren eines anderen Wagens, irgendetwas.«

»Aber sie hat es dir doch am Telefon gesagt«, beharrte Franco.

»Nein, hat sie nicht. Sie sagte nur, sie sei *böse* gewesen. Das kann alles und nichts bedeuten. Zumindest ist es kein Beweis für die Polizei. Ich habe nur einen Verdacht, einen aus meiner Sicht *berechtigten* Verdacht, aber mehr nicht.«

Hustend stieß Franco den Rauch aus. »Trotzdem musst du es melden.«

»Und damit eine Hexenjagd auf meine Patientinnen riskieren? Weißt du, was los wäre, wenn es zu einer Befragung käme? Mir würde doch kein Patient mehr über den Weg trauen.«

»Darauf kannst du jetzt doch keine Rücksicht mehr nehmen«, fuhr Franco ihn an. »Vielleicht ist sie ja tatsächlich eine von ihnen?«

»Nein, ist sie nicht«, wehrte Jan ab. »Glaub mir, ich bin sie alle durchgegangen. Ich bin absolut davon überzeugt, keine von ihnen wäre zu *solchen* Gewalttätigkeiten fähig. Abgesehen davon hätte ich bemerkt, wenn eine von ihnen mir gegenüber einen Liebeswahn hegen würde. Darüber hinaus ist sie vor einer direkten Begegnung mit mir zurückgescheut. Wenn sie schon eine meiner Patientinnen oder irgendwo sonst in der Klinik wäre, hätte sie das sicherlich nicht getan. Nein, Franco, sie ist eine Unbekannte. Jemand, der bisher noch nicht auffällig geworden ist und sich in seiner Anonymität sicher fühlt. Zumindest vorerst noch.«

»Na schön«, seufzte Franco. »Aber die Polizei könnte doch wenigstens dein Haus observieren lassen.«

»Daran habe ich auch schon gedacht. Aber wenn diese Jana davon Wind bekommen sollte, würde das alles noch schlimmer machen. Sie mag vielleicht verrückt sein, aber dumm ist sie nicht. Und sie beobachtet genau. Was, wenn sie feststellt, dass ich mein Haus observieren lasse, und erst recht *böse* wird? Nein, dadurch würde ich nur weitere Personen gefährden.«

Wütend feuerte Franco seine Kippe zu Boden und trat sie aus. »Herrgott, aber was willst du dann tun?«

»Abwarten, bis sie sich wieder bei mir meldet, und sie mit psychologischen Mitteln enttarnen«, entgegnete Jan. »Auch wenn es schwerfällt zu warten, aber es scheint mir die einzige Möglichkeit, bei der sich das Risiko in einem gewissen Rahmen hält.«

Franco sah ihn zweifelnd an. »Und wenn sie sich nicht mehr bei dir meldet?«

»Sie *wird* sich wieder melden, glaub mir«, versicherte Jan und fügte zynisch hinzu: »Sie *liebt* mich. Schon vergessen? Also werde ich mir ihren Wahn zunutze machen.«

»Du begibst dich auf dünnes Eis, mein Lieber.«

»Ich stehe schon längst darauf.«

Mit einem tiefen Seufzer steckte Franco die Hände in die Hosentaschen und zuckte die Schultern. »Na gut, du musst wissen, was du tust. Ich kann dir auf jeden Fall nicht mehr weiterhelfen.«

Verwundert hob Jan die Brauen. »Was soll das heißen? Du kannst doch jetzt nicht kneifen. Ich brauche dich.«

»Es heißt, was es heißt«, entgegnete Franco. »Ich bin Therapeut und kein Verbrecherjäger. Außerdem steht für mich im Moment viel zu viel auf dem Spiel. Flavia hat mich mit ihrem Verdacht konfrontiert, und ich … ich habe ihr die Wahrheit gesagt. Sie will mir noch eine Chance geben, aber dazu musste ich ihr versprechen, absolut jeden Kontakt zu Julia abzubrechen. Ich habe dieses Versprechen gerade gebrochen, aber das war das einzige und letzte Mal. Also halt mich künftig aus der Sache heraus, verstanden?«

»Franco, aber das ist doch …«

»Es ist mir egal, was es für dich ist«, fuhr ihn der Therapeut an. »Ich habe noch eine Chance, meine Familie zu retten, und die werde ich nutzen. Keine Sonderwege mehr.«

»Aber es geht doch nicht nur um Julia allein.«

»Das weiß ich selbst, aber ich muss jetzt zuerst an mich denken.«

»Na gut, wie du meinst. Aber in meinen Augen ist das Feigheit.«

»Nenn es, wie du willst«, sagte Franco und klopfte Jan zum Abschied auf die Schulter. »Ich nenne es Vernunft.

Wer mit dem Teufel essen will, braucht einen langen Löffel. Und ich bezweifle, dass dein Löffel lang genug für diese Verrückte ist.«

»Ich habe keine andere Wahl, Franco.«

»O doch, die hat man immer. Mach nicht den Fehler, das Ganze zu deinem persönlichen Rachefeldzug zu erklären. Julia wirst du damit nicht mehr gesund machen.«

Damit wandte er sich um und ging davon.

»Franco, warte!« Jan lief ihm durch den Regen nach. »Nur noch eine Frage, dann lasse ich dich in Ruhe.«

Franco blieb stehen und atmete tief durch. »Dann frag schon.«

»Was fällt dir zu Jana ein?«, fragte Jan. »Ich meine, zu dem Namen. Er ist sicherlich ebenfalls nur ein Symbol.«

»Du gibst nicht auf, was?«

»Nein, das habe ich doch gesagt. Also sag schon, was könnte ›Jana‹ aus deiner Sicht bedeuten? Ich meine, abgesehen von der Ähnlichkeit mit meinem Namen.«

Franco schürzte die Lippen, dann starrte er nachdenklich auf den Boden. »Jana, Jana, Jana«, murmelte er. »Wie wäre es mit Janus? Vielleicht meint sie die weibliche Abwandlung von Janus, dem zweigesichtigen Gott. Du hast doch gesagt, sie sei gebildet?«

»Ja«, nickte Jan. »Davon gehe ich aus. Janus wäre vielleicht möglich. Das würde auch zu ihrer Schizophrenie passen.«

»Jan, bitte.« Franco sah ihn eindringlich an. »Hör auf mich, und lass die Finger davon. Es gibt Dinge, die einfach zu groß für uns sind. Nur merken wir das manchmal erst, wenn es schon zu spät ist. Denk wenigstens noch einmal darüber nach, versprochen?«

»Werde ich«, log Jan.

Franco gab ihm noch einen freundschaftlichen Klaps

auf die Schulter. »Sei mir nicht böse, Jan, okay? Ich bin eben ein egoistischer Feigling, und dazu stehe ich. Außerdem hat mir Flavia noch eine Chance gegeben, und das bedeutet mir mehr als alles andere. Auch wenn es lange gedauert hat, bis ich das begriffen habe. Liebe ist etwas Seltsames, Jan. Man beginnt erst dann für sie zu kämpfen, wenn man sie zu verlieren droht.«

Dann ging er, ohne sich noch einmal umzusehen.

38

Jana stand in sicherer Entfernung und beobachtete die Trauergemeinde, die sich um Volker Nowaks Grab versammelt hatte. Eine Reihe in Schwarz gekleideter Gestalten, überdacht von einem Gedränge dunkler Schirme, auf denen unaufhörlich der Regen trommelte.

In ihrer Mitte sah sie Nowaks Mutter, die unbeweglich in ihrem Rollstuhl saß. Der größte Teil ihres wachsbleichen Gesichts war hinter einer großen Sonnenbrille verborgen. Trotz des Regenschirms, den einer der Trauergäste über sie hielt, glänzten Wasserperlen auf ihrem schwarzen Gewand, und hin und wieder bewegte sich der Gladiolenstrauß auf ihrem Schoß, wenn sie schluchzte.

Die alte Frau tat ihr leid. Am liebsten wäre sie zu ihr gegangen und hätte sie um Vergebung gebeten. Aber das wäre in mehrerlei Hinsicht nicht richtig gewesen. Immerhin war es doch nicht ihre Schuld, dass er gestorben war. Volker selbst war schuld daran. Wäre er nicht so stur gewesen, hätte sie ihm kein Haar gekrümmt. Nein, ganz bestimmt nicht.

Was sind das nur für Gedanken?, fragte etwas in ihr mit tiefer, zorniger Stimme. *Soll ich dir sagen, was das für Gedanken sind? Es sind* Heulsusengedanken! *So etwas passt nicht zu meiner Tochter! Was hast du hier überhaupt verloren? Noch dazu am helllichten Tag!*

»Nichts«, flüsterte sie. »Ich wollte doch nur …«

Es schert mich einen Dreck, was du wolltest! Was machst du, wenn dich irgendjemand sieht, hm? Nur weil du glaubst, dass du ein gutes Versteck hast, ist das noch lange kein Grund, ein Risiko einzugehen. Du riskierst ohnehin schon viel zu viel in letzter Zeit!

Sie nickte. Ja, die Stimme hatte natürlich Recht. Sie durfte kein weiteres Risiko mehr eingehen. Jetzt zählte nur noch ihr Plan.

Nur noch ihr Plan.

39

Gleich nach Volker Nowaks Beerdigung war Felix Thanner auf die Empore geeilt. Den ganzen Vormittag waren seine Gedanken nur um die Kamera gekreist, und es war ihm schwergefallen, sich auf etwas anderes zu konzentrieren. Dabei war er sich vorgekommen, als würde er sich nach wie vor in einem Alptraum bewegen, aus dem er nicht freikommen konnte. Ständig hatte er sich gefragt, ob die Frau vielleicht wieder vorbeigekommen war, während er auf dem Friedhof seinen Verpflichtungen nachkam? So wie am Tag zuvor, als sie plötzlich im Eingang der Kirche gestanden hatte.

Während der Beerdigung hatte er dann einen heftigen Druck auf der Brust verspürt. Der Anblick des Sarges war ihm unerträglich gewesen.

Ich weiß, wer seine Mörderin ist, hätte er den Trauernden am liebsten zugerufen, statt nur einen Nachruf auf Nowak zu verlesen. *Ja, ich weiß es! Sie hat mit mir gesprochen. Aber ich darf es euch nicht sagen.*

Als er dann endlich für sich war und nur den Wind unter dem Kirchendach heulen hörte, hatte er mit schweißnassen Händen und pochendem Herzen die Aufzeichnung abgerufen und mehr als eine halbe Stunde auf den Monitor gestarrt.

Nun klappte er den Laptop zu und lehnte sich vor Enttäuschung seufzend zurück.

Nichts. Wieder nichts.

Die Kamera hatte weiterhin zuverlässig ihren Dienst getan und sämtliche Personen in der Kirche aufgezeichnet. Im Schnelldurchlauf hatte Thanner zuerst den Kunstschlosser Seif beobachtet, der nun endlich das fehlerhafte Schloss ausgewechselt hatte. Wenig später waren Edith Badtke und Bruni Kögel erschienen, und für die nächsten vierzig Minuten – die in beschleunigter Wiedergabe kaum ein Zehntel der Zeit dauerten – hatten die Pfarrsekretärin und die Floristin den Blumenschmuck am Altar erneuert. Danach folgten die Vorbereitungen für Nowaks Aussegnungsgottesdienst und der Gottesdienst selbst.

Doch abgesehen davon war niemand zu sehen gewesen. Nur das statische Bild des Kirchenschiffs, über dem die Ziffern des Zeitzählers dahinrasten. Minuten, Sekunden und Millisekunden, in denen nichts geschehen war.

Dabei hatte Thanner ein paarmal die schreckliche Angst beschlichen, er werde jeden Moment dieses Ding aus seinem Traum wiedersehen. Wie es auf die vorderste Bankreihe zukroch, um dort auf ihn zu lauern. Jenes Wesen, das vortäuschte, eine Frau zu sein, bis man ihm zu nahe kam und sein wahres Antlitz sah.

Dieses Maul ... Dieser zähnefletschende Abgrund ... Dieser Höllenschlund! Mein Schuldgefühl, das mich zu verschlingen droht, weil ich nichts dagegen tun kann.

Bei der Erinnerung an den Traum begann er wieder zu zittern. Er fühlte den kalten Schweiß auf seiner Stirn und schalt sich einen Narren. Seine Nerven begannen ihm übel mitzuspielen, und Thanner betete, all das möge endlich ein Ende finden. Wie lange sollte er denn noch mit diesem Wissen leben, das ihn in Alpträumen heimsuchte und quälte, während er hilflos abwarten musste, bis sich ihm diese Wahnsinnige zeigte?

Falls sie sich ihm je wieder zeigen würde.

»Komm schon«, flüsterte er der Kamera zu. »Komm endlich! Ich bin hier! Ich warte auf dich!«

40

Gleich nachdem er zu Hause angekommen war, hatte Jan in der Klinik angerufen und sich krankgemeldet. Dort würde Jana nicht auftauchen, also musste er es anders versuchen.

Er hatte die Gardinen des Wohnzimmerfensters abgehängt und sämtliche Topfpflanzen beiseitegeräumt, um sich freien Blick auf die Straße zu verschaffen. Dann hatte er einen seiner beiden Lesesessel zum Fenster gerückt, und seither saß er da, das Telefon in Griffweite, beobachtete und wartete.

Er hasste es zu warten, aber gleichzeitig half es ihm, seine maßlose Wut auf die Frau zu bändigen, die sich Jana nannte. Noch schwerer fiel es ihm jedoch, Julias Bild aus dem Kopf zu bekommen. Den flehenden Blick in ihren Augen, als sie ihn gebeten hatte, sie zu erlösen.

Er musste sich beherrschen, sich auf seine professionellen Tugenden besinnen, musste Distanz gewinnen, damit sein Löffel lang genug war für das Essen mit diesem Teufel.

Nun beobachtete er alles, was vor dem Fenster vor sich ging, atmete langsam und gleichmäßig und suchte einen inneren Ruhepunkt.

Sie würde kommen und nachsehen, was er tat, dessen war er sich sicher. Erotomanie war eine obsessive Sucht, und darauf musste er jetzt bauen. Janas Wahn würde sie zwingen, seine Nähe zu suchen. Inzwischen genügten ihr die imaginären Begegnungen in ihrer Wahnwelt nicht mehr, wie ihm ihre Anrufe und die Beobachtung seines Hauses bestätigten. Es war wie bei einem Drogensüchtigen, der beständig die Dosis erhöhen musste, um die gewünschte Wirkung zu erzielen.

Nur hin und wieder eilten Passanten vor seinem Haus vorbei. Durch die Regenschleier, die unaufhörlich niedergingen, glichen sie grauen Schatten, die am Gartenzaun entlanghuschten. Jan sah einen Mann, dessen Namen er zwar nicht kannte, von dem er aber wusste, dass er zweimal täglich mit einer Dogge an seinem Haus vorbeikam. Über den Zaun hinweg war nur der Kopf des riesigen Hundes zu erkennen. Er war stehen geblieben und rührte sich nicht.

Jan fragte sich, ob das Tier spüren konnte, dass es beobachtet wurde. Wenn dem so war, würde auch Jana spüren können, dass er nach ihr Ausschau hielt? Hielt sie deswegen vielleicht sicheren Abstand zu seinem Haus? Wusste sie von Jans Zorn wegen dem, was sie Julia angetan hatte?

Der Mann zerrte ungeduldig an der Leine, während er Mühe hatte, dass ihm der Wind nicht seinen Regenschirm aus der Hand riss. Schließlich bewegte sich der Hund wieder. Er sah nicht zu Jan.

Er hat nichts gewittert.

Wenig später war die Straße wieder menschenleer. Nervös kaute Jan auf der Innenseite seiner Wange, wo sich inzwischen eine wunde Stelle gebildet hatte. Das Warten war zermürbend, aber er war sich sicher, dass Jana sich wieder melden würde.

Sie *musste* sich einfach wieder melden.

Stunden vergingen, begleitet vom Ticken der Wanduhr; doch Jan saß unbeirrbar da und hielt Ausschau.

Dann, als bereits die Dämmerung einsetzte, sah Jan eine schlanke Gestalt mit einer Kapuzenjacke, die die Seitenstraße entlanggelaufen kam. Es war eine Frau.

Sie hielt auf Jans Haus zu, bog in seine Straße ein und blieb abrupt vor dem Zaun stehen. Für einen kurzen Moment sah sie direkt zu Jan. Eine junge schlanke Frau mit wachsamen Augen. Einige verirrte Strähnen ihres blonden Haars waren unter der Kapuze herausgerutscht und klebten wie dünne Schlangen auf dem nassen Gesicht. Ein schönes, ebenmäßiges Gesicht.

Ihre Blicke schienen sich zu treffen, doch Jan wusste, dass das nicht sein konnte. Er saß im Dunkeln. Sie *konnte* ihn nicht sehen.

Dann bückte sie sich und verschwand hinter dem Zaun.

Jan schnellte aus dem Sessel hoch. Sein Puls raste. Er lief zur Haustür, riss sie auf und sah den Rücken der Frau auf der anderen Seite des Zauns.

Was, um alles in der Welt, tat sie da?

Jan atmete tief durch und ging auf sie zu. Als er die Gartentür öffnete, sah sie zu ihm auf.

»Jana?«

Sie erhob sich und musterte ihn.

»Ist das Ihr Haus?«

Er nickte.

»Dann ist das auch Ihr Gehweg«, stellte sie sachlich fest und deutete mit einem aufgeweichten Papiertaschentuch auf ihren Laufschuh. »Und Ihre Hundescheiße!«

Jan wusste nicht, ob er laut loslachen oder schreien sollte. Er war kurz davor durchzudrehen.

Eine Joggerin, die in die Hinterlassenschaften dieser dämlichen Dogge getreten ist. Verdammt! Ich werde paranoid. Nein, ich bin es schon!

»Wissen Sie, wie schwer das eklige Zeug wieder abzubekommen ist?« Die Joggerin warf ihm das Taschentuch vor die Füße und stemmte die Fäuste in die Hüften. »Halten Sie gefälligst Ihren Gehweg sauber. Jeder andere tut das auch.«

Jan stammelte eine kurze Entschuldigung und sah der Joggerin nach, die ihn einfach stehen ließ. Dann fuhr er herum, als er aus dem Inneren des Hauses das Telefon läuten hörte.

Sein Anrufbeantworter war so eingestellt, dass er sich nach dem fünften Klingelton zuschaltete. Jan schaffte es gerade noch rechtzeitig ins Haus.

»Hallo?«, keuchte er und vernahm gleich darauf das vertraute Rascheln.

»Hallo, Jan.«

Sie ist es! Ja, sie ist *es!*

»Hallo, Jana.«

Er ließ sich in den Sessel sinken und schloss die Augen, um sich auf jedes noch so schwache Geräusch im Hörer zu konzentrieren. Doch vorerst hörte er vor allem das Pochen seines eigenen Herzschlags in den Ohren.

Ruhig, ganz ruhig, redete er sich in Gedanken zu. *Mach*

jetzt keinen Fehler! Du musst sie dazu bringen, sich dir zu zeigen. Nur darum geht es!

»Es tut so gut, dich zu hören.« Ihre Stimme klang leise und rauer als sonst, vor allem aber konnte Jan die Niedergeschlagenheit hören, die in jedem ihrer Worte mitschwang. »Heute ist kein guter Tag für mich.«

Und deshalb erhöhst du die Dosis und rufst mich schon zum zweiten Mal an, dachte er. Das war sehr gut. Jetzt hatte er sie da, wo er sie haben wollte. Er war der Mann mit dem Stoff – nein, besser noch, *er selbst* war der Stoff, ohne den sie nicht mehr sein konnte.

»Warum war es kein guter Tag?«, fragte er. »Was ist geschehen?«

Die Augen noch immer geschlossen, lauschte er in die Stille am anderen Ende der Leitung. Doch da war nur ihr Atmen.

»Nichts«, sagte sie, und ihre Stimme klang verwirrt und abwesend. »Eigentlich nichts. Ab und zu habe ich eben solche Tage.«

Das passt zu deinem Krankheitsbild, dachte Jan und fühlte sich in seiner Ferndiagnose bestätigt. Heftige Stimmungsschwankungen, die zum Teil binnen kürzester Zeit auftreten konnten, waren bei Psychotikern nicht ungewöhnlich.

Sie seufzte. »Weißt du was? Der Mensch ist das einzige Wesen, das sich selber hassen kann.«

»Und du hasst dich jetzt?«

»Ja.«

»Weshalb?«

»Weil ich so bin, wie ich bin«, flüsterte sie. »Ich wäre so gerne anders. So wie alle anderen. Dann müsste ich mich nicht mehr verstecken. Ich könnte ein ganz normales Leben führen.«

Jan versuchte zu verstehen, was sie damit meinte.

236

Sprach sie von ihrer geistigen Störung, oder gab es da noch etwas anderes? War sie womöglich auf irgendeine Art entstellt und musste sich deshalb verstecken, weil sie den Spott und die Blicke ihrer Umwelt nicht ertragen konnte? Suchte sie deswegen einen Partner, für den sie schwärmen konnte, obwohl sie wusste, dass es nie mehr sein würde als eine Schwärmerei, weil sie sich einer *realen* Partnerschaft gar nicht gewachsen fühlte?

Vielleicht war es so. Vielleicht war viel zu viel in ihr zerstört, um sich auf das einlassen zu können, was sie unter einem »normalen Leben« verstand.

»Warum kannst du es nicht?«, fragte er. »Was hindert dich daran?«

»Das weißt du doch. Wir haben doch schon so oft darüber gesprochen.«

»Aber nie in der realen Welt«, sagte Jan und dachte: *Ich muss sie aus der Reserve locken. Ich muss sie dazu bringen, mir mehr über sich zu erzählen. Gib mir endlich einen Anhaltspunkt, wer du bist.*

»In der realen Welt haben wir auch noch nie über unseren Plan gesprochen«, fügte er hinzu.

»Wirklich nicht?«

»Nein.«

Sie kicherte, als sei ihre Depression von einem Moment zum anderen verschwunden. Und wahrscheinlich war es auch so. »Ich werde dir ein Geschenk machen. Eines, das du nie vergessen wirst.«

»Ist das dein Plan?«

Wieder das Kichern. »Willst du wissen, wie ich darauf gekommen bin?«

»Ja, aber lass uns zuerst über den Plan reden. Was hast du vor?«

»Also, es ist schon eine Weile her«, begann sie, ohne

auf seine Frage einzugehen, »da habe ich an der Schnellstraße zwei Eichhörnchen beobachtet. Ein Männchen und
ein Weibchen. Ich kann das zwar nicht unterscheiden, aber
ich bin mir trotzdem sicher, dass es ein Pärchen gewesen
ist. Das größere von beiden war tot, ich denke, es war das
Männchen. Sie hatten versucht, die Straße zu überqueren,
und ein Lastwagen hatte es überrollt. Das Weibchen saß
lange Zeit am Straßenrand und musste zusehen, wie sein
Partner wieder und wieder überfahren wurde. Es war so
traurig, Jan. Der Anblick hat mir fast das Herz zerrissen.
Und weißt du, was das Weibchen dann gemacht hat?«

»Nein, sag es mir.«

»Es ist auf die Straße gelaufen und hat sich ebenfalls
überfahren lassen«, sagte sie, und die Heiterkeit in ihren
Worten ließ Jan schaudern. »Es hat sein Leben geopfert,
um wieder bei seinem Liebsten zu sein. Ist das nicht wunderbar? Das ist die wahre Liebe, Jan. Nicht das, was man
uns in diesen Kitschromanen weismachen will. Es ist so
leicht gesagt, dass man jemanden liebt, aber kaum jemand
ist bereit, es auch wirklich zu beweisen. Mit allen Konsequenzen, meine ich.«

»Aber du bist bereit dazu?« Jan hielt den Hörer um-
krampft, dass ihm die Finger schmerzten. »Du willst mir
deine Liebe beweisen?«

»Ja, du wirst schon sehen.« Noch immer sprach sie mit
dieser heiteren Unbeschwertheit, die ihm eine Gänsehaut
über den Körper jagte.

»Und wann wird das sein?«

»Schon bald«, erwiderte sie im Tonfall eines kleinen
Mädchens, das kaum noch erwarten konnte, jemanden mit
etwas zu überraschen, das sie für etwas ganz Besonderes
hielt. Vielleicht mit etwas Selbstgebasteltem oder einem
weiteren Bild. *Oder mit etwas wesentlich Schlimmerem.*

»Warum nicht jetzt gleich, Jana?«

Das traf sie unvorbereitet. Jan konnte hören, wie sie die Luft anhielt.

»Aber ... ich kann doch nicht ...«, stieß sie schließlich hervor und stockte.

»Jana, bitte, ich möchte dich jetzt sehen«, sagte er und bemühte sich, dass sein flehentlicher Tonfall überzeugend klang. »Ich verspreche dir, alles zwischen uns wird *rein* bleiben. Ich möchte dich einfach nur *sehen*.«

Augenblicke des Schweigens. Jan bebte am ganzen Körper. Er hatte alles auf eine Karte gesetzt, war in die Offensive gegangen.

Stille.

»Ich weiß nicht«, sagte sie schließlich zögerlich. »Das wäre doch falsch, oder?«

»Nein, Jana, es wäre das schönste Geschenk, das du mir machen könntest.« *Und damit habe ich nicht einmal gelogen,* fügte er in Gedanken hinzu.

»Ehrlich?«

»Ja, ehrlich.«

»Und wir würden dann nichts tun, was unseren Plan gefährdet?«

»Du hast mein Wort.«

»Dein Ehrenwort?«

»Versprochen.«

Erneut schwieg sie, diesmal so lange, dass Jan befürchtete, sie habe das Telefon einfach fortgelegt. Dann raschelte es wieder, und Jan glaubte zu wissen, woher das Rascheln kam. Vor seinem geistigen Auge sah er, wie sie den Hörer gegen die Brust presste, während sie überlegte; und wie der Hörer dann über den Stoff strich, als sie ihn wieder ans Ohr hob.

Als er gleich darauf wieder ihren Atem vernahm, sah er

sich in seiner Vermutung bestätigt. Deshalb die tiefe Stille, wenn sie nicht sprach.

»Ich weiß nicht, ob ich das kann, Jan«, sagte sie ernst. »Es ist noch zu früh. Etwas fehlt noch, das spüre ich.«

Jan kam sich vor wie ein Angler, der im klaren Wasser erkennen konnte, wie der Fisch den Köder umschwamm. Und Jana war seinem Köder bereits sehr nahe gekommen. Nun musste er die Rute vorsichtig bewegen, damit der Köder zappelte und sie zum Zubeißen verleitete.

»Vielleicht täuscht dich dein Gefühl?«

»Schon möglich, aber ich weiß trotzdem nicht, ob es richtig wäre.«

»Jana, ich glaube nicht, dass noch etwas fehlt. Wir sind jetzt so weit miteinander gegangen, ist es da nicht endlich an der Zeit, uns in der wirklichen Welt in die Augen zu sehen?«

Wieder musste sie überlegen, ehe sie antwortete. »Ja, du hast bestimmt Recht. Ich habe nur ein wenig Angst davor. Ich bin es nicht gewöhnt, weißt du. So lange Zeit war ich allein, nur für mich. Nie hat es mir Glück gebracht, wenn ich mich anderen gezeigt habe. Sie schrecken alle vor meinem Äußeren zurück, ohne mein Inneres zu sehen.«

Es hat vor allem den anderen kein Glück gebracht, denen du dich gezeigt hast, dachte Jan. *Volker Nowak zum Beispiel. Und wie es scheint, hat es vor ihm schon andere gegeben, von denen ich nichts weiß. Wie viele, Jana? Wie viele sind es gewesen?*

»Jana, ich verspreche dir, mich nicht abzuwenden. Ehrenwort!«

Wieder zögerte sie. Sie hatte tatsächlich Angst. »Du willst es wirklich sehr, nicht wahr?«

»Ja, das will ich.«

»Ist es bei uns wirklich wahre Liebe, Jan? So wie bei diesen Eichhörnchen?«

Jan musste schlucken. Es kostete ihn einige Überwindung, aber schließlich konnte er es aussprechen. Der Gedanke an Julia machte es ihm leichter. »Ja, nur dass wir beide *leben* werden.«

Das hoffe ich zumindest.

Er hörte sie mehrmals tief durchatmen, als bereite sie sich vor, eine schwere Last zu schultern – oder von einer großen Höhe zu springen.

»Also gut. Ich werde zu dir kommen. Aber zuvor muss ich noch etwas erledigen.«

Jan fuhr zusammen. *Sie hat angebissen, ich fasse es nicht. Sie hat den Köder geschluckt!*

Doch während er noch triumphierte, meldete sich sein Argwohn zurück.

Etwas würde geschehen, das spürte er, auch wenn er keine Idee hatte, was es sein mochte.

»Jana, was heißt, *du musst noch etwas erledigen?*«

»Mach dir keine Sorgen, Jan«, sagte sie schnell. »Es hat nichts mit uns beiden zu tun, und es wird nicht lange dauern.«

Nicht weiter nachfragen, warnte ihn sein Verstand. *Sie hat angebissen, nur das zählt. Jetzt darf ich sie um Himmels willen nicht mehr vom Haken lassen.*

»Aber du wirst kommen?«

»Ja, das werde ich.«

»Gut, dann werde ich auf dich warten.«

Sie murmelte etwas, das Jan nicht verstehen konnte, dann fragte sie: »Du meinst es doch ehrlich mit mir?«

Wieder war sie das kleine Mädchen, schüchtern und ängstlich. Jan musste an Francos Vermutung über den Ursprung ihres Namens denken. Jana, die Zweiköpfige, die einerseits ein unschuldiges Mädchen und andererseits eine jähzornige Mörderin sein konnte.

»Ich meine es so ehrlich mit dir, wie du mit mir«, erwiderte er.

»Dann wird endlich alles gut werden«, flüsterte sie und legte auf.

41

Die Turmuhr schlug sechs, als Felix Thanner in die Kirche zurückkehrte. Nachdem der letzte Glockenschlag verklungen war, konnte er den Wind hören, der gegen die hohen Bleiglasfenster drückte und den Orgelpfeifen über ihm gespenstische vibrierende Laute entlockte.

Fröstelnd durchquerte er das Mittelschiff zum Beichtstuhl und presste eine Hand auf seinen rebellierenden Magen. Edith Badtke hatte ihm ein opulentes Abendessen aufgenötigt, und nun quälte ihn Sodbrennen. Ein sicheres Zeichen seiner Nervosität.

Sie mache sich Sorgen um ihn, hatte sie gesagt und ihn mit zäher Unnachgiebigkeit zum Essen aufgefordert. Er sei so mager und blass in letzter Zeit, hatte sie hinzugefügt, und überhaupt wirke er, als bedrücke ihn etwas. Ob sie ihm helfen könne?

Thanner hatte sie belogen und ihr versichert, dass alles in bester Ordnung sei. Nur eine Magenverstimmung, mehr nicht, hatte er diese Lüge zu entschärfen versucht. Dann hatte er die Unterhaltung auf die Themen des heutigen Tages gelenkt – das endlich reparierte Schloss der Seitentür, die morgige Beerdigung von Heinz Kröger und die nächste Kollekte –, doch seiner aufmerksamen Sekretärin hatte er nichts vormachen können. Auch wenn sie das Thema damit hatte ruhen lassen, war ihr dennoch anzusehen gewesen, dass sie ihm nicht glaubte.

Während ihres Gesprächs hatte sie ihn immer wieder auf eine Weise gemustert, die ihm unangenehm gewesen war. Fast war es ihm vorgekommen, als könne sie seine Gedanken erkennen, die sich unaufhörlich um die unbekannte Frau drehten. Umso erleichterter war er gewesen, als er sich schließlich zur Beichtstunde verabschieden konnte.

Sein erster Weg hatte ihn wieder auf die Empore geführt. Doch er hatte sich bereits darauf eingestellt, dass ihm der Monitor nichts weiter als die menschenleere Kirche zeigen würde. Und so war es auch gewesen.

Vielleicht hatte er die Frau ja verschreckt, als sie ihn gemeinsam mit Edith Badtke angetroffen hatte, überlegte er. Vielleicht glaubte sie, er würde trotz seiner Beteuerung gegen das Beichtgeheimnis verstoßen und seine Sekretärin ins Vertrauen ziehen. Möglich, dass sie deshalb nicht wiederkam. Wer konnte schon sagen, was im Gehirn einer Geisteskranken vor sich ging?

Aber vielleicht lag diese Befürchtung ja auch nur an seiner Ungeduld. Er konnte doch nicht erwarten, dass sie ihm sofort ins Bild laufen würde, nur weil er die Kamera aufgestellt hatte.

Als er den Beichtstuhl öffnete und in das Halbdunkel der Kabine trat, wichen all seine Gedanken und Befürchtungen einem allmächtigen Gefühl der Beklemmung. Es wurde beinahe unerträglich, als er sich auf die harte Bank setzte und die Tür schloss. Da war er wieder, dieser Geruch der Sünde, der ihm fast den Atmen nahm.

Nein, dachte er, *diese Frau* wird *wiederkommen. Sie wird es vielleicht nicht wollen, aber sie muss es.* Denn wenn *er* schon unter dem Wissen über ihre Tat litt und an nichts anderes

243

mehr denken konnte, wie musste es dann erst ihr, der Täterin, ergehen?

Sie würde zurückkommen, wenn die Last ihrer Sünde sie zu erdrücken drohte – so wie beim letzten Mal. Ja, sie würde kommen. Die Frage war nur, wann.

Es kam niemand. Thanner wartete in der Dunkelheit, und je länger er für sich war, desto nervöser wurde er und desto stärker wurde das Brennen in Magen und Kehle.

Ihn fror, doch gleichzeitig schwitzte er. Er musste an Frau Badtkes Worte denken und wusste, dass sie Recht gehabt hatte. Er war krank, und nach allem, was er in den letzten Tagen durchgemacht hatte, war das auch nicht verwunderlich. Er war noch nie von besonders kräftiger Konstitution gewesen. Als Kind, wenn in der Schule die Grippe umging, war er stets der Erste gewesen, den es erwischte, und auch später …

Das Klacken von Absätzen riss ihn aus seinen Erinnerungen. Schnelle Schritte durchquerten die Kirche und hallten von den Wänden des alten Gemäuers wider.

Thanner erstarrte in der Kabine. Seine Hände verkrampften sich um das Gebetsbuch auf seinem Schoß.

Sie ist es! Diese Schritte … Sie muss *es sein.*

Mit geweiteten Augen starrte er auf das Gitterfenster der Trennwand, als die Schritte vor dem Beichtstuhl innehielten. Eine Gestalt schob sich in die Nachbarkabine und schloss die Tür mit lautem Krachen.

»Hallo, Herr Pfarrer.«

Ihre Stimme klang völlig anders als bei ihrer letzten Begegnung. Da war keine Spur mehr von scheuer Demut. Nein, diesmal klang sie … *zornig*!

Er setzte zur Grußformel an, doch noch bevor er das erste Wort ausgesprochen hatte, hielt sie ihm etwas gegen die Tennwand entgegen.

»Was hat *das* zu bedeuten?«

Fassungslos starrte Felix Thanner auf das Objekt in ihrer Hand.

Die Kamera! O mein Gott, sie hat die Kamera entdeckt! Aber das kann doch gar nicht sein!

Er spürte, wie ihm das Blut in den Kopf schoss. Seine Hände begannen zu zittern.

»Aber wie …«, begann er, doch sie schnitt ihm das Wort ab.

»Die hast du meinetwegen aufgestellt! Hast du gedacht, du könntest mir eine Falle stellen?«

Thanner schluckte. Leugnen war nun zwecklos.

»Es war …«, begann Thanner, und seine Stimme war nur ein heiseres Krächzen, »es war keine böse Absicht. Glauben Sie mir bitte. Ich möchte Ihnen helfen.«

»Helfen? So so. Indem du mir nachspionierst?« Sie lachte höhnisch.

»Nein, ich …«

»Soll ich dir sagen, für was ich das halte? Du warst *neugierig*, Herr Pfarrer. Du wolltest wissen, wer ich bin. Weil du Angst hast wegen dem, was ich dir erzählt habe.«

»Ja«, sagte Thanner und nahm all seinen Mut zusammen. »Ja, ich habe Ihnen nachspioniert. Ich habe die Kamera Ihretwegen aufgestellt, weil ich wissen wollte, wer Sie sind. Aber ich wollte Ihnen gewiss nicht schaden.«

»Ach nein?«

»Wie ich schon sagte, ich wollte Ihnen *helfen*, und das will ich nach wie vor«, entgegnete Thanner und war überrascht, wie selbstsicher er dabei klang. »Sie haben einen Menschen getötet und Gott dafür um Vergebung gebeten. Aber er kann Ihnen nur dann vergeben, wenn Sie sich stellen. Ich kann Ihnen dabei helfen und Sie auf diesem schweren Weg begleiten. Doch das geht nur, wenn Sie aufrichtig …«

»Wer sagt denn, dass Gott mir nicht schon längst vergeben hat?«, unterbrach sie ihn. »Er ist viel barmherziger als du und deinesgleichen in eurer maßlosen Selbstgerechtigkeit. Glaub mir, meine Bitte um Erlösung hat er längst erhört. Und er hat mich heute für meine Reue belohnt.«

»Nein, Sie irren sich«, widersprach ihr Thanner entschieden. »Sie gehen den falschen Weg.«

»*Du* irrst dich!«, zischte sie. »Du hast geglaubt, ich komme wieder, um dir weitere Sünden zu beichten und deiner Kamera vor die Linse zu laufen, damit du mich an die Polizei verraten kannst. Aber deswegen bin ich nicht gekommen. Diesmal bin ich deinetwegen hier.«

Reflexartig umklammerte Thanner das Gebetsbuch fester, wie einen Schild, mit dem er sich gegen einen Angreifer schützen konnte.

»Meinetwegen?« Er bemühte sich, das Zittern in seiner Stimme zu unterdrücken. »Warum denn meinetwegen?«

»Um dich zu warnen«, sagte sie langsam und bedrohlich. »Hör auf, mir nachzustellen. Du wirst niemandem erzählen, wer ich bin und was ich getan habe. Das wird für immer zwischen uns beiden bleiben. Es ist unser Geheimnis. Andernfalls brennst du im Höllenfeuer. Hast du das verstanden?«

»Von mir wird niemand etwas erfahren«, versicherte er ihr. »Aber ich hoffe dennoch, dass Sie meine Hilfe annehmen werden. Wenn nicht jetzt, dann vielleicht später. Ich bin jederzeit für Sie da.«

»Nein«, sagte sie leise. »Du kannst mir nicht helfen. In der realen Welt kann ich nur mir selbst helfen.«

»Glauben Sie mir, Sie täuschen sich«, beharrte Thanner. »Niemand ist vor Gott allein. Jedem kann geholfen werden.«

»Mir nicht«, widersprach sie ihm aufs Neue. »Und willst du wissen, warum?«

»Ja, sagen Sie es mir.«

»Ich *sage* es dir nicht«, flüsterte sie, »ich *zeige* es dir. Sieh genau hin.«

Mit diesen Worten näherte sie sich der Trennwand.

»Sieh her, du heiliger Mann, dann wirst du verstehen!«

Durch das Dunkel der Nachbarkabine sah Felix Thanner ihr Gesicht auf das Gitter zukommen. Anfangs noch schemenhaft, dann immer deutlicher.

Für einen irrwitzigen Augenblick glaubte er, er würde das weit offene Maul aus seinem Alptraum zu sehen bekommen. Spitze weiße Fänge unter dem blonden Haar. Sie würden das hölzerne Gitter zermalmen, ihn packen und für alle Ewigkeit in die Tiefen der Hölle reißen.

Doch was er schließlich zu sehen bekam, war schlimmer, als es seine Alpträume jemals sein konnten. Weitaus schlimmer.

»Komm mir nie wieder zu nahe, hörst du?«, sagte die Gestalt hinter dem Gitter. »Nie wieder!«

Schreiend sprang Felix Thanner auf, nur um gleich darauf zusammenzubrechen. Er krampfte und glaubte ersticken zu müssen, dann schwanden ihm die Sinne. Während er in die Düsternis der Ohnmacht entglitt, hörte er das Wesen davongehen.

42

Eine Viertelstunde nach dem Telefonat war alles vorbereitet. Jans Herz schlug schwer, als er in seinem Wohnzimmer stand und sich prüfend umsah.

Auf dem Couchtisch standen eine brennende Kerze, zwei Rotweingläser und eine Dekantierkaraffe, in die Jan eine Flasche Merlot gefüllt hatte.

Den Wein hatte er mit Diazepam aus einer der zahlreichen Musterpackungen in seiner Arzttasche versetzt. Die Dosis des Psychopharmakons hätte ausgereicht, um ein Pferd in Tiefschlaf zu versetzen. Im schlimmsten Fall – je nachdem, wie viel Wein diese Jana trinken würde – konnte er sie damit umbringen, warnte der Arzt in ihm. Je nach ihrer körperlichen Verfassung könnte sie einen Atemstillstand oder einen Herzkreislaufkollaps erleiden.

Doch der andere Jan – der Jan, der vor seiner gelähmten und verstümmelten Exkollegin gestanden und Volker Nowaks Leiche mit dem gebrochenen Hals gesehen hatte – reagierte auf diese Warnung nur mit einem Schulterzucken. Dann würde er eben den Notarzt rufen. Alles Weitere würde sich zeigen. Immerhin musste er sich schützen, bis er Janas Geständnis hatte und die Polizei verständigen konnte, und der Zweck heiligte bekanntlich die Mittel.

Und falls sie wider Erwarten keinen Wein trinken würde, hatte er sich noch auf weitere Weise abgesichert. Unter einem der Sofakissen lag eine Dose Pfefferspray. Nur für den Fall, dass Jana einen ihrer unberechenbaren Wutanfälle haben sollte. Sie hatte durch bloßen Körpereinsatz einen Mann getötet – wahrscheinlich sogar mehr als einen –, also war diese Vorsichtsmaßnahme keineswegs übertrieben. Zumindest gab ihm das Spray ein zusätzliches Gefühl der Sicherheit.

Er schaltete die Deckenlampe ein, und vor der großen Fensterscheibe wurde es schwarz. Statt der dunklen Regenszenerie auf der Straße war nun sein Spiegelbild zu sehen. Jan hatte sich umgezogen, trug eine Jeans und dazu ein Hemd und ein Sportsakko, in dessen Innentasche er ein Diktiergerät verborgen hatte. Sein gutes, altes Diktiergerät, das ihm schon einmal Glück gebracht hatte.

Hoffentlich auch dieses Mal.

Schließlich hatte er noch das holzige Aftershave aufgetragen, das Carla ihm geschenkt hatte. Sie hielt diesen Duft für ›äußerst maskulin‹, worüber sie sich beide köstlich amüsiert hatten, und heute würde es passen.

Immerhin habe ich ein Date, dachte er und lächelte seinem dunklen Spiegelbild finster zu.

Dann wandte er sich vom Fenster ab, griff wahllos ein Buch aus dem Regal neben dem Sofa und ließ sich nieder.

Nun saß er da wie auf einem hell erleuchteten Präsentierteller.

Komm, mein Fisch. Beiß an!

Geistesabwesend blätterte er in dem Buch. Es war die deutsche Erstausgabe von Goldings *Herr der Fliegen*, die noch aus dem Nachlass seines Vaters stammte. Jan überflog die Seiten, ohne zu erfassen, was er las. Alle seine Sinne waren auf die Eingangstür gerichtet, an der leise der Abendwind rüttelte.

Komm schon, Jana! Wo bleibst du?

Sie hatte gesagt, sie müsse noch etwas erledigen. Was hatte sie damit gemeint? Nun, vielleicht würde sie es ihm schon bald erzählen.

Jan stellte sich weiter lesend und wurde schließlich von der Stelle gefangen, an der Jack und Ralph über das Tier auf dem Feuerhügel diskutieren. Der aufbrausende Jack, der das Tier jagen und töten will, und der rationale Ralph, der es vorzieht, sich und die anderen Jungen in sicheren Abstand zu der unbekannten Gefahr zu bringen. Freuds Es und Ich im Kampf um die Oberhand.

Ebenso wie ich, dachte Jan. *Und nun bin ich Jack, der Jäger.*

In diesem Moment klingelte es an der Tür. Jan schreckte hoch, als habe man ihm einen Stromschlag versetzt.

Ruhig bleiben, ermahnte er sich. *Bleib ganz ruhig. Sei wachsam, und dir wird nichts geschehen.*

Er sammelte sich und hob das Buch vom Boden auf, das er vor Schreck hatte fallen lassen. Behutsam stellte er es ins Regal zurück, dann straffte er sich und ging zur Tür.

Als er nach der Klinke griff, kamen ihm Janas Worte wieder in den Sinn.

Nie hat es mir Glück gebracht, wenn ich mich anderen gezeigt habe. Sie schrecken alle vor meinem Äußeren zurück, ohne mein Inneres zu sehen.

Jan rief sich sein Versprechen in Erinnerung, sich nicht von ihr abzuwenden. Er durfte sich nicht erschrecken lassen.

Ganz gleich, was du jetzt sehen wirst, reiß dich zusammen. Vielleicht ist sie entstellt, vielleicht auch einfach nur fett und hässlich wie die Nacht. Das darf jetzt keine Rolle spielen.

Er schluckte, bemühte sich um ein freundliches Lächeln und öffnete die Tür.

Augenblicklich schoss ihm eine Gestalt entgegen und fiel ihm um den Hals.

»Überraschung!«

»Gott!«, stieß Jan erschrocken hervor, und sie ließ von ihm ab.

»Ein einfaches *Carla* hätte genügt«, grinste sie.

»Carla, was um alles in der Welt ...« Fassungslos sah er sie an. »Ich dachte, du kommst erst in ein paar Tagen zurück?«

»Ich hab's mir anders überlegt. Das darf ich, weil ich berühmt bin.« Sie lachte, wurde jedoch gleich wieder ernst. »Freust du dich denn nicht?«

»Ob ich mich ... Natürlich freue ich mich«, stammelte

Jan und sah sich auf der Straße um. Außer der dicken Katze, die auf dem Fußabstreifer seines Nachbarn lag und den Kopf zu ihnen wandte, war niemand zu sehen. »Es ist nur wirklich sehr überraschend.«

Scheinwerferlichter näherten sich, und gleich darauf erkannte Jan einen Kleinwagen.

»Was ist?«, fragte Carla. »Willst du mich hier draußen stehen lassen?«

Der Kleinwagen kam näher. Er fuhr durch eine Pfütze am Straßenrand. Wasser spritzte auf.

Jan blieb in der Tür stehen und versperrte Carla weiterhin den Weg. Wenn er sie jetzt ins Haus ließ, war es vorbei. Er würde ihr alles erklären und Carla dann verstecken müssen. Die Frage war, ob sie sich darauf einlassen würde – und selbst wenn sie es tat, reichte die Zeit dafür nicht. Jana war längst überfällig. Sie konnte jeden Moment hier auftauchen. Ja, vielleicht saß sie genau in diesem Moment in dem Wagen, der sich ihnen näherte.

»Was hältst du davon, wenn wir uns später in deiner Wohnung treffen?«, schlug er vor. »Ich bin vor lauter Arbeiten noch nicht zum Aufräumen gekommen. Da drin sieht es aus, als sei ein Sturm durchs Haus gefegt. Und du wirst dich nach der langen Fahrt bestimmt erst mal frischmachen wollen, nicht wahr?«

Sie sah ihn verwundert an. »He, was ist los mit dir? Es macht dir doch sonst nichts aus, wenn bei dir Chaos herrscht? Keine Angst, ich werde schon nicht aufräumen.«

Nun war der Kleinwagen auf ihrer Höhe angelangt, und Jan las den Aufdruck eines Autoverleihs. Mit pochendem Herzen versuchte er die Person am Steuer zu erkennen, doch es war zu dunkel. Dann hielt der Wagen.

Verdammt, schoss es ihm durch den Kopf. *Vielleicht ist jetzt alles zu spät, aber ich muss es trotzdem versuchen.*

»Carla, bitte. Ich habe hier noch zu tun. Ich erkläre es dir später, ja? Und ich werde uns eine gute Flasche Sekt organisieren. Dann feiern wir deine Rückkehr und reden.«

»Nein, kein Sekt.« Sie lächelte vielsagend. »Wenn schon, dann Champagner.«

»Natürlich, versprochen.«

Die Fahrertür des Wagens öffnete sich. Eine junge Frau stieg aus. Es war Corinna Faller, die vor einem halben Jahr zu ihrem Freund gezogen war. Dem Mietwagen nach zu urteilen, musste ihr alter Polo wohl den Geist aufgegeben haben. Sie sah kurz zu den beiden herüber und nickte grüßend.

Das ist definitiv nicht Jana, dachte Jan erleichtert und sah zu, wie Corinna durch den Regen lief und mit ihrer Katze im Haus verschwand.

»Na schön, du alter Geheimniskrämer«, seufzte Carla. »Ich sehe ein, dass ich gerade ungelegen komme. Aber mach nicht mehr so lange. Deine Arbeit läuft dir nicht weg. Und ich denke, wir haben etwas sehr Wichtiges zu besprechen, oder?«

»Ich komme, sobald ich hier fertig bin«, versprach er.

Sie küsste ihn. Ein langer, leidenschaftlicher Kuss, und plötzlich spürte er ihre Hand an seinem Schritt.

»Ich hab dich vermisst«, flüsterte sie ihm zu. »Beeil dich, dann findest du mich vielleicht noch in der Badewanne.«

Damit ließ sie von ihm ab und ging zu ihrem Wagen zurück. Sie warf ihm eine Kusshand zu, stieg ein und fuhr davon.

In den Wochen ihrer Trennung hätte Jan für einen Moment wie diesen viel gegeben. Er hatte so sehr darauf gehofft, dass Carla zu ihm zurückkehren würde, um mit ihm einen Neuanfang zu wagen. Nun kam er sich schäbig vor, sie einfach wieder weggeschickt zu haben.

Aber die Dinge hatten sich inzwischen geändert. Jetzt gab es eine Person, die ihn bedrohte – und die auch Carla bedrohen würde, wenn er nichts dagegen unternahm.

Noch einmal ließ er den Blick die Straße auf und ab schweifen. »Nun komm endlich«, flüsterte er. »Ich bin bereit.«

Dann ging er zurück ins Haus.

Er setzte sich wieder auf das Sofa, ertastete das Pfefferspray unter dem Kissen und wartete.

43

Statt auf den Mietwagen hätte Jan auf das andere Ende der Straße achten sollen, dann hätte er Jana im Licht der Scheinwerfer gesehen.

Mehr als eine Viertelstunde hatte sie dort gestanden und gezögert. Sie hatte sich unter einen freien Carport gestellt und Jans Haus durch die Regenschleier beobachtet – unschlüssig, ob sie seiner Einladung wirklich folgen sollte oder nicht.

In ihr hatte ein gewaltiges Durcheinander geherrscht. Einerseits hatte sie eine unbeschreibliche Freude empfunden, ihm nun endlich in der realen Welt gegenübertreten zu können. Sie hatte eigens dafür Blumen mitgebracht, die ihm sicherlich gefallen hätten – ein Strauß roter Tulpen, den sie aus einer der Vasen am Kircheneingang entwendet hatte –, und das Verlangen nach Jans Nähe war nahezu überwältigend gewesen.

Sie hatte sich vorgestellt, wie es sein würde, wenn sie zusammen waren – endlich *richtig* zusammen, nicht nur in der anderen Welt, in der es nichts Physisches gab – und es war eine wundervolle Vorstellung gewesen.

Doch andererseits hatte sie sich auch vor dieser Begegnung gefürchtet. Besonders vor Jans Reaktion, wenn er sie sah. Wenn er sie *erkannte*.

Aber gerade, als sie sich dazu entschlossen hatte, nicht zu kneifen, und es nur noch eine allerletzte Überwindung gekostet hätte, weiterzugehen und an seiner Tür zu klingeln, war *sie* gekommen.

Sie!

Das Miststück!

Diese dreckige Schlampe!

Ja, sie hatte genau gesehen, was diese Nutte getan hatte. Sie hatte ihn *geküsst*, und vor allem hatte sie ihn *angefasst*. Noch dazu an einer Stelle, die *unrein* war!

Mit Genugtuung hatte Jana gesehen, dass es ihm nicht recht gewesen war. Nein, mehr noch, er musste es förmlich *gehasst* haben. Er hatte sich davor *geekelt*, so wie sie.

Du bist einfach zu gut für diese Welt, mein Liebling. Statt nur vor ihr zurückzuweichen, hättest du sie anschreien sollen. Du hättest diesem verdorbenen Weibsstück in ihr verfluchtes Nuttengesicht schlagen sollen!

Es hatte so wehgetan, das ansehen zu müssen. Vor allem jetzt, wo er ihr sogar in der realen Welt seine Liebe gestanden hatte. Für Jana war es gewesen, als habe man ihr das Herz bei vollem Bewusstsein aus dem Leib gerissen. Ein Schmerz, den sie mit jeder Faser ihres Körpers spürte.

Leise weinend hatte sie beobachtet, wie das Miststück zurück zu ihrem Wagen gegangen und gleich darauf an ihr vorbeigefahren war. Diese Hure hatte sie nicht einmal wahrgenommen, und Jana hatte ihr nachgesehen und dabei die Tulpen mit beiden Händen zerdrückt, bis nur noch ein undefinierbares Knäuel aus Blättern, Blüten und Stängeln in ihren Fäusten zurückblieb.

»Nein«, flüsterte sie. »Nein, nein, nein.«

44

»Nein, Bobby.«

»Ey, was soll das?«

»Ich hab Nein gesagt, okay? Also pack das wieder weg.«

Er sah sie an und seufzte. Das hatte er fast schon befürchtet.

Sandra Straub war mit Sicherheit das schärfste Mädchen, das jemals auf seinem Beifahrersitz gesessen hatte, und Bobby, der mit richtigem Namen Robert Hennings hieß, kannte eine Menge Typen, die viel für ein Date mit ihr gegeben hätten.

Nur leider konnte sie auch ziemlich launisch sein. Und jetzt war es wohl mal wieder so weit. Gott, hätte sie nicht so wahnsinnig scharf ausgesehen, hätte er sie jetzt zum Teufel gejagt.

»Aber vorhin wolltest du doch noch?«, protestierte er.

So schnell würde er jetzt nicht aufgeben. Alles passte. Sie waren allein in seinem Wagen, die Chili Peppers spielten, und niemand sonst war auf dem Waldparkplatz.

»Na und? Jetzt will ich nicht mehr.«

»Warum denn nicht?«

»Ich hab's mir eben anders überlegt.«

»Ey, komm«, seufzte er. »Jetzt zick doch nicht rum.«

»Ich zick nicht rum«, fuhr sie ihn an.

»Dann sag mir wenigstens, warum du auf einmal nicht mehr willst.«

»Es ist eklig und schmeckt widerlich.«

»Woher willst du das denn wissen? Du hast es doch noch gar nicht probiert.«

»Mir reicht die Vorstellung, okay?«

Er sah sie von unten herauf an, genau auf die Art, auf die er bisher die meisten Mädchen herumbekommen hatte. Sein Verführerblick. »Jetzt komm schon, Sandy. Wirst sehen, das ist voll der Fun.«

»Bobby, ich hab Nein gesagt, und dabei bleibt's.«

»Mann, ich glaub's ja nicht«, stöhnte er. »Ich hab gedacht, wir chillen hier ein bisschen?«

»Das geht doch auch anders, oder?«

Sie wandte den Kopf ab und rieb die beschlagene Seitenscheibe frei.

»Hast wohl Angst, dass Mama und Papa was davon mitbekommen? Wären bestimmt ganz schön angefressen, wenn sie rauskriegen, dass das brave Töchterchen *kifft*, was?«

»Du kannst manchmal echt ein Arschloch sein.«

»Warum? Ich hab doch Recht, oder? Was würde denn der Herr Professor sagen, dass du hier mit mir abhängst, hm? Streicht er dir dann die Kohle fürs Studium?«

Sie funkelte ihn zornig an. »Leck mich, Bob! Ich hab echt keinen Bock mehr. Wenn du ein Nein nicht akzeptieren kannst, dann fahr mich jetzt heim.«

Er machte eine abwehrende Geste. »Ey, so war das nicht gemeint. Ich …«

Plötzlich fuhr sie herum und sah durch die regennasse Scheibe in die Dunkelheit hinaus.

»Was war das?«

»Was war was?«

»Da hat doch gerade jemand geschrien.«

»Ich hab nichts gehört.«

»Mach die scheiß Musik leiser.« Sie schnellte nach vorn und drehte den Lautstärkeregler zurück.

»He, was soll das werden, wenn's fertig …«

»Da! Schon wieder!«

Nun hörte auch er die Schreie. Zweifelsfrei eine Frau. Sie konnte nicht sehr weit von ihnen entfernt sein.

Er steckte den Joint in seine Jacke zurück, schnappte sich die Taschenlampe vom Armaturenbrett und leuchtete damit aus dem Seitenfenster. Außer dem Waldparkplatz war nichts zu erkennen, aber die Schreie der Frau waren deutlich zu hören. Hoch und langgezogen hallten sie durch das Dunkel.

»Fuck! Was geht denn da ab?«

Ängstlich sah Sandra ihn an. »Wir müssen ihr helfen!«

Auch das noch, dachte er. »Nee, ohne mich. Du glaubst doch nicht im Ernst, dass ich mitten in der Nacht in den beschissenen Wald renne?«

»Gib mir die Taschenlampe!«

»Sandy, jetzt lass doch mal. Du weißt doch gar nicht, was da hinten abgeht. Da werden zwei poppen, und wir …«

»Red keinen Quatsch. Das würde sich anders anhören.«

»Du musst's ja wissen.«

»Gib mir endlich die verdammte Taschenlampe, du Feigling!«

Er schluckte. Das hatte gesessen. »Also gut, ich komm mit.«

Er fasste an ihr vorbei zum Handschuhfach und nahm ein Lederbündel heraus. Als er es aufschlug, sah sie ihn mit großen Augen an.

»Was ist das?«

»Na, wonach sieht es wohl aus?«

Robert warf das Ledertuch auf den Rücksitz, hielt die Pistole ins Licht und lud sie durch. Vor zwei Jahren hatten ihm ein paar Typen aus der Nachbarschaft eine ziemlich üble Abreibung verpasst, und als er nach Monaten endlich wieder hatte laufen können, hatte er sich die Waffe organisiert. Noch einmal würde ihm das nicht passieren.

»O Mann, Bobby, mach bloß keinen Scheiß! Ist die echt?«

Er grinste sie an. »Wer hat jetzt Schiss, hm? Also, was ist? Kommst du mit oder nicht?«

Sie stiegen aus und gingen vorsichtig auf die Stelle zu, aus der die Schreie in unregelmäßigen Abständen zu hören waren. Und nun hörten sie noch etwas – Schläge. Als würde jemand auf Holz schlagen.

Um sie herum war es stockfinster, doch tiefer im Wald war ein Lichtkegel zu erkennen. Eine Taschenlampe schien dort zu liegen.

Robert blieb stehen. Er hielt seine Taschenlampe an den Lauf der Pistole und schwenkte sie suchend hin und her, wie er es schon hunderte Male in Filmen gesehen hatte. Er würde nicht schießen – zumindest nicht, wenn es nicht sein musste –, die Pistole enthielt ohnehin nur Platzpatronen, aber dennoch fühlte er sich in diesem Moment verdammt cool. Mit der Tour würde er Sandy auf alle Fälle rumbekommen.

»Hallo!«, rief er und versuchte, möglichst entschlossen zu klingen.

Sandra fuhr erschrocken zusammen und stellte sich hinter ihn.

»Hallo!«, rief Robert wieder. »Brauchen Sie Hilfe?«

Augenblicklich erlosch das Licht im Wald, und für einen Moment war es totenstill. Robert ging weiter. Nur das Schmatzen seiner Schuhe im nassen Boden und das schwere Rauschen der hohen Tannen, die im Wind wogten, waren zu hören.

»Warum sagt sie nichts mehr, Bobby?«, flüsterte Sandra und wischte sich die Regentropfen aus dem Gesicht. »Glaubst du, sie ist …«

Ein Schatten huschte durch den Lichtkegel. Sandra schrie auf, und auch Robert zuckte zurück. Die Gestalt verschwand sofort wieder im Unterholz. Hastige Schritte und das Rascheln von Sträuchern verhallten im Dunkel.

»Scheiße!«

Robert lief los und hielt auf die Stelle zu, von der die Gestalt losgerannt war.

»Bobby, warte! Lass mich hier nicht allein!«

Sandra lief ihm nach, stolperte über Wurzeln und durch Sträucher, und dann hörte sie Roberts erstaunten Ausruf: »Fuck! Was ist denn das?«

Sie hielt inne, zögerte und ging dann vorsichtig auf ihn zu.

»Ist sie da, Bobby? Ist sie …«

»Nein, aber sieh dir das mal an.«

Er hielt die Taschenlampe auf einen Baumstamm gerichtet. Der Stamm war zerkratzt und ein Teil der Rinde abgesprungen. Daneben lag ein dicker Ast auf dem von Tannennadeln bedeckten Boden. Er war völlig zerschunden, so als habe ihn jemand in unbändiger Wut immer wieder gegen den Baumstamm geschlagen.

Mit ungläubiger Miene fuhr sich Robert durchs Haar. »Das muss diese Verrückte gewesen sein.«

»Die aus der Zeitung?«

»Ja. Das müssen wir den Bullen melden.«

»Nein, Bobby! Keine Polizei! Meine Eltern bringen mich um.«

»Sandy, wenn es wirklich diese Frau war, dann muss man so etwas doch …«

»Hast du nicht kapiert?«, fuhr sie ihn an. »Was glaubst

du wohl, was wir für 'nen Stress bekommen? Die werden alles ganz genau wissen wollen. Und wenn sie die Pistole und den Stoff bei dir finden, ist erst recht die Hölle los.«

»Ja, stimmt.« Er nickte. »Ich dachte ja nur … Aber eigentlich ist ja auch gar nichts passiert.«

»Eben«, bestätigte sie ihn. »Hier hat eine Verrückte rumgetobt, und als wir gekommen sind, ist sie weggelaufen. Das ist alles. Außerdem wissen wir gar nicht, ob es wirklich die Frau aus der Zeitung gewesen ist. Es kann doch genauso gut irgendeine Patientin aus der Waldklinik gewesen sein.«

»Dann kannst du deinem Alten sagen, dass er besser auf seine Spinner aufpassen sollte.«

Noch einmal leuchtete Robert den Boden ab und betrachtete den zerfetzten Ast. Wer immer das gewesen war, musste mit einer erstaunlichen Kraft zu Werke gegangen sein.

Er ließ den Lichtkegel durch den Wald wandern. Die Verrückte war entweder davongelaufen oder hatte sich vor ihnen versteckt. So oder so, es war kein gutes Gefühl.

»Okay«, sagte er, »dann machen wir jetzt 'nen Abgang. Ist ganz schön unheimlich hier.«

»Ja, komm schon, Bobby. Lass uns endlich gehen. Die muss doch noch irgendwo hier sein. Ich spüre so etwas.«

»Hörst du sie irgendwo?«

»Nein.«

»Na, dann komm.«

So schnell es ihnen im Dunkeln möglich war, liefen sie zurück zum Wagen. Immer wieder sah Robert sich um und richtete die Pistole auf Gestalten, die sich gleich darauf als Baumstämme und Sträucher erwiesen. Mochte er wegen Sandra auch nach außen hin den harten Kerl geben, aber er fühlte sich erst wieder sicher, als er mit laut aufheulendem Motor vom Waldparkplatz fegte.

Aus einiger Entfernung sah Jana den beiden Jugendlichen nach. Sie kauerte hinter einem Busch, und ihr Atem ging noch immer stoßweise, teils vor Aufregung, vor allem aber wegen der irrsinnigen Wut, die in ihr tobte.

Es hatte nur wenig gebracht, sich den Hass aus dem Leib zu schreien. Sie hatte geglaubt, es würde sie erleichtern, doch genau das Gegenteil war der Fall gewesen. Ihr Zorn war nur noch gewachsen.

Vor allem aber war sie in ihrer blinden Raserei ein ziemliches Risiko eingegangen. Was wäre gewesen, wenn die beiden sie gestellt hätten? Der Junge hatte eine Waffe gehabt. Nicht auszudenken, wenn sie sich gezwungen gesehen hätte ...

Nein, daran durfte sie jetzt nicht denken. Es war vorbei, und sie hatte noch einmal Glück gehabt. Aber ab sofort durfte sie sich nicht mehr auf ihr Glück verlassen. Die Zeit war gekommen, endlich zu handeln. Immerhin war sie jetzt doch genau an dem Punkt angelangt, wo sie immer hinwollte.

Mein Plan, dachte sie. *Mein Plan! Das ist alles, was noch zählt! Nur werde ich ihn noch ein wenig ändern müssen.*

45

»Schon gut, schon gut, ich komme ja!«

Ludwig Hofmann drehte das Radio zurück, ertastete seine Filzpantoffeln mit den Zehenspitzen, schlüpfte hinein und stemmte sich mühsam aus dem Sessel. Gefolgt von seinem alten, schwarzen Labrador schlurfte er aus dem Nebenzimmer – das zugleich seine Wohnung war – und begab sich in die Rezeptionshalle.

Die goldenen Zeiten des Astoria waren längst vorüber. Mitte der sechziger Jahre war es eines der besten Hotels im Landkreis gewesen, doch seither hatte sich viel verändert. Das Viertel war heruntergekommen, die Gäste blieben fern, und auch der neu aufkommende Tourismus in der Fahlenberger Region hatte daran nichts ändern können.

Nun waren das ehemalige Restaurant und der große Ballsaal als Lagerräume an einen Teppichgroßhändler vermietet, und wenn doch einmal Gäste abstiegen, handelte es sich um Montagearbeiter oder Handelsvertreter auf der Suche nach einer billigen Übernachtungsmöglichkeit.

Hin und wieder kamen auch Gäste, die nur stundenweise ein Zimmer buchten. Anfangs hatte es Hofmann widerstrebt, aber er hatte dennoch nie Nein gesagt. Sollten diese Pärchen doch ihren Spaß haben, was ging es ihn an? Lange würde er das Hotel ohnehin nicht mehr halten können. Wäre seine Rente nicht so mickrig, hätte er schon längst dichtgemacht. Immerhin war er vierundsiebzig und aufgrund einer inoperablen Netzhautablösung fast völlig erblindet. Aber solange es noch irgendwie ging, würde er weitermachen.

Als er die Rezeption erreichte, erkannte er eine Frau. Mit dem wenigen Augenlicht, das ihm verblieben war, glaubte er, dass es eine Blondine im Regenmantel sein musste. Entgegen seiner ersten Vermutung roch sie jedoch nicht wie die meisten Frauen, die zu dieser späten Stunde bei ihm klingelten. Kein aufdringliches Parfüm, sondern der Geruch nach Regen und noch etwas.

Holz oder Moos, dachte Hofmann. *Ja, sie riecht wie nach einem Waldspaziergang.*

Doch das war ihm einerlei. Wichtiger war ihm, dass sie keinen Kerl im Schlepptau hatte. Dann blieb ihm hoffentlich Ärger erspart, den er bei Paaren stets befürchtete, wenn sie erst spätabends bei ihm auftauchten.

»Sie wünschen?«, fragte er.

Neben ihm erklang ein leises Knurren.

»Gib Ruhe, Othello!«

Der Hund verstummte.

»Ein Zimmer für zwei Nächte«, sagte die Frau.

Ihre Stimme klang rau und heiser, als sei sie erkältet. *Oder als habe sie sich die Seele aus dem Leib geschrien*, dachte Hofmann. Es wäre nicht das erste Mal, dass jemand nach einem heftigen Ehestreit bei ihm Zuflucht suchte. Und meistens waren es dann Frauen.

Hofmann nannte ihr den Preis und hörte daraufhin das Rascheln von Geldscheinen auf dem Tisch. Er hob die Scheine dicht vor die Augen, stellte fest, dass der Betrag stimmte, und reichte ihr den Zimmerschlüssel.

»Nummer neunzehn«, sagte er. Das war eins von den drei Zimmern, die bei diesem Wetter trocken blieben. Die beiden anderen hatte er noch nicht aufgeräumt. »Falls Sie Gepäck haben, es gibt auch einen Hinterausgang zum Parkplatz im Hof. Dann müssen Sie nicht so weit durch den Regen. Der Schlüssel passt auch dort. Frühstück kann ich nicht anbieten, aber zwei Straßen weiter ist ein günstiges Café.«

»Gut«, sagte die Frau, und wieder begann Othello zu knurren. »Ihr Hund scheint mich nicht zu mögen.«

»Ach, das müssen Sie ihm nachsehen. Er ist Fremden gegenüber immer ein wenig skeptisch«, log Hofmann.

Er konnte ihr ja schlecht sagen, dass Othello nur auf

wenige Leute mit Knurren reagierte. Das Tier hatte einen guten Instinkt für Menschen, und mit dieser Frau schien irgendetwas nicht zu stimmen. Auch Hofmann konnte das spüren. In ihrer Nähe kam es ihm vor, als stünde er dicht neben einem Strommast. Sie schien mit Aggression geradezu aufgeladen zu sein, auch wenn sie es in ihrer Stimme zu verbergen versuchte. Allein schon die Art, mit der sie ihm das Geld auf den Tresen gelegt hatte, war vielsagend gewesen.

Hätte nur noch gefehlt, dass du mit der flachen Hand draufgeschlagen hättest. Wahrscheinlich sind bei dir zu Hause vorhin noch die Fetzen geflogen, dachte er, ließ es sich jedoch nicht anmerken. Was ging es ihn an? Hauptsache, sie zahlte anstandslos und bar.

»Na, dann wünsche ich Ihnen eine gute Nacht, Frau …«

»Weller«, entgegnete sie. »Carla Weller.«

TEIL 3

LEIDENSCHAFT

*»Er schrie in einem Flüstern einem Bild, einem Gesicht zu –
schrie es zweimal, wenn es auch kaum lauter klang als ein Hauch:
›Das Grauen! Das Grauen!‹«*

»Herz der Finsternis« JOSEPH CONRAD

46

Als Carla erwachte und neben sich tastete, fand sie die zweite Betthälfte leer vor. Die Decke war zurückgeschlagen und die Matratze kalt.

Verschlafen blinzelte sie zum Wecker und stellte überrascht fest, dass bereits später Vormittag war. Himmel, sie hatte wie eine Tote geschlafen und nicht einmal gehört, als Jan gegangen war.

In der Küche fand sie eine Kanne Kaffee und eine Notiz vor. Jan bedankte sich für letzte Nacht und freute sich auf den heutigen Abend.

Sie setzte sich an den Küchentisch und betrachtete nachdenklich seine Nachricht. An anderen Tagen hätte sie sich darüber gefreut – und ganz besonders jetzt, wo ihre Beziehung eine neue Qualität für sie beide zu bekommen schien –, doch diese Notiz las sich so eilig und beiläufig hingeschrieben, als sei er in Gedanken ganz woanders gewesen.

Irgendetwas bedrückte ihn, das spürte sie deutlich, und es musste etwas sein, das nichts mit ihnen beiden zu tun hatte. Als sie ihn gestern Nacht danach gefragt hatte, war er ihr ausgewichen. Er hatte von einem schwierigen Fall gesprochen, zu dem er Nachforschungen hatte anstellen müssen, weswegen er auch erst so spät hatte nachkommen können. Doch Carla hatte den Eindruck, dass dies – wenn überhaupt – nur ein Teil der Wahrheit war.

Für einen kurzen Moment kam ihr der Gedanke, Jan könnte in ihrer Abwesenheit eine andere kennengelernt haben. Doch sie verwarf ihn sofort wieder. Kurz nachdem er gestern zu ihr gekommen war, hatten sie sich so innig geliebt wie schon lange nicht mehr. Da war so viel Leidenschaft in seinen Berührungen gewesen, mehr noch als in ihrer Anfangszeit, die ihr wie ein Glücksrausch erschienen war. Das hätte er nicht getan, wenn es eine andere gegeben hätte. Nicht der Jan Forstner, den sie kannte.

Es musste etwas anderes sein. Möglicherweise Probleme mit der neuen Jugendstation, für die er sich so sehr einsetzte? Gestern war ihr nicht mehr nach Reden zumute gewesen – nicht, nachdem sie eine halbe Flasche Wein getrunken hatte, bis er endlich aufgetaucht war. Sie hatte einfach nur seine Gegenwart genießen wollen, nachdem ihr in der Zeit ihrer Trennung klargeworden war, wie sehr sie ihn brauchte. Das hatte sie nicht durch Reden zerstören wollen. Aber heute Abend würde sie ihn fragen. Und vielleicht würde sie ihm dann von ihrem neuen Buchprojekt erzählen, für das ihr ein Verleger eine unverschämt hohe Summe angeboten hatte. Ein Projekt, das auch Jan gefallen würde, dessen war sie sich sicher.

Es klingelte an der Tür. Carla ging zur Gegensprechanlage, wo sich die Stimme einer Frau meldete.

»Hallo? Frau Weller? Man hat mir gesagt, dass der rote Mini Cooper in der Tiefgarage Ihnen gehört. Ist das richtig?«

»Ja, warum?«, fragte Carla. Die Ankündigung verhieß nichts Gutes.

»Es ist mir schrecklich unangenehm, aber ich habe beim Ausparken leider Ihr Auto gerammt. Die Parklücke war so eng, und ich hab wohl den Abstand falsch eingeschätzt.«

Carla verdrehte die Augen. Die Parklücke war *eng*? Die Tiefgarage ihrer Wohnanlage war so großzügig geplant, dass man einen Kleinlaster darin hätte einparken können, wenn es nötig gewesen wäre. Sofern man einparken *konnte.*

»Au weia«, seufzte sie. »Warten Sie kurz. Ich komme runter.«

Hastig zog sie sich etwas über, steckte ihr Handy ein, um notfalls die Polizei zu rufen, falls es Ärger gab, und fuhr mit dem Fahrstuhl nach unten. Sie hoffte, es würde nur eine Delle sein. Ihr Cabrio war zwar nicht mehr das neueste Modell, aber sie hing an ihm.

Als sich die Tür des Aufzugs öffnete, fand sie die Tiefgarage verlassen vor.

Na prima. Wahrscheinlich wartet diese Fahrkünstlerin jetzt an der Haustür auf mich.

Sie ging zu ihrem Mini, dessen Rot im Licht der Neonleuchten schimmerte. Neben ihr parkte nur der dunkle Kombi ihres Etagennachbarn. Die Parklücke auf der anderen Seite war frei. Diese Frau würde jetzt doch nicht kalte Füße bekommen haben und einfach abgehauen sein? Warum hätte sie sich dann vorher noch bei ihr melden sollen?

Als sie ihren Wagen genauer inspizierte, stellt Carla allerdings verwundert fest, dass sie nirgendwo eine Delle erkennen konnte. Sie kniete sich hin und sah genauer nach. Nein, da war nicht der geringste Kratzer.

»Also, ich weiß ja nicht, wen du angefahren hast, Schätzchen«, murmelte sie, »aber mein Auto war's nicht.«

In dem Moment, als sie sich wieder erhob, huschte ein Schatten hinter dem Kombi hervor, ergriff sie und schmetterte sie vornüber auf die Motorhaube. Es ging so schnell, dass Carla keine Zeit für eine Reaktion blieb. Noch bevor sie wusste, wie ihr geschah, spürte sie einen Einstich im Hals.

Carla stieß einen Schrei aus und versuchte sich gegen die Person zu wehren. Wieder und wieder schlug sie hinter sich. Doch wer immer es auch war, er war stärker und presste sie unbarmherzig auf das kalte Blech.

Als sich alles um sie herum zu drehen begann, gab Carla schließlich auf und fiel in ein allumfassendes Nichts.

47

Die Glocke der Friedhofskapelle schlug ein Uhr. Jan stand etwas abseits der Trauernden. Es schien ihm, als sei die halbe Stadt zu Heinz Krögers Beerdigung gekommen, um vom ehemaligen Leiter der Fahlenberger Polizei Abschied zu nehmen. Dicht gedrängt standen die Menschen zwischen den Grabreihen und hörten den Trauerrednern zu.

Jan hatte eine Stelle gewählt, die ihm einen einigermaßen guten Überblick über die Trauergäste ermöglichte. Leicht war es nicht, einzelne Gesichter in der Menge auszumachen, denn die unzähligen Regenschirme behinderten die Sicht.

Felix Thanner stand neben dem Grab und verlas den Nachruf, während zwei Ministranten ihn mit Schirmen vor dem Regen zu schützen versuchten. Er sah müde und ungesund aus, fand Jan. Er konnte sehen, wie der Pfarrer zitterte, und sein Gesicht war bleich wie ein Leichentuch.

Jan ließ den Blick weiter durch die Reihen schweifen, bis er schließlich Rutger Stark entdeckte. Der Hauptkommissar stand neben Krögers Witwe und hatte einen Arm um die weinende Frau gelegt.

Jan hatte nicht gewusst, dass Stark den Krögers so nahegestanden hatte. Umso besser, dachte er. Kröger und Jan hatten sich immer gut verstanden, vor allem nach den Ereignissen im vergangenen Winter. Kröger war ein bodenständiger und aufrichtiger Mensch gewesen, und wenn er Stark vertraut hatte, würde es auch für Jan einfacher sein, mit ihm über Jana zu reden – und er würde mit dem Polizisten reden müssen, noch heute, das hatte Jan sich in dieser Nacht vorgenommen, während er schlaflos neben Carla gelegen und grübelnd die Schlafzimmerdecke angestarrt hatte.

Jana war nicht zu ihrem Treffen erschienen. Er hatte gestern Abend noch zwei Stunden auf sie gewartet und es dann aufgegeben. Sie musste Carla und ihn gesehen haben, eine andere Erklärung gab es für ihn nicht. Und womöglich hatte er Carla damit in Gefahr gebracht.

Zwar hatte Jana sich nicht bei ihm gemeldet, und sie hatte ihm auch nicht gedroht, wie sie es bei Julia getan hatte, aber das Risiko wurde ihm nun einfach zu groß. Er allein war dieser Verrückten nicht gewachsen, das sah er nun ein.

Also war er an diesem Morgen zuerst zu seinem Haus gefahren. Er wollte sehen, ob es neue Botschaften von Jana gab. Ein weiteres Bild vielleicht, das ihm als zusätzlicher Beweis bei seinem Gespräch mit Stark hätte dienen können. Oder, was noch besser gewesen wäre, Janas Stimme auf seinem Anrufbeantworter. Doch weder dort noch im Briefkasten hatte er ein Zeichen von ihr vorgefunden.

Diese Stille hatte ihn erst recht beunruhigt, so dass es ihm leichtgefallen war, die Nummer des Polizeireviers zu wählen und nach dem Hauptkommissar zu fragen. Dort hatte man ihm gesagt, dass Stark auf Krögers Beerdigung sei; und Jan war sofort zum Friedhof gefahren. Inzwischen war es ihm gleichgültig, dass er nur eine wirre Geschichte ohne jeden konkreten Beleg vorzuweisen hatte. Er brauchte Hilfe, um diesem Nervenkrieg endlich ein Ende setzen zu können.

Nachdem Felix Thanner seinen Segen über den Verstorbenen und die Trauernden ausgesprochen hatte, löste sich die Versammlung auf. Jan lief voraus zum Ausgang und wartete auf Stark.

Endlich sah er den Hauptkommissar, der sich von der Menge abgesondert hatte, um sich eine Zigarette anzustecken. Jan ging zu ihm, und Stark nickte ihm grüßend zu.

»Sie haben nicht zufällig Feuer für mich, Doktor?« Mit griesgrämiger Miene hielt er ein Plastikfeuerzeug hoch. »Diese Dinger lassen einen immer dann im Stich, wenn man sie am dringendsten braucht.«

»Nein, tut mir leid«, erwiderte Jan. »Haben Sie einen Moment Zeit für mich?«

»Natürlich. Würde es Ihnen etwas ausmachen, wenn wir zu dem Kerzenautomaten da drüben gehen? Vielleicht gibt es dort auch Streichhölzer.«

Sie gingen zu dem Automaten neben dem Gittertor, und Stark warf eine Münze ein. »Also, worum geht es?«

»Nun, ich …«, begann Jan. Doch er wurde vom Klingeln seines Handys unterbrochen. »Moment bitte«, entschuldigte er sich. »Das könnte die Klinik sein.«

Das Display meldete *Carla ruft an*, und Jan nahm den Anruf entgegen.

»Das würde ich nicht tun«, flüsterte eine Stimme. Jan erkannte sie sofort, und es durchlief ihn eiskalt. Jana klang bedrohlicher denn je.

Erschrocken sah er sich um. *Sie sieht mich! Sie ist hier!*

»Alles in Ordnung?«, wollte Stark wissen und zog ein Streichholzpäckchen aus dem Ausgabefach.

»Nein, das würde ich auf gar keinen Fall tun«, meldete sich Jana wieder. Jan wurde von einem Schwindel ergriffen.

Sie hat Carlas Handy. Ihr heißgeliebtes iPhone, ohne das sie nie aus dem Haus geht und das heute Morgen noch auf der Flurablage in ihrer Wohnung gelegen hat!

»Du weißt, was dieser Anruf bedeutet, Jan.« Noch nie zuvor hatte Janas Stimme kälter geklungen. »Also sag jetzt nichts Falsches, hörst du?«

Er nickte und brachte nur ein heiseres »Ja« zustande, während er weiterhin fieberhaft die Menschen beobachtete, die den Friedhof verließen. Doch keine der Frauen, die er sah, hielt sich ein Handy ans Ohr.

»Gut. Dann fahr jetzt in dein Büro. Ich melde mich wieder.« Gleich darauf war die Verbindung unterbrochen, und Jan starrte entgeistert sein Handy an.

»Dr. Forstner, was ist mit Ihnen?«

Stark sah ihn stirnrunzelnd an und blies den Rauch durch die Nase.

»Das war die Klinik«, log Jan und hoffte, dass es überzeugend klang.

»Etwas Ernstes?«

»Leider ja. Ich muss sofort los.«

»Warten Sie!«, rief Stark ihm nach. »Worüber wollten Sie denn mit mir sprechen?«

Doch Jan antwortete nicht. Von Panik erfüllt lief er zu seinem Wagen und fuhr, so schnell es ging, in die Waldklinik.

48

Anfangs war da nur dunkle Leere. Dann kehrten erste Erinnerungen zurück. Gedankenfetzen, die wie Betrunkene durch ihren Kopf wankten. Sie klangen wie das Echo ihrer eigenen Stimme.

Keine Kratzer.

Warten Sie kurz, ich komme runter.

Wer ist da?

Der dunkle Kombi.

Der Schatten.

Vor allem die Erinnerung an diesen Schatten beunruhigte sie, auch wenn sie nicht mehr wusste, warum. Irgendetwas war mit ihr geschehen, aber was?

Das Denken fiel ihr unendlich schwer. Jeder Gedanke kostete Kraft, die sie nicht hatte. Sie konnte nicht einmal ihre Augen öffnen. Ihre Lider gehorchten nicht. Sie waren schwer wie Blei.

Ich bin so müde.

Am liebsten wäre sie wieder davongedämmert, doch etwas hielt sie zurück. Ein warnender Instinkt, der ihr signalisierte, sie dürfe jetzt *auf gar keinen Fall* wieder einschlafen.

Etwas ist passiert, sagte dieser Instinkt. *Ich kann mich nicht erinnern, aber etwas muss mit mir passiert sein. Es muss mit diesem trockenen Geschmack in meinem Mund zu tun haben. Der Geschmack ist widerlich. Wie ... wie ... Leder.*

Sie wollte schlucken und stellte dabei fest, dass etwas in ihrem Mund steckte. Als sie es mit der Zunge betastete, fühlte es sich rund und hart an. Dann wurde ihr bewusst, dass dieses Ding nicht nur ihren Mund ausfüllte, vielmehr spannte es über ihr ganzes Gesicht und riss in ihren Mundwinkeln.

Irgendwo, ganz in ihrer Nähe, hörte sie das Summen einer Fliege. Und dann dämmerte sie doch wieder in das Dunkel zurück.

Jan eilte die Stufen des Stationsgebäudes hinauf und lief durch den Korridor auf sein Büro zu. Eine pummelige Schwester, die gerade aus dem Stationszimmer kam, sah ihn und stellte sich ihm in den Weg.

»Sind Sie Dr. Forstner?«

»Ja, warum?«

»Ich bin Schwester Marion von Station neun«, stellte sie sich ihm vor und machte keinerlei Anstalten, ihm aus dem Weg zu gehen. »Die Vertretung von Bettina.«

»Wieso, was ist denn mit Bettina?«, fragte Jan und sah ungeduldig an ihr vorbei zu seiner Bürotür. Hörte er dort drin das Telefon klingeln?

Nein, da ist nichts. Jana versucht, Zeit zu schinden. Diese Frau ist verrückt, aber sie ist auch berechnend. Dass ich Stark sprechen wollte, konnte sie nicht gewusst haben. Sie wird überlegen, was sie als Nächstes tun soll. Deswegen hat sie mich in die Klinik geschickt. Hier falle ich nicht auf und kann nichts unternehmen, außer auf ihre nächste Kontaktaufnahme zu warten.

Jana braucht Zeit. Aber für was? Für was?

Der Gedanke, dass sie Carla in ihrer Gewalt hatte, schnürte ihm die Kehle zu. Was hatte Jana nur vor?

»Dr. Forstner, hören Sie mir überhaupt zu?«

Verwirrt sah er die Schwester an. »Tut mir leid, was haben Sie gesagt?«

»Bettina hat sich krankgemeldet«, wiederholte Schwester Marion und sah Jan nachsichtig an. »Die Ärmste scheint sich eine ordentliche Erkältung eingefangen zu haben. Klang völlig heiser. Außerdem dachte ich, dass auch Sie krankgemeldet seien? So hatte man es mir gesagt. Geht es Ihnen denn wieder besser?«

»Ja, mir geht's bestens«, sagte Jan ungeduldig. »Entschuldigen Sie, aber ich muss jetzt wirklich ...«

Er wollte sich an ihr vorbeischieben, doch die Schwester hielt ihn zurück. »Herr Doktor, noch etwas.«

»Was denn?« Jan musste sich zusammennehmen, sie nicht anzufahren.

»Ihre Frau hat angerufen.«

Jan zuckte zusammen, als habe sie ihm ins Gesicht geschlagen. »Meine Frau?«

Schwester Marion nickte. »So hat sie sich jedenfalls gemeldet. Jana Forstner. Ist das nicht Ihre Frau?«

Jan ballte die Hände zu Fäusten. Er rang um Fassung. »Was wollte sie?«

»Das hat sie nicht gesagt. Aber ich soll Ihnen Grüße ausrichten und dass sie später noch einmal anrufen wird.«

Jan packte sie am Ärmel. »Wann später? Hat sie gesagt, wann sie anrufen wird?«

Mit konsternierter Miene wich Marion vor ihm zurück und streifte seine Hand ab. »Nein, sie sagte nur später. Das war vor ungefähr fünf Minuten. Aber wenn es so eilig ist, können Sie sie ja zurückrufen, oder?«

»Ja«, nickte Jan. »Natürlich, selbstverständlich ... Bitte entschuldigen Sie.«

Natürlich konnte er sie *nicht* zurückrufen. Carlas Handy war abgeschaltet. Auf dem Weg in die Klinik hatte er es mehrmals versucht und inständig gehofft, Jana würde rangehen. Doch er hatte immer nur Carlas Stimme zu hören bekommen, die ihn aufforderte, eine Nachricht zu hinterlassen und sich kurz zu fassen.

Er würde warten müssen. Und er durfte niemanden ins Vertrauen ziehen. Nicht, wenn er Carla nicht noch zusätzlich gefährden wollte. Ihm waren die Hände gebunden.

Janas Spiel ging weiter.

Hilfe!

Carla versuchte das Wort auszusprechen, doch es ging nicht. Das Ding in ihrem Mund hielt sie davon ab. Alles, was sie hervorbrachte, war ein unartikulierter Laut. Erneut versuchte sie, die Augen zu öffnen, und diesmal gelang es. Mühsam und träge, aber es gelang.

Der Raum war in rotes Licht getaucht. Er bewegte sich, so hektisch wie das Pochen ihres Herzens, drehte sich und zerfloss, sobald sie einen Punkt zu fixieren versuchte. Sie merkte, dass ihr von diesem Schwindelgefühl übel wurde, und der unerträgliche Geruch nach Staub, abgestandener Luft und Schimmel machte es noch schlimmer.

Sie wollte sich aufsetzen oder zumindest ein Bein auf den Boden stellen, um der Karussellfahrt ein Ende zu bereiten, doch etwas hielt sie zurück. Ihre Arme und Beine ließen sich nur ein kleines Stück bewegen.

Ihr erster klarer Gedanke war: *Ich bin gefesselt*. Der zweite: *Ich liege auf einem Bett.*

Sie hob den Kopf so weit es ging, und ganz allmählich legte sich das Schwindelgefühl. Ihre Umgebung wurde deutlicher. Carla erkannte einen Schrank, schwere Vorhänge mit einem altmodischen und ausgeblichenen Muster, an deren Seiten das Tageslicht einzudringen versuchte, eine Tür mit einem Notausgangsplan und einen Tisch, auf dem eine Lampe stand, verdeckt von einem roten Tuch.

Deshalb das rote Licht, dachte sie, aber ihr Denken war noch zu benebelt, um all diese Informationen in Zusammenhang zu bringen.

Kraftlos fiel ihr Kopf auf das Kissen zurück.

Mir ist so kalt.

Sie schloss die Augen und sah sich plötzlich auf einer

Klippe über einem endlos tiefen Abgrund stehen. Der Boden unter ihr hob und senkte sich, als sei er etwas Lebendiges. Sie fand keinen sicheren Stand, taumelte – und stürzte.

Das Fallgefühl riss sie schlagartig hoch. Ihr Puls jagte, und auf einmal war ihr Kopf wieder klar. Panisch realisierte sie ihre Situation.

Sie war an Händen und Füßen mit Handschellen an ein Bett gekettet. In einem Raum, der ein schäbiges Hotelzimmer sein musste. Sie war geknebelt. Und sie war nackt.

Carla wollte schreien, doch der kugelartige Lederknebel drohte sie zu ersticken. Verzweifelt rang sie nach Luft, während helle Flecken vor ihren tränenden Augen zu tanzen begannen. Sie bäumte sich auf, zerrte an ihren Fesseln, und das kalte Metall der Handschellen schnitt in ihre Gelenke.

Sie tobte, wollte sich losreißen, doch je hektischer sie sich bewegte, desto schlimmer wurde das Erstickungsgefühl.

Würgend gab sie auf, blieb still liegen und atmete stoßweise durch die Nase. Ein und aus, ein und aus, ein und aus.

Minuten vergingen, und irgendwann gelang es ihr, ihrer Panik Herr zu werden. Die Lichtflecken vor ihren Augen verschwanden, doch ihr Herz schlug noch immer wie wild.

Und dann hörte sie, wie die Tür geöffnet wurde.

51

Seit mehr als anderthalb Stunden war Jan in seinem kleinen Arztzimmer auf und ab getigert und hatte abwechselnd auf die Wanduhr und dann wieder auf das Telefon gestarrt. Einmal hatte seine Kollegin nach ihm gesehen, die ihn während seiner Krankheit vertrat. Als sie feststellte, dass Jan wieder im Dienst war, hatte sie sich erleichtert zurück auf ihre Station verabschiedet – und auch Jan war froh gewesen, das Büro wieder für sich zu haben, ohne lange Erklärungen für seine plötzliche Genesung finden zu müssen. Er hatte im Moment beileibe andere Sorgen.

Das Telefon hatte mehrmals geklingelt, und jedes Mal war Jan beinahe das Herz stehen geblieben. Doch es waren nur dienstliche Gespräche gewesen, und Jan hatte sie so schnell wie möglich beendet.

Der Sekundenzeiger der Uhr kroch im Zeitlupentempo über das Zifferblatt.

Melde dich endlich, du Miststück! Sag mir, was du vorhast!

Jan sah wieder zum Telefon.

In diesem Moment klingelte es, und Jan riss den Hörer von der Gabel. Es war Jana. Endlich!

»Hallo, Jan.«

»Wo ist Carla?«, schrie er in den Hörer. »Was hast du mit ihr gemacht?«

»Siehst du, Jan«, seufzte sie, »das habe ich mir gedacht. Du liebst mich, aber du hast dich noch nicht von ihr gelöst. Dabei ist sie doch nur eine Schlampe. Eine billige kleine Nutte, die …«

»Jana, bitte, sag mir, was du mit ihr gemacht hast!«

Jans Stimme überschlug sich und war mit Sicherheit bis nach draußen auf den Flur zu hören, aber das war ihm egal. Hätte Jana in diesem Moment vor ihm gestanden, hätte er die Wahrheit notfalls aus ihr herausgeprügelt.

»Also gut«, sagte sie, und ihre Stimme nahm einen leisen, hasserfüllten Tonfall an. »Wenn du wissen willst, was das Drecksluder tut, dann schau doch mal in dem alten Hotel am Stadtrand vorbei. Sieh dir an, was sie in Zimmer neunzehn treibt.«

Jan warf den Hörer auf den Schreibtisch und stürmte aus dem Büro. Auf dem Gang standen mehrere Schwestern und Patienten und sahen ihn. Sie mussten ihn schreien gehört haben. Ohne weiter auf ihre fragenden Blicke zu achten, rannte er an ihnen vorbei und wäre fast die Treppen zum Erdgeschoss hinabgestürzt.

Wenn du wissen willst, was das Drecksluder tut, echote Janas Stimme in seinem Kopf, und er glaubte, ihr gehässiges Grinsen bei diesen Worten vor sich zu sehen.

… in dem alten Hotel am Stadtrand …

Bitte, lieber Gott, lass mich nicht zu spät kommen!

52

»Da sind Sie ja! Ich habe Sie schon überall gesucht.«

Edith Badtkes Worte hallten in der Kirche wider, während sie durch den Mittelgang auf die vorderste Bankreihe zuging, in der Felix Thanner kniete.

Er trug noch immer sein Messgewand. Wahrscheinlich hatte er sich gleich nach der Beerdigung hierher zurückgezogen.

Als sie neben ihm stand, blickte der junge Pfarrer auf, und Edith Badtke erschrak. Seine Augen waren feucht und gerötet. Er hatte geweint. Edith Badtke setzte sich zu ihm auf die Bank und sah ihn bestürzt an.

»Mein Gott, Herr Pfarrer, was ist denn nur los mit Ihnen?«

Thanner presste die Lippen zusammen und rieb sich die Schultern, als sei ihm eiskalt. Sie ließ sich in die Bankreihe neben ihm sinken und sah ihn besorgt an.

»Wollen Sie mir nicht endlich sagen, was Sie bedrückt? Irgendetwas stimmt doch nicht, das sieht ja selbst ein Blinder. Ständig muss ich Sie zum Essen überreden, und Sie sehen aus, als hätten Sie schon ewig nicht mehr richtig geschlafen. Vorhin bei der Beerdigung hatte ich schon Sorge, dass Sie jeden Moment zusammenbrechen, und nun hat mich auch noch die Waldklinik angerufen, weil Sie nicht zur Seelsorgesprechstunde erschienen sind. So kann das doch nicht weitergehen.«

»Ich … ich kann nicht mehr«, flüsterte Thanner und schlug die Augen nieder. Wieder sah sie Tränen über sein Gesicht rinnen.

»Warum vertrauen Sie mir nicht einfach und sagen mir, was Sie so sehr belastet?«

»Weil ich es nicht darf«, sagte er leise.

»Dann sagen Sie mir wenigstens so viel, wie Sie sagen *dürfen*.«

Er hob den Kopf und sah sie an. »Wenn Sie die Möglichkeit hätten, Unheil zu verhindern, und wenn Sie gleichzeitig wüssten, dass Sie damit Ihr eigenes Seelenheil aufs Spiel setzten, was würden Sie dann tun?«

»Mein Seelenheil?« Sie sah ihn fragend an. »Wie meinen Sie das?«

»So, wie ich es sage. Sie würden alles verlieren, das Ihnen etwas bedeutet. Sie würden zur Hölle fahren, weil Sie eine schwere Sünde begehen müssten. Vielleicht sogar die schwerste von allen. Aber im Gegenzug würden Sie damit das Leben anderer retten.«

Sie sah ihn mit großen Augen an und nickte. Deutlicher musste Thanner nicht werden, denn nun verstand sie, welcher Gewissenskonflikt den jungen Pfarrer quälte. Er wusste etwas, das ihn innerlich zerfraß. Irgendjemand musste ihm in der Beichte etwas sehr, sehr Schlimmes anvertraut haben. Etwas, bei dem es um Leben und Tod ging. Warum sonst sollte er nicht darüber reden dürfen, wenn es nicht unter das Beichtgeheimnis fiel?

Nun begriff sie auch, weshalb er neulich sämtliche Termine abgesagt und den Bischof um eine Audienz gebeten hatte. Aber was sollte sie diesem armen Kerl nur raten, wenn ihm nicht einmal der Bischof hatte helfen können?

Am besten rätst du ihm, was du selbst an seiner Stelle tun würdest, sagte ihre innere Stimme. *Das, was dir der gesunde Menschenverstand gebietet.*

»Sehen Sie, ich bin nur eine kleine Pfarrangestellte«, sagte sie und zuckte mit den Schultern, »aber ich bin auch eine alte Frau, die schon viel erlebt hat. Deshalb frage ich mich, ob es denn wirklich eine so schwere Sünde wäre, wenn Sie mit jemandem darüber sprechen würden? Denn wenn es so ist, wie Sie sagen, könnten Sie vielleicht tatsächlich andere vor Unheil bewahren.«

Er nickte finster. »Ja sicher, aber nach dem Verständnis unserer Kirche wäre es dennoch eine Sünde. Eine sehr schwere sogar.«

Sie atmete tief durch.

»Tja, die Kirche«, sagte sie. »Ich will gewiss nichts Falsches sagen, Herr Pfarrer, aber die Kirche besteht doch auch nur aus Menschen. So sehe ich das wenigstens. Und warum sollte sich daher nicht auch die Kirche einmal irren?«

Felix Thanner stieß einen herzerweichenden Seufzer aus, in dem all seine Verzweiflung mitzuschwingen schien.

»Wissen Sie, Herr Pfarrer, ich kann mir einfach nicht vorstellen, dass Gott uns für etwas bestrafen sollte, das wir aus bester Absicht heraus tun. Vielleicht wäre das, was Sie vorhaben, tatsächlich eine Sünde, aber sie wäre doch gerechtfertigt, wenn Sie sie zum Wohle anderer begingen. Noch dazu, wenn es um ein Menschenleben geht, wie Sie sagen.«

Thanner rieb sich mit den Händen übers Gesicht. Er war aschfahl, und seine ohnehin schmalen Züge wirkten eingefallen.

»Sie haben ja Recht«, sagte er mit bebender Stimme. »Das Schlimme ist, dass ich mir dessen längst bewusst bin. Es fällt mir nur so entsetzlich schwer, der Wahrheit ins Gesicht zu sehen. Ich war bisher zu feige, das Richtige zu tun. Das liegt wohl daran, dass ich schon immer ein Feigling gewesen bin, schon als Kind. Dabei hätte ich bereits vor Jahren etwas unternehmen müssen. Dann wäre es gar nicht erst so weit gekommen.«

Auf einmal beschlich sie ein unheimliches Gefühl. Sprachen sie wirklich über dasselbe? »Wie soll ich das verstehen?«

»Ich bin dem Teufel begegnet«, sagte er, und seinem Blick war anzusehen, dass er es völlig ernst meinte.

Edith Badtke sah ihn erstaunt an. »Dem Teufel?«

Er nickte langsam. »Ja, und damit meine ich keine Metapher. Auch wenn Sie mich jetzt vielleicht für verrückt halten, aber ich bin fest davon überzeugt. Genauso wie ich weiß, dass es einen Gott gibt. Ich habe den Teufel in den Augen eines Menschen gesehen, aber aus Feigheit habe ich diese Erkenntnis ignoriert. Er hat es mir leichtgemacht, indem er mich ebenfalls ignoriert hat. Aber jetzt nicht mehr. Jetzt ist dieser Teufel erwachsen.«

Mit diesen Worten richtete er sich auf, ächzend wie ein alter Mann, der sich für einen letzten, schweren Gang wappnet.

Auch Edith Badtke erhob sich. Sie war beunruhigter denn je.

»Was wollen Sie jetzt tun?«, fragte sie vorsichtig.

»Einen schweren Fehler wiedergutmachen«, sagte er, und ihm war anzusehen, dass ihm dieser Gedanke eine Todesangst bereitete.

Zaghaft griff sie nach seiner Schulter und suchte seinen Blick. »Kann ich Ihnen irgendwie helfen?«

»Mit unserem Gespräch haben Sie mir schon mehr geholfen, als Sie ahnen«, sagte er und lächelte gequält. »Aber wenn Sie doch noch etwas für mich tun wollen, dann beten Sie für mich. Für meine Seele. Dafür, dass es noch nicht zu spät ist.«

Sie spürte eine Gänsehaut. Auf einmal schien es in der Kirche deutlich kälter geworden zu sein. »Wie meinen Sie das? Wofür soll es zu spät sein?«

Wieder lächelte er, doch es glich mehr einer ängstlichen Grimasse. Dann wandte er sich ab und ging davon.

53

Wie ein Wahnsinniger jagte Jan durch die Straßen, überfuhr eine rote Ampel und hätte um Haaresbreite einen Lastwagen gerammt, wenn dieser nicht in letzter Sekunde ausgewichen wäre. Begleitet vom Hupkonzert der anderen Verkehrsteilnehmer brauste er durch das ehemalige Arbeiterviertel, wich Passanten auf Zebrastreifen aus und riskierte Kopf und Kragen, als er trotz des Gegenverkehrs einen Sattelschlepper überholte. Doch es war ihm alles einerlei. Carla war in Gefahr. Er musste zu ihr, und jede Minute zählte.

Als er endlich das alte Astoria am Stadtrand erreicht

hatte, hielt er hinter einem tiefergelegten roten Sportwagen vor dem Eingang und stürmte in das Gebäude.

Der alte Mann hinter dem Anmeldepult fuhr erschrocken hoch. Neben ihm drang aus einem uralten Transistorradio leise Musik.

»Herrgott, Sie haben mich vielleicht …«

»Carla Weller«, schrie Jan ihn an. »Ist sie hier?«

»Wer sind Sie?«, fragte der Alte und kniff die Augen hinter einer brennglasdicken Brille zusammen.

Jan schlug mit der flachen Hand auf den Tresen. »Verdammt, welches Zimmer? Das ist ein Notfall!«

»N-Nummer neunzehn«, stammelte der Mann und zeigte zum Treppenaufgang. »Erster Stock und dann links. Der Aufzug funktioniert nicht.«

Jan hastete die Treppe hoch, nahm zwei Stufen auf einmal, stieß die Schwingtür zum Korridor auf und lief die Zimmernummern ab. Als er vor Nummer neunzehn angekommen war, hieb er mit der Faust gegen das Türblatt.

»Carla, bist du da drin? Ich bin's, Jan. Mach auf, Carla!«

Aus dem Inneren war die verblüffte Stimme eines Mannes zu hören, doch niemand öffnete.

»Aufmachen!«, brüllte Jan. »Machen Sie die verdammte Tür auf!«

»Wer ist da?« Wieder die Männerstimme.

»Sie sollen aufmachen, oder ich trete die Tür ein!«

»Sachte, sachte«, rief der Mann von drinnen. Er klang erschrocken und unsicher. »Ich kann alles erklären!«

Im selben Moment hörte Jan noch eine zweite Stimme. Sie stieß merkwürdig gedämpfte Laute aus, die wie ein Würgen klangen. Es war eine Frauenstimme.

Carlas Stimme!

Jan warf sich gegen die Tür, und als dies nichts bewirkte, versetzte er ihr einen Tritt. Schon beim zweiten Versuch splitterte das billige Furnierholz, und als Jan ein drittes Mal dagegentrat, flog die Tür auf.

Jan stürmte in das Zimmer und blieb im nächsten Moment wie angewurzelt stehen. Er spürte, wie ihn Schwindel ergriff. Er konnte nicht glauben, was er sah.

54

»Nun geben Sie schon Gas, Mann!«, fuhr Stark seinen jungen Kollegen an, woraufhin der Streifenpolizist zu einem waghalsigen Überholmanöver ansetzte.

Der Hauptkommissar hielt sich am Armaturenbrett fest und warf einen Blick zur Uhr, während der Streifenwagen mit heulender Sirene an einem Kleinlaster vorbeischoss. Seit Forstners Anruf waren bereits sechs Minuten vergangen. Der Psychiater hatte panisch geklungen. Stark konnte nur vermuten, dass es etwas mit dem zu tun hatte, was Forstner ihm nach der Beerdigung hatte erzählen wollen.

Die Frau, hatte Forstner ihm durch das Telefon zugerufen, *ich weiß, was sie als Nächstes vorhat.*

Stark hatte sich also nicht getäuscht, als er vermutete, dass der Psychiater in Eigenregie eine Spur verfolgte. Nun hoffte er, dass sie sich wenigstens als die richtige erwies. Alle Ermittlungen der letzten Tage hatten Stark und sein Team nur in Sackgassen geführt. Weder ein DNS-Abgleich am Tatort hinter Nowaks Haus noch die zweifelhaften Aussagen der Zeugen – von denen sich die meisten als Wichtigtuer, Belohnungsjäger oder ganz einfach als Spinner erwiesen – hatten sie weitergebracht.

Sie jagten ein Phantom, das ihnen keinerlei Rückschluss

auf ein Tatmotiv bot – außer der Tatsache, dass diese Frau wahnsinnig war. Stark hoffte inständig, dass Forstner tatsächlich etwas herausgefunden hatte, das sie weiterbringen würde.

Und dennoch war dem Hauptkommissar nicht wohl in seiner Haut. Am Telefon hatte Forstner nicht so geklungen, als wollte er ihm nur eine neue Tatverdächtige präsentieren. Es hatte eher so geklungen, als würden sie zu einem neuen Tatort gerufen.

55

Jan war wie gelähmt. Es war ein Alptraum. Ja, es musste ein Alptraum sein!

Das blutrote Licht, in das das Hotelzimmer getaucht war, der übelkeiterregende Geruch des muffigen Raumes, in den sich Aftershave, Adrenalin und Körperausdünstungen mischten.

Das träume ich nur. Gleich werde ich aufwachen und diese grausigen Bilder abschütteln. Ich werde aus dem Bett steigen, in die Küche gehen, und dort wird Carla schon auf mich warten. Wir werden Kaffee trinken, und wir werden über die Absurdität dieses Traumes lachen. Wir …

Nein, es ist kein *Traum,* widersprach ihm eine innere Stimme, die sich nicht durch die Macht des Schocks irritieren ließ. *Das hier ist wirklich. Carla ist wirklich. Das Bett, an dem sie mit gespreizten Armen und Beinen festgekettet ist, ist wirklich. Alles hier ist wirklich!*

Entsetzt starrte er auf Carla. Ihr Gesicht war von Tränen und Schleim verschmiert, ihre Augen so weit aufgerissen, dass sie fast aus den Höhlen traten. Der Lederknebel verzerrte ihren Mund zu einer grotesken Grimasse, als ob ihr die Todesangst ein hässliches Grinsen ins Gesicht geschnitten hätte. Ihr nackter Körper bebte und wand sich, die Brüste hoben und senkten sich wild, und Jan konnte ihr panisches Keuchen hören.

Dieses Keuchen war es, das ihn aus seiner Schockstarre riss und ihn die zweite Person im Raum realisieren ließ. Keinen Meter vom Bett entfernt stand ein langhaariger Mann, ungefähr eins achtzig groß, athletisch gebaut. Während Jan die Tür aufgebrochen hatte, musste er rasch seine Jeans übergestreift haben, sie war noch nicht zugeknöpft. Er starrte Jan ebenso erschrocken an wie dieser ihn.

»Dr. Forstner!«, keuchte er und nestelte hektisch an den Knöpfen seiner Jeans.

Jan brauchte noch einen weiteren Moment, bis er begriff, wen er vor sich hatte. Der Mann, der da vor ihm stand, war Mirko Davolic, sein Expatient, der Frauenschwarm, dem die Schwestern heimlich nachgesehen hatten. Der Mann, der da vor ihm stand, hatte gerade Carla vergewaltigt oder hatte es zumindest versucht.

Etwas in Jans Kopf schien zu explodieren. Mit wütendem Gebrüll schlug er Davolic mit der Faust ins Gesicht. Die Wucht riss den Kopf des Mannes zurück, und sein langes Haar flog auf, als wäre ihm ein heftiger Windstoß ins Gesicht gefahren. Er riss die Arme hoch und ging rückwärts zu Boden.

Jan stürzte sich auf ihn und schlug wie von Sinnen auf ihn ein.

»Was hast du mit ihr gemacht?«, hörte er sich brüllen. »Du krankes Arschloch!«

Davolic schien viel zu perplex, um sich zu wehren. Er stieß eine Reihe kurzer Schreie aus, hob die Hände und versuchte, sein Gesicht vor Jans Hieben zu schützen. Doch Jan traf ihn immer wieder.

»Sie hat es gewollt!«, schrie Davolic, während ihm Blut aus Mund und Nase spritzte. »Frag sie! Frag sie doch!«

Die Faust zum nächsten Schlag erhoben, hielt Jan inne. »Was? Was hat du gesagt?«

Davolic gab einen grunzenden Laut von sich, schluckte an seinem Blut und deutete mit einer zitternden Hand zum Tisch am Fenster. Jan folgte seinem Fingerzeig und glaubte seinen Augen nicht zu trauen. Aus einem Messing-aschenbecher, der im Lauf der Jahre Patina angesetzt hatte, ragten mehrere Geldscheine. Offensichtlich Hundert-Euro-Scheine.

»Sie *wollte* es«, wiederholte Davolic. Er schniefte, stieß Jan mit erschreckender Leichtigkeit beiseite und erhob sich. »Herrgott, sie hat mich dafür *bezahlt*, kapiert?«

Hilflos saß Jan auf dem staubigen Teppich und sah zu Davolic auf, der nun die Hose zuknöpfte und sich mit seinem T-Shirt über das blutige Gesicht rieb. »Das ist der neue Job, von dem ich Ihnen erzählt hab.«

Jan schüttelte sich. »Sie …«

»Ich ficke Frauen auf Bestellung, na und? Ihre Freundin hat mir dreihundert für den Scheiß hier geboten.«

»Das war nicht sie«, entgegnete Jan. Wie benommen zog er sich am Tisch hoch und taumelte zu Carla. Mit zitternden Händen löste er den Gurt ihres Knebels und warf ihn von sich.

»Es tut mir so leid«, flüsterte er und strich ihr übers Gesicht. »Das ist alles meine Schuld.«

Weinend drehte sie den Kopf zur Seite und starrte die Wand an.

Ein dunkles Knurren hinter ihm ließ Jan herumfahren. Ein schwarzer Labrador stand in der Tür. Als sich ihre

Blicke trafen, fletschte der Hund drohend die Zähne. Hinter ihm waren Schritte und Stimmen auf der Treppe zu vernehmen. Gleich darauf standen Hauptkommissar Stark und ein Streifenpolizist im Raum. Sie hatten ihre Waffen gezogen und richteten sie auf Mirko Davolic.

Der Schock über das, was sie in diesem Raum zu sehen bekamen, stand den beiden Männern deutlich ins Gesicht geschrieben.

56

Das Quietschen von Gummisohlen auf dem Gang schreckte Jan aus seinen Gedanken. Wie viel Zeit mochte inzwischen vergangen sein? Sein Körper fühlte sich steif und taub an. Es mussten Stunden gewesen sein, die er an Carlas Bett gesessen und ihre Hand gehalten hatte.

Immer wieder war sie zusammengezuckt, als hätten selbst die starken Beruhigungsmittel keine Chance, sie vor bösen Träumen zu bewahren. Träume, die sie Worte wie »Loslassen«, »Nein« und »Ich will nicht« murmeln ließen. Ein Murmeln, das in ihren Träumen Schreie sein mussten und das Jans hilflose Wut und sein Entsetzen weiter anfachte.

Erst jetzt, als das Morgenlicht durch die Jalousie des Krankenzimmers dämmerte, war ihr Schlaf ruhiger geworden. Hin und wieder hatte eine Nachtschwester zu ihnen hereingesehen. Sie hatte Jan im Flüsterton gefragt, ob er eine Decke wolle, doch er hatte nur den Kopf geschüttelt, weiter Carla angesehen und dem leisen Hämmern des Regens auf dem Fensterbrett gelauscht.

Als die Schwester nun zu ihm hereinkam, stand ihr der

müde und gleichzeitig erleichterte Ausdruck ins Gesicht geschrieben, den wohl die meisten Klinikangestellten nach einer Nachtschicht zeigen, wenn sie sich auf das Dienstende freuen.

»Dr. Forstner«, flüsterte sie ihm zu, »auf dem Gang ist jemand von der Polizei, der Sie sprechen möchte.«

Jan nickte nur und erhob sich. Behutsam ließ er Carlas Hand auf die Bettdecke gleiten, woraufhin sich Carla wie ein Embryo zusammenrollte und einen kaum hörbaren wimmernden Laut von sich gab. Er strich ihr sanft über das schweißnasse Haar und folgte dann der Schwester aus dem Zimmer.

Stark stand an die Wand gelehnt, die Hände in den Taschen seiner Jacke vergraben. Als er Jan sah, stieß er sich von der Wand ab und ging auf ihn zu. Im fahlen Licht, das durch das große Flurfenster hereinfiel, wirkte sein unrasiertes Gesicht wie eine zerknitterte Maske aus grauem Papier.

»Wie geht es Ihrer Hand?«, fragte er mit rauer Stimme und zeigte auf Jan.

»Meiner …?« Jan sah irritiert auf seinen Handrücken, auf dem sich die ersten Anzeichen von Blutergüssen um die Knöchel abzeichneten. Dann schüttelte er den Kopf. »Es ist nichts.«

»Sie haben es diesem Schrank ordentlich gezeigt«, sagte Stark, und es klang beinahe anerkennend. Dann bedachte er Jan mit einem erschöpften, aber eindringlichen Blick. »Tut mir leid, wenn ich Sie hier wegholen muss, aber ich denke, es ist an der Zeit, dass wir uns unterhalten. Die Fahlenberger Kollegen haben zwar einen erbarmungswürdigen Kaffee auf dem Revier, aber wenigstens ist er kräftig. Schätze, der würde Ihnen jetzt guttun.«

»Was ist mit Davolic?«

»Wir haben ihn heute Nacht ziemlich in die Zange genommen. Ist eine verworrene Angelegenheit.«

Eine Schwester kam mit einem Medikamentenwagen den Gang entlang, und Stark wich ihr aus.

»Kommen Sie«, sagte er, »darüber sollten wir besser an einem ungestörten Ort reden.«

Er machte eine einladende Geste, und Jan folgte ihm aus dem Klinikgebäude.

57

Es war ein eigenartiges Gefühl. Nein, eigentlich war es eher eine Mischung aus mehreren Gefühlen. Allem voran war da die freudige Aufregung, dass sie ihren Plan nun endlich umsetzen konnte. Sie hatte so lange darauf warten müssen. Aber da waren auch Unsicherheit und Zweifel und vor allem die Angst, etwas könnte im letzten Moment doch noch schiefgehen.

Natürlich war alles gut durchdacht und akribisch geplant – Jan und sie hatten sich so oft in ihrem dunklen Kellergefängnis darüber beraten –, aber dennoch war da diese unterschwellige Angst. Immerhin gab es nun kein Zurück mehr. Die erste Hürde war genommen. Nun kam der zweite und deutlich schwierigere Teil.

Reiß dich zusammen, forderte sie die Stimme in ihrem Kopf auf. Es war die Stimme ihres Vaters – kalt und hart, als spräche ein Eisblock zu ihr. *Du kennst keine Angst! Verstanden? Nur Heulsusen fürchten sich.*

Sie nickte, zuerst unsicher, dann bestimmt. Dann konzentrierte sie sich auf den Briefumschlag in ihren Händen. Die Idee war ihr gekommen, als sie vor Jans Haus gestanden hatte, und sie hielt es für einen großartigen Einfall. Dieser Brief würde ihr bei ihrem Plan als ein zusätzlicher Trumpf dienen. Nur für den Fall der Fälle.

Es war gar nicht so schwer gewesen, Jans Handschrift zu imitieren. Ein paar Schriftproben aus seinem Altpapiercontainer hatten ihr genügt, um sich einen Eindruck zu verschaffen. Er führte den Stift auf eine dezent geschwungene Weise, die eine romantische Ader verriet, aber dennoch wirkten die Buchstaben nicht verspielt. Jeder einzelne war klar und deutlich erkennbar, wie es für eine strukturierte Persönlichkeit typisch war. Selbst seine Unterschrift war leserlich, ganz im Gegenteil zu den hieroglyphenartigen Signaturen der anderen Ärzte, die sie so kannte. Es hatte nur wenig Übung gebraucht, und Janas Version war nicht mehr vom Original zu unterscheiden gewesen.

Beim Schreiben hatte sie Mozart gehört, was eine hervorragende Untermalung zum Schwung von Jans Schrift gewesen war, und natürlich hatte sie Handschuhe getragen. Dünnes Latex, das sie nicht einschränkte und dennoch keinerlei verräterische Spur hinterließ.

Auch jetzt trug sie diese Handschuhe, als sie im Schutz der Morgendämmerung auf das Haus zuging und den Umschlag in Carla Wellers Briefkasten schob.

58

Stark behielt Recht, was den Kaffee im Fahlenberger Polizeirevier betraf. Dennoch trank Jan zwei Tassen, während er erzählte, um gegen die Übermüdung anzukämpfen.

Je länger Jan sprach, desto ernster wurden Starks Züge. Der Polizist saß an Heinz Krögers ehemaligem Arbeitsplatz, nippte hin und wieder an seiner Tasse und lauschte Jan mit konzentriertem Blick.

»Ich muss bei dieser Sache ständig an die alte Frau Nowak denken«, schloss Jan seinen Bericht ab. »Fast scheint es, als ob diese Jana tatsächlich ein Gespenst wäre.«

Stark nickte und starrte gedankenversunken in seine Tasse. »Aus gutem Grund«, gab er schließlich zurück.

Jan sah ihn fragend an.

»Sehen Sie, Dr. Forstner, genau das ist unser Problem. Wir haben nach wie vor keinerlei Beweis für die Existenz dieser Jana.« Mit einer mechanischen Geste griff er in die Innentasche seines zerknitterten Sakkos und zog eine Packung Winston hervor. Als ihm klarwurde, was er tat, warf er einen missbilligenden Blick auf das Rauchverbotsschild am Eingang und steckte die Schachtel zurück.

»Ich will Ihnen ja gern glauben«, fuhr er fort, »aber dann haben wir gleich ein zweites Problem. Wenn ich Sie recht verstanden habe, handelt diese Frau aus einem Wahn heraus. Und sie hat Ihnen gegenüber behauptet, dass sie einen Plan verfolgt. Aber aufgrund ihrer geistigen Verwirrtheit werden wir die Logik dieses Plans wohl nicht nachvollziehen können. Sofern man in diesem Fall überhaupt von Logik sprechen kann.«

»Ich weiß nur, dass dieser Plan etwas mit mir zu tun haben muss«, erwiderte Jan. »Diese Frau leidet unter einem Liebeswahn, der sich auf mich bezieht. Jede andere Frau in meiner Nähe ist für sie eine Art Störfaktor, den es auszuschalten gilt. Wie bei einer krankhaften Form von Eifersucht.«

»Dann könnte womöglich der Plan dieser Frau sein, eine Beziehung mit Ihnen einzugehen?«

»Nein, das glaube ich nicht«, entgegnete Jan mit einem Kopfschütteln. »Sehen Sie, Erotomanen leben in einer Art Illusion. Deshalb bezieht sich ein Liebeswahn in erster Linie auf unerreichbare Personen. Denn käme es zu einer realen Beziehung, wäre ihre Wunschvorstellung gefährdet, und die steht bei dieser Krankheit über allem. Darüber hinaus ist Erotomanie in der Regel nur die Folge einer anderen, deutlich gravierenderen Störung. In Janas Fall vermute ich, dass es sich um eine halluzinatorische Schizophrenie handelt. Und wenn es so ist, fußt das, was sie als ›ihren Plan‹ bezeichnet, auf einem Wahnkonstrukt, das wir in der Tat nicht nachvollziehen können. Zumindest nicht, solange wir nicht ihren biografischen Hintergrund kennen.«

»Na schön«, brummte Stark und rieb sich das stoppelige Kinn. »Aber da ist noch etwas, das mir nicht einleuchten will. Wissen Sie, gestern wurde uns eine Frau gemeldet, die durch ihr, nun ja, auffälliges Verhalten die Aufmerksamkeit von Passanten erregt hat. Wir haben sie schließlich in einem Waldstück aufgetan und dann an einen Ihrer Kollegen übergeben. Die Frau hat nichts mit unserem Fall zu tun, ich frage mich nur: Warum ist diese Jana ganz offensichtlich bisher noch niemandem durch ihr Verhalten aufgefallen? Jana muss Sie doch beobachten. Folglich hält sie sich irgendwo in Ihrer Nähe auf, und sie ist offenkundig schwerst gestört. So jemand fällt doch auf, oder? Ist Ihnen denn wirklich niemand verdächtig erschienen?«

»Natürlich, aber bisher hat sich, wie gesagt, jeder Verdacht, den ich hatte, als haltlos erwiesen.«

»Oder Ihren Nachbarn?«

»Mein direkter Nachbar ist zurzeit verreist.«

Stark nahm einen weiteren Schluck kalten Kaffee.

»Aber das ist doch seltsam, finden Sie nicht?«, fuhr er fort. »Bis auf Nowak und seine Mutter, die dieser Jana auf dem Friedhof begegnet sind, scheint sie niemand gesehen zu haben. Doch wenn sie kein Gespenst ist – und Gott bewahre mich davor, dass ich jetzt noch anfange, an Gespenster zu glauben –, muss diese Frau doch auch ein Alltagsleben führen. Sie muss irgendwo wohnen, sich Lebensmittel besorgen und so weiter. Dabei würde so eine Gestörte doch auffallen.«

Mit einem Schulterzucken stellte Jan seine Tasse ab. »Ich kann es mir nur so erklären, dass sie eine solide Schutzidentität haben muss, mit der sie ihre Störung vor ihrem Umfeld zu verbergen gelernt hat. In der Psychiatrie bezeichnen wir das als Coping. Denken Sie nur an den Amokläufer, der bis zu seiner Tat völlig unauffällig bleibt und von dem sein Umfeld im Nachhinein behauptet, man hätte ihm das nie zugetraut, obwohl sicher ist, dass er über lange Zeit psychisch gestört gewesen sein muss. Er wusste es eben nur gut zu verbergen.

Auch Jana wird eine Maskerade benutzen, die ihre wahre Natur nach außen hin verbirgt. Wahrscheinlich hat sie schon sehr früh gelernt, sich anzupassen, und im Lauf der Zeit immer weitere Bewältigungsstrategien entwickelt, um nicht aufzufallen.«

»Sie meinen, diese Frau ist so eine Art gespaltene Persönlichkeit?«

Jan wiegte den Kopf. »Ja und nein. Inwieweit es derartige Dissoziationen tatsächlich gibt, ist noch immer umstritten. Fragen Sie zehn Kollegen, und jeder wird Ihnen eine andere Antwort geben. Ich denke, das liegt in der Natur einer solch komplexen Störung. Man kann sie nicht wirklich nachvollziehen. Allerdings wäre es denkbar, dass sie sich für gespalten *hält*. Sie nennt sich Jana. Wie sie mir zu verstehen gab, versucht sie, durch diesen Namen eine zusätzliche Gemeinsamkeit mit mir herzustellen, aber es könnte darüber hinaus auch eine Anspielung sein. Ein befreundeter Kollege hatte mich darauf gebracht. Jana könnte eine weibliche Form von Janus sein. Möglicherweise will sie damit auf ihre Zwiegespaltenheit hinweisen.«

Mit einem tiefen Seufzer lehnte sich Stark in seinem Stuhl zurück. »Offen gesagt, je mehr ich versuche, das alles zu verstehen, desto verworrener wird es.«

»Wir dürfen nicht den Fehler machen, ihren Wahn verstehen oder erklären zu wollen«, sagte Jan. »Glauben Sie mir, das ist in den meisten Fällen schlichtweg unmöglich.«

»Ich dachte immer, genau das sei die Aufgabe eines Psychiaters?«, warf Stark erstaunt ein.

»Nein, unsere Aufgabe ist eine andere. Wir ermitteln, welche *Auswirkungen* eine psychische Störung auf die Betroffenen hat, und versuchen, hinter die *Ursachen* zu kommen. Nur so können wir eine passende Therapie finden. Um nichts anderes geht es. Würde ich mich in jeden Wahn meiner Patienten hineindenken wollen, um ihn bis ins letzte Detail zu verstehen, könnte ich mich nach kurzer Zeit selbst einliefern lassen.«

»Das leuchtet mir ein«, sagte Stark und nickte nachdenklich. »Aber für einen Ermittler gibt es nun einmal nichts Schlimmeres, als das Motiv des Täters nicht zu kennen. Seit Tagen suchen wir vergeblich nach einer Spur, die uns weiterbringt, aber wir haben nichts, wo wir ansetzen könnten.«

Der Hauptkommissar lehnte sich auf die Tischplatte und sah Jan eindringlich an. »Hören Sie, Dr. Forstner. Ich will Ihnen ja glauben. Aber wenn man sich allein auf die Indizien stützt, müsste man davon ausgehen, dass der Anschlag auf Frau Weller gar kein Anschlag gewesen ist.«

»Wie meinen Sie das?«

»Nun ja«, Stark machte eine betretene Geste, »es gibt keinen Beweis, dass eine dritte Person in diesen Vorfall involviert gewesen ist. Der Hotelier hat bezeugt, dass Frau Weller selbst das Zimmer gebucht und bei ihm bezahlt hat.«

»Aber der Mann ist so gut wie blind«, warf Jan ein.

»Natürlich, das weiß ich, Dr. Forstner, und wahrscheinlich hat sich die Täterin genau das zunutze gemacht. Sie mag verrückt sein, aber dennoch weiß sie offenbar genau, was sie tut. Das bestätigt Ihre Theorie einer perfekten Tarnung. Aber auch wenn ich die Aussage des Hoteliers in Zweifel ziehe, gibt es noch die Bestätigung der Escort-Agentur, die Herrn Davolic in das Hotel geschickt hat. Dort versicherte man mir, dass eine Frau Carla Weller angerufen hat.«

Jan schüttelte energisch den Kopf. »Nein, nicht Carla, sondern Jana, die sich für sie ausgegeben hat!«

Stark rieb sich seufzend die Schläfen. »Die Vermutung liegt freilich nahe, aber wer auch immer es gewesen ist, die Anruferin hat Frau Wellers Handy benutzt. Das hat uns ihr Telefonanbieter bestätigt. Und das Handy haben wir in Frau Wellers Wagen vorgefunden. Es lag in ihrem Handschuhfach.«

»Jetzt machen Sie aber mal halblang«, fuhr Jan ihn an. »Carla soll dort angerufen und ihre Vergewaltigung bestellt haben? Das glauben Sie doch wohl nicht im Ernst?«

»Natürlich kann ich es mir auch nicht vorstellen, aber hier steht Aussage gegen Aussage.«

Jan rang um Beherrschung. »Herrgott, was soll denn das? Carla wurde vergewaltigt! So etwas bestellt man sich doch nicht wie eine Pizza.«

Stark atmete tief durch und sah vor sich auf die Tischplatte. »Ich habe gestern ein längeres Gespräch mit der Betreiberin dieser Agentur geführt. Glauben Sie mir, danach habe ich erst einmal an meinem gesunden Menschenverstand gezweifelt. Auch wenn sich das unglaublich anhört, aber angeblich werden solche ... na ja, diese Frau nannte es *Sonderwünsche*, häufiger geordert, als man sich vorstellen könnte. Davolic und noch so ein Kerl aus der Agentur haben sich sogar darauf spezialisiert. Rollenspiele, Vergewaltigungsfantasien, SM und all das Zeug. Damit sei gutes Geld zu machen.« Der Hauptkommissar sah zu Jan auf.

Ein Gefühl tiefster Verzweiflung nahm Jan fast den Atem. »Das glaube ich einfach nicht«, flüsterte er. »Es muss doch irgendeine Spur geben?«

Stark lehnte sich zurück und sah ihn mitfühlend an. »Leider nein. Nach der Indizienlage hat Frau Weller diesen Callboy und das Hotelzimmer selbst bestellt und ist auch selbst zu diesem Treffen gefahren. Bei den Handschellen und dem Knebel handelt es sich um Massenprodukte, die Sie in jedem Sexshop oder über das Internet ordern können. Und auch darauf haben wir keine fremden Fingerabdrücke finden können. Nur die Ihrer Lebensgefährtin und von Davolic.«

»Aber das ist doch Irrsinn! Carla ist in der Tiefgarage überfallen worden. Es muss einen Kampf gegeben haben.«

»In der Tiefgarage gibt es keine Überwachungskamera, und auch sonst haben wir nichts finden können, das auf einen Kampf oder dergleichen hingewiesen hätte.«

»Und die Injektion? Carla hat gesagt, dass ihr etwas gespritzt worden sei.«

»Dem sind wir nachgegangen. Es gibt zwar einen Einstich an ihrem Hals, aber laut Aussage des Arztes konnte in ihrem Blut kein Betäubungsmittel nachgewiesen werden.

Er meinte, wenn überhaupt, dann müsste es eine Substanz gewesen sein, die sehr schnell vom Körper abgebaut wird. Denkbar wäre ein Narkotikum wie GHB.«

»GHB wird vorrangig in der Geburtsanästhesie und bei Muskeltonuserkrankungen eingesetzt, und seit einiger Zeit verordnet man es auch Parkinson-Patienten. Vielleicht arbeitet Jana in einem Krankenhaus?«

»Schon möglich, nur leider Gottes ist das Zeug auch als K.o.-Tropfen sehr beliebt. Die bekommen Sie mittlerweile an jeder Straßenecke. Hören Sie, ich werde mich darum kümmern, aber im Moment kann ich Ihnen nichts versprechen.«

»Und was können wir jetzt tun?«

Wieder lehnte Stark sich zurück. »Wir werden weiterhin im Trüben fischen müssen«, sagte er, dann kehrte der eindringliche Ausdruck in seine Augen zurück. »Vor allem aber sollten Sie sofort damit aufhören, im Alleingang Detektiv zu spielen. Informieren Sie mich umgehend, sobald Sie etwas Auffälliges bemerken. Ich werde alles daransetzen, dass Sie Polizeischutz bekommen. Leicht wird es allerdings nicht werden bei der mangelhaften Beweislage. Richten Sie sich also darauf ein, dass es eine Weile dauern kann. Bis dahin rate ich Ihnen, gut auf sich und Frau Weller aufzupassen. Sie sind der Köder, Dr. Forstner. Vergessen Sie das nicht.«

59

Sie hatte gewusst, wo sie Jan finden würde, und das Schicksal hatte ihr genau an der richtigen Stelle einen freien Parkplatz beschert. Wieder eines der Zeichen, die der

Himmel für sie setzte. Nun wartete sie, Stunde um Stunde. Sie beobachtete Jans alten VW Golf auf dem regennassen Parkplatz des Klinikums, umkrampfte das Lenkrad und dachte nach.

Im Moment beschäftigte sie der Pfarrer am meisten. Er wurde zunehmend zum Problem, vor allem, weil sie ihn unterschätzt hatte. Denn Felix Thanner war heute bei ihr gewesen, was sie ziemlich überrascht hatte. So viel Mut hätte sie ihm gar nicht zugetraut. Ganz besonders nicht, seit er wusste, wer sie war.

Anfangs hatte er sich noch an die Regeln gehalten und sie nicht direkt auf das angesprochen, was er eigentlich von ihr wollte. Er hatte sich nach ihrem Befinden erkundigt und war einfach nur freundlich gewesen.

Er hatte es *im Guten* versucht. So hatte es ihre Mutter immer bezeichnet. *Rede mit den Leuten zuerst im Guten, wenn du etwas erreichen willst.* Das war ihre Devise gewesen.

Ihre Mutter hatte an das Gute im Menschen geglaubt. Was für ein verweichlichtes Gewäsch! Es gab nichts Gutes in der Welt. Wer sich darauf verließ, *war* verlassen. Die Wahrheit war, dass die Menschen böse waren und einen dazu trieben, Dinge zu tun, die man ein Leben lang bereuen musste. Diese bösartige, missgünstige und heuchlerische Welt, in der Habgier und Hass regierten, ließ einem einfach keine andere Wahl.

Ihre Mutter hatte das nie verstehen wollen. Dieses unterwürfige Weibchen, das für ein Dach über dem Kopf jegliche Selbstachtung aufgegeben hatte. Auch wenn Jana sie einst geliebt hatte, war sie doch im Grunde nichts anderes als eine billige Hure, die für ein warmes Essen die Beine breitmacht. Und irgendwann war von ihrer Mutter nur noch ein Schatten geblieben, was es jedem, der es darauf anlegte, leichtmachte, auf ihr herumzutrampeln. Sie hatte sich alles gefallen lassen, weil sie fest daran geglaubt hatte, dass sie eines Tages für ihre Unterwürfigkeit belohnt werden würde.

Und als dann alles aus dem Ruder gelaufen war, hatte Jana sie von ihrem verderblichen Irrglauben erlösen müssen. Jana hatte diese Tat als eine unabänderliche Notwendigkeit betrachtet, auch wenn es ihr nicht leichtgefallen war. Trotzdem war sie überzeugt, dass sie das Richtige getan hatte. In dieser Hinsicht gab es nichts, was sie hätte bereuen müssen.

Dieser Pfarrer erinnerte sie sehr an ihre Mutter. Auch er war ein weinerliches, verweichlichtes Bündel aus Ängsten. Verabscheuungswürdig. Ekelerregend. Sie hätte ihm am liebsten ins Gesicht gekotzt, als er sich mit ihr unterhalten wollte. Und als er irgendwann doch noch auf den Punkt gekommen war und an ihre Vernunft appelliert hatte, war es einfach nur grotesk gewesen.

Wenn er wüsste, warum sie ausgerechnet ihn für ihre Beichte ausgesucht hatte! Aber er hatte nichts geahnt. Sie hatte ihn perfekt getäuscht und ihm versprochen, noch einmal über alles nachzudenken. Es sei ein schwerer Schritt, sich zu stellen, hatte sie gesagt. Aber sie wisse freilich, dass sie nicht umhin kommen würde, sich der Konsequenz ihrer Taten zu stellen. Und auch wenn es anders gemeint gewesen war, als es für Thanner den Anschein hatte, hatte sie dennoch nicht gelogen.

Daraufhin hatte der Pfarrer erleichtert gewirkt und ihr nochmals seine Unterstützung angeboten. Als er dann endlich ging, hatte sie ihm versprochen, sich bei ihm zu melden.

Sie musste schmunzeln. Ja, er würde ihr helfen – aber nicht so, wie er dachte.

Ihr war klar, dass ihr jetzt nicht mehr viel Zeit blieb. Sie musste handeln, ehe dieser Weichling zusammenbrach und alles zunichtemachte. Lange würde er nicht mehr durchhalten, und dann würde er sie verraten, das hatte sie ihm angesehen. Er kam mit dem, was sie ihm anvertraut hatte, nicht zurecht. Schon allein die Tatsache, dass er sie besucht hatte, war ein deutliches Anzeichen dafür. Er war kurz davor, sein Schweigegelübde zu brechen.

Andererseits hatte sie ihn jetzt genau da, wo sie ihn haben wollte. Nun galt es nur noch, eine weitere Figur auf dem Spielbrett zu positionieren. Und dann, endlich, wären Jan und sie untrennbar vereint.

Ein Lächeln huschte über ihr Gesicht, als Jan nun endlich aus dem Gebäude kam. Das lange Warten im kalten Auto hatte sich gelohnt. Es war, als hätte er gespürt, wie sehr sie sich nach seinem Anblick sehnte. Mit gesenkten Schultern, den Blick vor sich auf den Boden gerichtet und die Hände in den Hosentaschen, kam er durch den Regen den Gehweg entlang.

Er war den ganzen Nachmittag bei dieser Carla in der Klinik gewesen. Das sah er wohl als seine Verpflichtung an. Wahrscheinlich plagten ihn Schuldgefühle, dass es keine andere Möglichkeit für sie beide gegeben hatte, dieses lästige Weibsstück aus dem Weg zu räumen.

Oder bedeutete Carla ihm vielleicht doch noch etwas? Wirkte er deshalb so niedergeschlagen?

Gleichgültig zuckte sie mit den Schultern. Es war egal, welche Rolle Carla noch für ihn spielte. Im Gegenteil, je mehr er für sie empfand, desto besser. Denn sollte ihr Plan wider Erwarten schiefgehen, würde ihr dies zusätzlich helfen, ihn für sich zu gewinnen.

Aber es würde nichts schiefgehen. Nein, alles lief genau so, wie sie es wollte. Gott war auf ihrer Seite.

Nicht mehr lange, Jan, dann wird mein Name dein einziger Gedanke sein. Bei Tag und bei Nacht. Bis in alle Ewigkeit.

60

Jan war auf halbem Weg nach Hause, als er es sich anders überlegte. Die Vorstellung, allein in seinem leeren Haus zu sein, war ihm unerträglich. Wie gern hätte er jetzt bei Rudi vorbeigesehen und mit ihm über alles geredet. Er vermisste seinen alten Freund, der jetzt auf den Kanaren seinen zweiten Frühling erlebte. Ein wenig Abstand zu allem hätte auch ihm gutgetan.

Jan hielt an einer Bar namens Vertigo, an der er schon Dutzende Male achtlos vorbeigefahren war. *Was soll's*, dachte er. *Es gibt immer ein erstes Mal.*

Drinnen war es stickig und laut, aber das spielte keine Rolle. Hauptsache, er war unter Menschen. Er ließ seinen Blick durch die Bar schweifen, die im Stil der späten Fünfziger eingerichtet war. Erleichtert stellte er fest, dass er keine bekannten Gesichter entdecken konnte. Ihm war jetzt nicht nach Reden zumute.

Er fand einen freien Platz an der Theke, inspizierte die riesige Flaschenwand hinter dem Tresen und bestellte zur Verwunderung der Kellnerin gleich zwei Gläser Glenmorangie. Das erste leerte er mit einem Zug.

Der Whisky brannte in seiner Kehle, und Jan wünschte, er könnte damit die Wut und die Frustration aus seinem Kopf ätzen. Nach seinem Gespräch mit Stark war er wieder bei Carla gewesen, und es hatte ihm erneut beinahe das Herz gebrochen, sie in diesem Zustand zu sehen.

Seit sie aufgewacht war, hatte sie kein Wort mehr gesprochen. Gestern hatte sie vor den Polizisten notdürftig ihre Aussage gemacht, doch heute verschloss sie sich hinter einer starren Maske. Auch auf seine Berührungen hatte sie nicht reagiert. Also hatte er sich an den kleinen Wandtisch gesetzt, auf dem ihr Mittagessen kalt geworden war, während sie vom Bett aus aus dem Fenster starrte. So hatten sie eine Ewigkeit miteinander geschwiegen, und irgendwann hatte sich Carla die Decke über den Kopf gezogen und war eingeschlafen.

Carla hatte nicht geweint. Sie hatte keinerlei emotionale Regungen gezeigt. Es war, als habe sie sich in ihr Innerstes zurückgezogen, weil dort der einzige Ort war, an dem sie sich noch sicher fühlte. Vor allem das machte Jan Sorgen. Sie brauchte baldmöglichst eine Therapie, um das Trauma aufzuarbeiten. Carla war stark, sie würde es schaffen, aber es würde umso schwieriger werden, je länger sie damit wartete …

Er bestellte einen weiteren Whisky und schwenkte die goldene Flüssigkeit.

Er musste an Jana denken. In ihrem Wahn hatte sie es wirklich geschafft. Sie hatte einen Keil zwischen ihn und Carla getrieben. Eine Barriere, die unüberwindbar sein würde. Ihre Beziehung würde nie wieder so sein, wie sie einmal war. Wahrscheinlich würde es nicht einmal mehr eine Beziehung sein. Und das, wo sie sich schon einmal fast verloren hatten und nun kurz davor standen, wieder zueinanderzufinden.

Sein Sitznachbar, ein bulliger Kerl mit tiefliegenden Augen und straff zurückgekämmten Haaren, die vor Gel glänzten, stieß ihn an.

»He«, brummte er, »entweder du machst es aus, oder du gehst ran. Das Geklingel nervt.«

Erst jetzt bemerkte Jan die Vibrationen seines Handys in der Jackentasche, begleitet vom nostalgischen Läuten eines alten Telefons. Das Display zeigte keine Rufnummer an. Noch bevor er den Anruf entgegennahm, wusste er, wer sich melden würde.

»Hallo, Liebling, wie geht es dir?«

Beim Laut ihrer Stimme spürte Jan einen heftigen metallischen Geschmack im Mund. In diesem Augenblick hätte er sich sehr gut vorstellen können, Jana zu töten. Einfach nur, um endlich seine Ruhe vor ihr zu haben.

Einen Moment zögerte Jan. Er versuchte, einen klaren Gedanken zu fassen.

»Jana«, sagte er schließlich und bemühte sich, seine Stimme neutral klingen zu lassen. »Du bist in der Nähe, habe ich Recht?«

»Ja, ich kann dich sehen.«

»Ich will dich auch sehen. Und zwar jetzt.«

»Ich glaube nicht, dass das in deiner momentanen Verfassung eine so gute Idee wäre.«

»O doch, das wäre es.« Er sah sich in der Bar um. Der Geräuschpegel aus Stimmen und Musik war zu hoch, um herauszuhören, ob sie in oder vor dem Lokal stand. »Wo bist du?«

»Liebling, du klingst verärgert. Was ist nur los mit dir?«

»Was mit mir los ist?« Jan sprang auf und blickte sich hektisch um. Er ertrug dieses Spielchen nicht mehr länger. »Ausgerechnet du fragst mich, was mit mir los ist? Wie krank bist du eigentlich?«

»Jan, ich mag diesen Tonfall nicht.«

»Ach ja? Daran wirst du dich aber gewöhnen müssen. Einen anderen wirst du von mir nämlich nicht zu hören bekommen.«

Jan konnte vier Frauen ausmachen, die ein Handy am Ohr hielten. Zwei davon konnte er sofort ausschließen, da sie ohne Unterbrechung redeten. Auch die Dritte schied aus, als sie in schallendes Gelächter ausbrach, das der Person am anderen Ende der Leitung sicherlich noch stundenlang in den Ohren klingeln würde.

Er ging auf eine attraktive junge Frau mit langen schwarzen Haaren zu, die neben dem Eingang des Vertigo unter einem Plakat des namensgebenden Hitchcock-Films saß. Sie trug dunkle Kleidung und wirkte südländisch. Während sie mit ernstem Blick in ihr Handy lauschte, wirkte sie nervös. Sie hatte die Beine übereinandergeschlagen, wippte mit der Schuhspitze und biss sich auf die Unterlippe.

»Warum bist du so gemein zu mir?«, hörte er Jana sagen, während sich eine gestresst aussehende Kellnerin an ihm vorbeischob und ihm den Blick auf die Schwarzhaarige versperrte. »Du hast doch gesagt, dass du mich liebst.«

Jan kämpfte sich zu der Frau durch und blieb unmittelbar vor ihr stehen. »Es war gelogen, und das weißt du. Ich wollte dich anlocken, damit ich dich endlich der Polizei übergeben kann.«

Die junge Frau sah ihn aus großen braunen Augen an und wandte sich dann wieder ihrem Telefonat zu. Erst jetzt konnte Jan hören, dass sie Spanisch sprach.

»Du hast *nicht* gelogen«, protestierte Jana. Sie musste irgendwo vor dem Lokal sein.

»Doch, das habe ich«, sagte er, zwängte sich durch eine Gruppe Neuankömmlinge und trat ins Freie hinaus. Dunkelheit und kalter Regen empfingen ihn.

»Nein, das ist nicht wahr, Jan!«

»Natürlich ist es wahr«, fauchte er in das Telefon, während sein Blick die Straße absuchte. »Ich habe die Schnauze voll, mich vor dir zu verstellen, verstehst du! Du hast meine Beziehung zerstört, die mir alles bedeutet hat. Ich habe nichts mehr zu verlieren.«

»Liebling, du bist betrunken. Da sagt man schon mal Dinge, die man gar nicht so …«

»Nenn mich nie wieder so! Ich bin nicht dein *Liebling*. Ist das in deinem kranken Hirn angekommen?«

Das hatte gesessen. Sie keuchte schockiert. Jan blieb vor einem silberfarbenen BMW stehen und sah eine hochgewachsene schlanke Person am Steuer, die sich ein Handy ans Ohr hielt. Sie hatte Jan den Rücken zugewandt. Er sah zwei Goldringe an ihren schlanken Fingern, und ihr dunkler langer Pferdeschwanz glänzte im Licht der Straßenlampe.

»Jan, ich verstehe das nicht.« Jana sprach, und auch die Person in dem BMW sprach und machte eine Geste. »Du verwirrst mich. Wir hatten doch über den Plan gesprochen, und du hast gesagt …«

Zu allem entschlossen, riss Jan die Fahrertür des Wagens auf. »Okay, es reicht! Komm raus da!«

Wie in einer einzigen Bewegung wirbelte die Person zu ihm herum und schnellte aus dem Wagen. Erschrocken starrte Jan auf einen etwa eins neunzig großen Kerl, der ihn aus rabenschwarzen Augen anfunkelte. »Was willst du, eh?«

»Die Frau«, stieß Jan hervor. »Ich dachte …«

Weiter kam er nicht. Der Kopfstoß traf ihn so abrupt, dass Jan den Schmerz erst realisierte, als er bereits im Rinnstein lag.

»Jetzt kannst du denken, Spinner«, sagte der Hüne und sah auf Jan herab, der sich das Blut aus dem Gesicht wischte. »Finger weg von ihr, verstanden?«

»Miguel, lass ihn!«

Jan hörte das Klacken von Absätzen, dann sah er die attraktive Schwarzhaarige aus dem Lokal.

»Er ist es doch gar nicht«, sagte sie und zog ihren Freund am Ärmel seiner Lederjacke. »*Querido*, es gibt keinen anderen außer dir! *Comprende?*«

»Glück für dich«, brummte Miguel ihm zu, dann stieg er mit seiner Freundin in den BMW und fuhr davon.

Als Jan sich erhob, waren seine Kleider durchnässt und mit Dreck und Blut bespritzt. Er zitterte vor Wut am ganzen Leib.

»Siehst du das?«, brüllte er in die menschenleere Straße. »Sieh es dir an, du irres Stück Scheiße! Sieh dir an, was du aus mir gemacht hast!«

Wenige Meter von ihm entfernt flammten auf der gegenüberliegenden Straßenseite Scheinwerfer auf. Ein silberner Kleinwagen setzte aus einer Parklücke auf die Straße, fuhr rückwärts bis zur nächsten Abbiegung und raste dann davon.

»Feige!«, rief Jan ihr nach. »Du bist so feige! Aber ich werde dich kriegen. Ich werde dich kriegen, hörst du?«

61

Sie hatte sich wieder gemeldet. Endlich! Rutger Stark war gerade auf dem Weg aus dem Polizeirevier gewesen, um endlich die Zigarette zu rauchen, nach der es ihn schon seit über einer halben Stunde verlangte, als Jan Forstner ihn anrief.

Die Stimme des Psychiaters überschlug sich fast, wäh-

rend er von Janas Anruf berichtete. Es war ihm anzuhören, dass seine Nerven blanklagen, und Stark nötigte
ihm das Versprechen ab, nach Hause zu gehen, sich aus-
zuruhen und auf seine Rückmeldung zu warten. Im Gegenzug versprach er ihm, eine Streife vor seinem Haus
abzustellen. Dann machte er kehrt und eilte zurück in
sein Büro.

»Nehmen Sie Kontakt zum Telefonanbieter von Dr.
Jan Forstner auf«, wies er den diensthabenden Beamten
an. »Ich brauche eine Liste aller Anrufe, die heute Abend
auf seiner Mobilnummer eingegangen sind.«

Der Polizist sah mit müdem Blick zu Stark auf. »Mit
Verlaub, aber wissen Sie, wie spät es ist?«

»Ja, aber versuchen Sie es trotzdem. Außerdem brauche
ich die Namen sämtlicher Fahrzeughalter, auf die ein sil-
berfarbener Kleinwagen mit Fahlenberger Kennzeichen
zugelassen ist. Nummer unbekannt.«

»Wissen wir wenigstens Marke und Modell?«

»Nein.«

»Neueres oder älteres Baujahr?«

»Bedauere.«

Die Augen des Polizisten weiteten sich. »Herrje, halb
Fahlenberg fährt silberne Kleinwagen. Meiner Frau gehört
ein silberner Polo, meinem Nachbarn ein silberner Micra,
und die Freundin meiner Tochter fährt einen silbernen
Corsa. Silber ist seit Jahren Modefarbe.«

Stark sah seinen Kollegen schulterzuckend an. »Genau
das wird der Grund sein, weshalb unsere Verdächtige
ebenfalls einen fährt. Sie ist schlau und tarnt sich, indem
sie das tut, was alle tun. Aber sie hat einen Fehler gemacht,
und wenn wir etwas Glück haben, nicht nur einen.«

Er nahm das Formular mit der Zeugenaussage von seinem Schreibtisch und betrachtete es wie einen wertvollen

Schatz. Wäre Forstner vorhin nicht so aufgeregt gewesen, hätte er ihm davon erzählt. Doch in seiner Verfassung hätte er wahrscheinlich kein Wort davon verstanden.

Zufrieden nickte Stark dem Formular zu. Er würde Forstner über den neuesten Stand der Ermittlungen informieren, sobald der Psychiater zur Ruhe gekommen war. Vielleicht würden sie bis dahin sogar noch mehr herausgefunden haben.

Stark lächelte müde in sich hinein. Diese Jana begann Fehler zu machen. Fehler, die ihn langsam, aber sicher auf ihre Spur führten. Noch ein oder zwei weitere solcher Fehler, und er hätte sie.

Doch dann flüsterte ihm der kleine Teufel auf seiner Schulter etwas zu, und augenblicklich erstarb sein Lächeln.

Und was ist, wenn es gar keine Fehler sind? Was ist, wenn sie es absichtlich tut? Immerhin gibt es einen Plan, den ihr nicht kennt.

62

Ein schrilles Metallgeräusch schreckte Jan aus dem Schlaf. Er fand sich in absoluter Dunkelheit wieder und war im ersten Moment des Erwachens völlig orientierungslos.

Jan tastete um sich, stieß mit der Hand gegen die Stehlampe und erinnerte sich, dass er sich in seinem Wohnzimmer befand. Dann fiel ihm wieder ein, dass er nach seiner Rückkehr aus dem Vertigo sämtliche Rollläden geschlossen hatte. Er hatte das Gefühl nicht ertragen, beobachtet zu werden.

Ich verhalte mich wie einer meiner paranoiden Patienten,

dachte er. *Nur dass ich wenigstens mit Sicherheit weiß, dass tatsächlich jemand hinter mir her ist.*

Er rappelte sich vom Sofa auf, knipste die Stehlampe an und ging zum Fenster. Wieder hörte er das metallische Poltern.

Als er den Rollladen hochzog, wurde er vom trüben Grau eines weiteren Regentages empfangen. Von der anderen Straßenseite sah ein stämmiger Müllmann zu ihm herüber, ehe er eine Tonne in die Schüttungsvorrichtung des Müllwagens schob.

Jan ertappte sich dabei, wie er sich nach einem silberfarbenen Kleinwagen umsah, und war beruhigt, als er den Streifenwagen entdeckte, der hinter dem Müllwagen stand.

Er ging ins Bad, wo ihm ein Gesicht aus dem Spiegel entgegensah, das er kaum als sein eigenes identifizieren konnte. Der Mann im Spiegel sah müde, abgehetzt und lädiert aus. Auf seinem linken Wangenknochen prangte ein roter Bluterguss. Die Platzwunde, die Jan sich beim Sturz in den Rinnstein am Kopf zugezogen hatte, war gottlob nicht allzu groß gewesen. Es hatte gereicht, sie mit Desinfektionsspray und einem Klemmpflaster zu versorgen.

Das Telefon schrillte, und Jan fuhr herum. Er lief ins Wohnzimmer, schnappte sich das Mobilteil und las das Display ab. Es zeigte eine Fahlenberger Festnetznummer, die mit den Ziffern 90 begann. Eine Durchwahlverbindung des Stadtklinikums. Wer mochte das sein?

»Dr. Forstner? Hier spricht Dr. Sikandar Mehra. Erinnern Sie sich an mich? Wir hatten vor einem Jahr einmal miteinander zu tun.«

»Ja, ich weiß noch, wer Sie sind«, entgegnete Jan und dachte an den kleinen dicklichen Inder mit den freundlichen Augen, der auf der Unfallstation tätig war. »Was gibt es?«

»Nun ja, ich wusste nicht, an wen ich mich sonst wenden sollte«, sagte Mehra. Seine Stimme klang besorgt. »Es geht um Ihre Lebensgefährtin, Frau Weller.«

Jan zuckte zusammen. »Was ist mit ihr?«

»Also rein körperlich hat sie den ....«, er räusperte sich, »den Zwischenfall gut überstanden. Aber ich mache mir Sorgen um ihre geistige Verfassung.«

»Ich verstehe«, gab Jan zurück. »Ich werde versuchen, Carla von einer Therapie zu überzeugen, sobald sie aus der Klinik entlassen wird.«

»Tja, Dr. Forstner, genau das ist der Grund, weshalb ich Sie kontaktiere. Frau Weller hat uns heute verlassen.«

»Entschuldigung? Ich verstehe nicht. Ihr Kollege sagte doch, Carla werde noch bis Ende der Woche ...«

»Sie ist auf eigenen Wunsch gegangen«, fiel ihm Mehra ins Wort. »Mein Kollege hatte versucht ihr klarzumachen, dass es noch zu früh sei, aber sie hat auf ihre unverzügliche Entlassung gedrängt, auf eigene Verantwortung, und noch bevor er ihr die Entlassungsunterlagen aushändigen konnte, war sie bereits weg. Die Schwester am Empfang meinte, Frau Weller muss das Taxi bestellt haben, noch ehe sie meinen Kollegen über ihr Gehen informiert hat.«

»Wann genau war das?«

»Es muss jetzt ungefähr eine gute Stunde her sein. Tut mir leid, dass ich Sie erst jetzt anrufe, aber ich habe erst vorhin bei der Übergabe davon erfahren.«

»Nein, schon gut«, sagte Jan und bedankte sich.

Hastig legte er auf und wählte Carlas Nummer. Nach ihrem gestrigen Verhalten glaubte er nicht, dass sie zu ihm kommen würde. Eher ging er davon aus, dass sie sich in ihrer Wohnung verschanzte. Eine Vorstellung, die nicht nur Dr. Mehra Sorgen machte.

Jan ließ es eine Weile läuten, dann legte er wieder auf. Ein Taxi brauchte von der Stadtklinik zu Carlas Wohnung etwa eine Viertelstunde, überlegte er. Bei dichtem Verkehr konnte es auch zwanzig Minuten dauern, allerhöchstens fünfundzwanzig. Wenn Mehra sich mit der Zeit nicht getäuscht hatte, musste Carla eigentlich längst zu Hause sein. Dass sie nicht ans Telefon ging, war kein gutes Zeichen, ebenso wie ihr überstürztes Verlassen des Krankenhauses.

Zwar konnte Jan verstehen, dass sie es dort nicht mehr ausgehalten hatte und endlich allein sein wollte, aber die selbst gewählte Isolation konnte auch gefährlich werden, zumal sie sich in einer bedenklichen geistigen Verfassung befand.

Er schnappte seine Jacke und fuhr zu ihrer Wohnung. Von unterwegs rief er noch mehrmals bei ihr an, doch Carla hatte weder ihr Handy eingeschaltet, noch nahm sie Anrufe auf dem Festnetzanschluss entgegen.

Als Jan endlich bei ihrem Haus angekommen war, klingelte er Sturm und atmete erleichtert auf, als endlich der Türöffner summte. Er lief die Treppe zu Carlas Wohnung hoch, zwei Stufen auf einmal nehmend.

Am oberen Treppenabsatz wurde er bereits erwartet. Edwina Frank war Carlas Etagennachbarin, eine dürre Erscheinung um die siebzig mit sauertöpfischer Miene. Wie immer trug sie eine blau geblümte Kittelschürze, die an ihrem Körper schlotterte. Das spärliche Haar hatte sie zu einem skurrilen Gebilde auftoupiert, das an Elsa Lanchesters Frisur in *Frankensteins Braut* erinnerte, wie Carla einmal festgestellt hatte.

»Ah, der Herr Doktor«, sagte sie. »Ich dachte mir

schon fast, dass Sie es sind, der hier alle Toten wachläutet. Wissen Sie denn nicht, wie hellhörig dieses Haus ist?«

Jan sah zu Carlas geschlossener Wohnungstür und dann wieder zu Frankensteins Braut, der, wie er wusste, nichts entging, was sich in diesem Haus ereignete. »Ist Frau Weller denn nicht da?«

»Nicht *mehr*«, berichtigte ihn die Frank. »Sie haben sie knapp verpasst.«

»Wie knapp?«

Edwina Frank sah auf ihre Armbanduhr. »Ungefähr zehn Minuten.«

»Haben Sie mit ihr gesprochen? Wissen Sie, wohin sie wollte?«

»Nein, ich habe nur gesehen, wie sie mit dem Auto weggefahren ist. Aber sagen Sie mal, was ist eigentlich los mit ihr? Da stimmt doch etwas nicht, oder täusche ich mich?«

Die Sensationsgier stand ihr deutlich ins Gesicht geschrieben. Spätestens wenn Jan gegangen war, würden auch sämtliche anderen Hausbewohner Bescheid wissen, dass mit Carla Weller etwas nicht in Ordnung war.

»Es ist nichts«, log Jan, doch Frankensteins Braut ließ nicht locker.

»Ach, nein? Also, ich hatte da vorhin einen anderen Eindruck. Vor allem, nachdem ich das im Treppenhaus miterlebt habe.«

Jan hatte sich schon zum Gehen gewandt, doch nun sah er sich erstaunt um. »Wie meinen Sie das?«

»Na, ich stand da ganz zufällig im Flur neben meiner Haustür und hörte sie die Treppe hochkommen. Also habe ich durch den Spion geschaut, und da stand sie vor ihrer Wohnungstür, hielt diesen Brief in der Hand und heulte zum Steinerweichen. Ich wollte nach ihr sehen, aber bis ich die Tür geöffnet hatte, war sie bereits in ihrer Wohnung verschwunden. Ich habe sie drinnen weiter weinen gehört, aber ich wollte dann doch nicht läuten. Kurz darauf kam sie wieder heraus, lief die Treppe hinunter, und dann sah ich ihren roten Wagen davonfahren.«

»Frau Frank, haben Sie mit ihr gesprochen? Hat Sie etwas gesagt?«

Sie verschränkte die Arme und schüttelte den Kopf. »Nein, gesagt hat sie nichts. Und es ist ja auch nicht so, dass ich meine Nase in die Angelegenheiten anderer Leute stecke. Auch wenn das manche hier immer wieder behaupten.«

Beunruhigt verließ Jan das Haus. Wohin war Carla gefahren?

Noch einmal rief er ihr Handy an. Vergeblich.

63

Jan stand am Fenster und sah von Starks Büro auf den Vorplatz des Polizeireviers hinunter. Der andauernde Regen hatte gewaltige Pfützen auf dem Asphalt gebildet, so dass die beiden Streifenwagen, die dort parkten, wie Boote in einem schwarzen Meer aussahen.

»Glauben Sie, dass sie sich etwas antun will?«, fragte Stark.

Jan wandte sich zu ihm um. »Offen gesagt, weiß ich es nicht. Eigentlich wäre Carla die Letzte, der ich Suizidgedanken zutrauen würde. Aber nach dem, was sie durchmachen musste …« Er sprach nicht zu Ende und machte eine ratlose Geste.

»Es war auf jeden Fall gut, dass Sie es uns gleich gemeldet haben«, sagte Stark und nickte ihm ermutigend zu. »Die Kollegen werden die Augen nach ihr offen halten.«

»Ich mache mir wirklich ernsthafte Sorgen«, sagte Jan. »Ich habe inzwischen jeden ihrer Bekannten angerufen, aber niemand hat von ihr gehört.«

»Gehen wir nicht gleich vom Schlimmsten aus«, entgegnete Stark und versuchte, dabei tröstend zu klingen. »Vielleicht hat sie nur das Bedürfnis, allein zu sein, um über alles nachzudenken und sich zu erholen.«

»Ja, ich hoffe es.«

»Es gibt übrigens gute Neuigkeiten.« Stark winkte mit einer Aktenmappe, die vor ihm auf dem Schreibtisch gelegen hatte. »Wir haben einen Zeugen aufgetan, der Ihre Vermutung bestätigt hat, dass Frau Weller entführt wurde.«

»Einen Zeugen?«

»Ein Passant hat zwei Frauen dabei beobachtet, wie sie mit einem roten Mini Cooper im Hinterhof des Astoria geparkt haben.«

»Das muss Carlas Wagen gewesen sein!«

»Ja, seiner Beschreibung nach handelte es sich bei der Beifahrerin um Frau Weller. Die Frauen haben das Hotel durch den Hintereingang betreten, wobei Frau Weller auf den Zeugen einen betrunkenen Eindruck gemacht hat. Wie er sagte, habe sie geschwankt und sich kaum auf den Beinen halten können. Die andere Frau musste sie stützen, und Frau Weller sei auf dem kurzen Weg bis zum Eingang mehrere Male fast gefallen. Der Zeuge fand das auffällig, weil es ja erst um die Mittagszeit war.«

»Dann war Carla also wirklich betäubt, genau wie sie gesagt hat. Und GHB wäre die plausibelste Erklärung, weshalb sie sich nicht an die Entführung erinnern konnte und warum der Arzt nichts in ihrem Blut gefunden hat. Liquid Ecstasy führt zu Blackouts und ist nur wenige Stunden im Körper nachweisbar.« Als Jan darüber nachdachte, schüttelte er wütend den Kopf. »Dieses verdammte Miststück. Sie hätte Carla damit umbringen können. Konnte der Mann sie wenigstens beschreiben?«

»Wir sind noch dabei, seine Angaben auszuwerten. Für ein Phantombild wird es höchstwahrscheinlich nicht reichen, aber wir wissen jetzt, dass diese Jana schlank und relativ groß ist. Etwa eins fünfundsiebzig bis eins achtzig. Und wir wissen, dass sie lange hellblonde Haare hat. Ihr Gesicht hat der Mann nicht gesehen, da sie einen Regenmantel mit Kapuze trug.« Stark zuckte mit den Schultern und seufzte. »Das ist nicht viel, ich weiß, aber zumindest haben wir jetzt einen Ansatz. Und darüber hinaus können wir nun auch einen Zusammenhang zum Mord an Volker Nowak herstellen. Es war sein Handy, von dem aus Jana Sie angerufen hat. Leider war sie schlau genug, es nach dem Telefonat wieder auszuschalten und den Akku herauszunehmen, so dass wir es nicht orten können.«

»Das ist merkwürdig.« Jan ließ sich auf einen Stuhl sinken und rieb sich die Schläfen. »Warum tut sie das? Warum lässt sie uns wissen, dass sie Nowaks Mörderin ist?«

»Diese Frage spukt mir auch schon eine Weile im Kopf herum«, erwiderte Stark. »Nach allem, was wir inzwischen über sie wissen, handelt sie nicht unüberlegt. Ihr muss doch klar sein, dass Nowaks Handy ein belastendes Beweismittel ist. Warum behält sie es dann und benutzt es?«

»War es der erste Anruf, den sie damit getätigt hat?«

»Ja. Warum fragen Sie?«

»Nun ja, offenbar geht sie jetzt bewusst Risiken ein. Sie bringt Carla am helllichten Mittag ins Hotel, obwohl sie weiß, dass man sie dabei sehen kann, und nun lässt sie uns wissen, dass sie Nowaks Mörderin ist. Für mich sieht das ganz so aus, als sei sie zu allem entschlossen. Sie will uns zeigen, dass sie durch nichts aufzuhalten ist.«

»Sie meinen, was die Umsetzung ihres Plans betrifft?«

Jan nickte. »Wenn wir nur wüssten, was sie vorhat. Aber ich fürchte, wir werden es früher erfahren, als uns lieb ist. Denn entweder steht sie kurz davor, ihre Vorhaben zu Ende zu bringen, oder sie ist jetzt an einem Punkt angelangt, an dem ihr alles gleichgültig geworden ist, weil sie nichts mehr zu verlieren hat.«

»Wieso sollte sie so denken?«

»Weil ich ihr gestern Abend gesagt habe, dass ich sie nicht liebe.«

64

Nach seinem Gespräch mit Stark war Jan sofort nach Hause zurückgefahren und hatte den Anrufbeantworter kontrolliert. Er hatte auf eine Nachricht von Carla gehofft, auch wenn es nur eine schwache Hoffnung gewesen war. Immerhin hätte sie ihn auch auf seinem Handy erreichen können.

Tatsächlich vermeldete die Anzeige des Geräts keine neuen Nachrichten. Offenbar wollte Carla nicht, dass er wusste, wo sie war, und das machte ihm die meisten Sorgen.

Starks Theorie, Carla könne irgendwohin gefahren sein, um allein zu sein und das Geschehene aufzuarbeiten, hatte etwas gefährlich Verlockendes. Jan hätte gerne daran geglaubt. Es wäre eine nachvollziehbare Reaktion, die zu Carla gepasst hätte. So wie die Lesereise, die sie hatte nutzen wollen, um sich über ihre Beziehung klarzuwerden.

Andererseits war da die Erinnerung an ihre letzte Begegnung. Die beklemmende Stille im Krankenzimmer, Carlas leerer Blick aus dem Fenster und ihr zusammengekauerter Körper auf dem Bett, als sie schließlich die Decke über sich gezogen hatte. Das hatte ihm Angst gemacht.

Die menschliche Seele lebt im Verborgenen, und wenn sie zerbricht, geschieht das lautlos. Es gibt kein Krachen und Klirren wie bei Porzellan oder Glas. Erst wenn es bereits zu spät ist, sieht man die Scherben. Deshalb wusste Jan, dass er sich auf alles gefasst machen musste.

Erschöpft ließ er sich auf sein Sofa sinken. Die letzten Tage hatten ihn sämtlicher Energien beraubt. Er kam sich vor wie um Jahre gealtert. Am schlimmsten war das ewige Warten gewesen, und auch jetzt wartete er wieder: auf eine Nachricht von Carla, auf Janas nächsten Schritt und vor allem auf die Ergreifung dieser Verrückten.

Er hasste es zu warten. Wer wartete, war anderen hilflos ausgeliefert. Man war passiv, handlungsunfähig, konnte nur reagieren. Und genau das war für ihn die schlimmste Erfahrung, seit Jana in sein Leben getreten war. Jana hatte die Kontrolle an sich gerissen. Sie allein steuerte das Geschehen. *She's the boss*, wie es auf einem alten Mick-Jagger-Album in seiner Vinylsammlung hieß. Und sie war der Boss, weil sie verrückt war – weil nicht abzuschätzen war, was sie als Nächstes unternehmen würde. Sie war unberechenbar, und sie war – um es mit den Worten von Agnes Nowak zu sagen – wie ein Geist.

Wer mochte diese große Blondine sein, die der Mann am Hotel gesehen hatte? Was ging in dieser Frau vor? Was plante sie? Wie würde es sein, wenn sie sich begegnen würden? Würde er dem Teufel selbst in die Augen sehen?

Das Telefon klingelte, und Jan schoss wie von der Tarantel gestochen hoch. Noch vor dem zweiten Klingelton hatte er abgenommen.

»Carla?«

»Jan ...«

Es war eine schwache Männerstimme, fast ein Flüstern. Wie jemand, der Angst hat, lauter zu sprechen. Jan kannte diese Stimme, aber es dauerte einen kurzen Moment, ehe er sie zuordnen konnte.

»Felix, bist du das?«

»Hör mir bitte genau zu, ich habe nicht viel Zeit«, flüsterte der Pfarrer.

»Könntest du bitte ein wenig lauter sprechen? Ich verstehe dich kaum.«

»Das geht nicht«, kam die Antwort. »Sie ist jetzt hier bei mir. Gleich nebenan.«

Jan spürte, wie ihn eine Gänsehaut überlief. »*Wer* ist bei dir?«

»Bitte, ich muss es kurz machen. Ich werde jetzt gegen mein Schweigegelübde verstoßen, Jan. Es ist die schwerste Entscheidung meines Lebens, das kannst du mir glauben. Aber ich weiß, dass es richtig ist, und bin auch bereit, die Konsequenzen dafür zu tragen. Ich möchte es dir anvertrauen, weil du mein Freund bist. Du musst es wissen. Ich kann es nicht ertragen, dass noch einmal jemand in Gefahr gerät.«

Jan umklammerte den Hörer fester.

»Wovon redest du?«, fragte er, obwohl er die Antwort

bereits ahnte. Aber was sollte Felix Thanner mit Jana zu tun haben?

»Ich weiß, wer die Frau ist, nach der du suchst. Sie hat sich mir in der Beichte anvertraut, aber ich kann mit diesem Wissen nicht mehr leben. Nicht, nachdem auch noch das mit deiner Freundin geschehen ist. Ich weiß, wer ihr das angetan hat, und bedauere es sehr, Jan. Es wäre nicht passiert, wenn ich schon früher den Mut gehabt hätte, mein Schweigen zu brechen.«

»Wer ist es, Felix? Sag es mir.«

Jan hörte ein tiefes Atmen. Fast glaubte er, Felix vor sich zu sehen, wie er zitternd den Hörer in Händen hielt und mit sich rang.

»Diese Frau ist absolut wahnsinnig, Jan«, sagte er, »und sie ist gefährlich. Ich habe versucht, sie zu überzeugen, dass sie sich stellen soll, aber sie wird es nicht tun. Sie ist so voller Hass.«

»Wer ist sie, Felix? Sag mir ihren Namen.«

»Du musst nach Steinbach fahren«, flüsterte der Pfarrer. »Du findest sie im …« Er verstummte. Im Hintergrund war ein Poltern zu hören. Es klang, als würde jemand gegen eine Tür hämmern. Felix keuchte.

»Tatjana.« Seine Stimme war kaum hörbar. »Ihr Name ist Tatjana Harder. Sie … Der Pfauenhof …«

Ein lautes Krachen unterbrach ihn. Thanner kreischte.

»Felix!« Mit jagendem Herzen lauschte Jan in die Stille. »Was ist los, Felix? Antworte mir!«

Doch die Verbindung war unterbrochen.

65

Starks Nummer war besetzt, also rief Jan direkt beim Fahlenberger Polizeirevier an. Er hatte die Zentrale nicht in seinem Handy eingespeichert, deshalb musste er die Nummer eintippen. Nachdem er beinahe mit einem abbiegenden Ford kollidiert wäre, meldete sich endlich das Revier.

»Jan Forstner! Ich muss sofort Hauptkommissar Stark sprechen.«

Jan riss das Steuer herum und schoss an zwei Jugendlichen vorbei, die mit ihren Motorrollern fast die gesamte Fahrspur blockierten. Kurz vor einem entgegenkommenden Mercedes, der ihm nervös die Lichthupe gab, scherte er wieder ein.

»Tut mir leid«, dröhnte die Stimme eines Polizisten aus dem Hörer, »der Hauptkommissar ist zu einem Einsatz unterwegs. Kann ich Ihnen helfen?«

Fast zu spät erkannte Jan den Stau vor sich und trat auf die Bremse. Wenige Zentimeter hinter einem Lieferwagen kam er zum Stehen. Das war knapp gewesen.

»Was für ein Einsatz?«

»Dr. Forstner, ich muss die Leitung freihalten«, fuhr ihn der Polizist ungeduldig an. »Worum geht es denn?«

Jan wollte gerade antworten, als er die Rauchfahne neben dem Kirchturm aufsteigen sah. Irgendwo in seiner Nähe hörte er das Heulen von Feuerwehrsirenen. Schlagartig verstand er den Grund für den Verkehrsstau.

66

In dem kleinen Stadtführer für Touristen, der kostenfrei in allen Geschäften auslag, wurde das historische Pfarrhaus als eine der besonderen Sehenswürdigkeiten Fahlenbergs hervorgehoben. Das Fachwerkgebäude war 1736 erbaut worden, und nun, zweihundertfünfundsiebzig Jahre später, machten die Flammen ein bedeutendes Stück Stadtgeschichte binnen kürzester Zeit zunichte. Das erst vor wenigen Jahren restaurierte Schindeldach brannte wie Zunder. Der Regen hatte das Feuer nicht eindämmen können, sondern verursachte nur eine gewaltige Wolke weißen Qualms, die das gesamte Obergeschoss umhüllte.

Hauptkommissar Stark eilte an den Feuerwehrmännern vorbei, die einen verzweifelten Kampf gegen die Flammen fochten. Sie mussten verhindern, dass der Brand auf die umliegenden Gebäude übergriff.

»Halt, warten Sie!«, rief er einem Sanitäter zu, der gerade im Begriff war, die Hintertür des Rettungswagens zu schließen. »Ist Frau Badtke da drin?«

»Ja, warum?«

»Ich muss mit ihr reden.«

»Das geht nicht«, protestierte der Sanitäter. »Die Frau steht unter Schock.«

»Nur kurz«, sagte Stark und schob sich an ihm vorbei. »Es ist dringend.«

»Dafür übernehmen Sie aber die Verantwortung«, rief der Sanitäter gegen den allgemeinen Lärm an, während Stark in den Wagen stieg.

Mit ausdruckslosem Gesicht lag Edith Badtke auf der Trage. Sie war in eine Rettungsdecke eingewickelt, auf deren Goldbeschichtung sich das Flackern der Blaulichter widerspiegelte.

»Frau Badtke, ich bin Hauptkommissar Stark«, stellte er sich vor und ergriff ihre Hand. Als sie seine Gegenwart wahrnahm, sah sie ihn an, und die Ausdruckslosigkeit in ihren Augen wich blankem Entsetzen.

»Es ... war mein Fehler«, stammelte sie, und Tränen rannen über ihr faltiges Gesicht. »Ich hätte ihm helfen können, aber ich war zu feige.«

»Ich weiß, das ist jetzt nicht leicht für Sie«, entgegnete Stark, »aber Sie müssen mir sagen, was geschehen ist.«

Edith Badtke blinzelte gegen ihre Tränen an und schluckte. »Ein Streit«, sagte sie mit schwacher Stimme. »Jemand war bei ihm. Eine Frau. Sie haben gestritten und sich angeschrien.«

»Haben Sie die Frau gesehen?«, fragte er. »Haben Sie sie *erkannt*?«

Ein erschöpftes Kopfschütteln. »Nein, ich habe sie nur gehört. Ich war unterwegs und habe ein paar Dinge für den Herrn Pfarrer erledigt, weil es ihm doch nicht gutging. Als ich zurückkam, war sie schon da. Sie waren im ersten Stock in seinem Arbeitszimmer. Und vor der Tür ... da stand ...« Sie presste die Augen zusammen und atmete hektisch.

»Ganz ruhig, es ist ja vorbei«, sagte Stark und spürte, wie sich ihre Hand noch fester um die seine schloss. »Wer stand vor der Tür?«

»Jemand hatte die Tür eingetreten«, flüsterte sie mit angstgeweiteten Augen. »Die Tür war zersplittert, und ich ... O Gott, ich habe die beiden da drinnen schreien hören und bin sofort wieder nach unten gelaufen. Was hätte ich auch tun sollen? Ich bin doch nur eine alte Frau.«

»Das war vollkommen in Ordnung«, versicherte ihr Stark. »Niemand macht Ihnen deswegen einen Vorwurf.«

»Doch«, stieß sie aus. »Ich! Ich mache mir deswegen

Vorwürfe. Sie hat es getan, während ich bei Ihnen angerufen habe. Ich hörte den Herrn Pfarrer schreien, und gleich darauf war es so still. So schrecklich still. Ich stand im Wohnzimmer und hielt nur das Telefon. Vor Angst konnte ich mich nicht rühren. Dann hörte ich sie die Treppe herabrennen und aus dem Haus laufen. Erst da habe ich mich getraut, nach ihm zu sehen. O Gott, o mein Gott!«

Sie begann hemmungslos zu weinen und warf den Kopf hin und her. Ihre Steckfrisur hatte sich gelöst, und ihr graues Haar wand sich mit jeder ihrer Kopfbewegungen auf dem Kissen wie die Schlangen auf dem Haupt der Medusa.

Der Hauptkommissar umschloss ihre zitternde Hand mit beiden Händen. »Was haben Sie gesehen? Wer stand da vor der Tür? Bitte, sagen Sie es mir.«

Eine Männerhand legte sich von hinten auf Starks Schulter, und ein sonorer Bariton sagte: »Hören Sie, die Frau muss sofort in die Klinik!«

»Ja, ja, sofort«, gab Stark zurück und schüttelte den Griff ab, ohne sich umzusehen. »Bitte, Frau Badtke, es ist äußerst wichtig. Was haben Sie gesehen?«

»Feuer«, stieß sie hervor. Dabei sah sie ihn an, als habe sie vor Angst den Verstand verloren. »Er brannte. Lichterloh! Sie hatte ihn mit Benzin übergossen … der Kanister, der vor der Tür gestanden hatte … er lag noch neben ihm … und plötzlich hat der ganze Raum gebrannt … ich konnte nichts mehr tun, verstehen Sie … ich konnte nichts mehr für ihn tun … er hat doch gebrannt …«

»Okay, das reicht jetzt!«, dröhnte der Bariton erneut. Die Stimme gehörte zu einem hünenhaften Notarzt mit schwarzem Vollbart. Er packte Stark erneut, diesmal am Arm, und der Polizist hatte das Gefühl, in einen Schraubstock geraten zu sein. »Raus mit Ihnen! Sehen Sie nicht, dass sie gleich kollabiert?«

Stark hob kapitulierend die freie Hand und stieg aus. Als die Tür des Rettungswagens hinter ihm zufiel, hörte er Edith Badtkes verzweifelte Schreie.

»Ich konnte ihm nicht helfen! Gott, vergib mir, ich war zu feige!«

Dann fuhr der Rettungswagen mit heulender Sirene davon.

Jemand rief Starks Namen, und er sah sich um. Nur wenige Meter von ihm entfernt stand Jan Forstner inmitten einer Gruppe Schaulustiger hinter dem Absperrungsband und winkte ihm ungeduldig zu.

»Stark, hören Sie! Ich weiß jetzt, wer sie ist!«

TEIL 4

WAHRE LIEBE

»Strange what love does.«

»Ghost of Love« DAVID LYNCH

67

Der kleine Ort Steinbach lag knapp dreißig Kilometer von Fahlenberg entfernt an der nordöstlichen Grenze des Landkreises. Es war ein idyllisch gelegenes Örtchen, umringt von tannenbedeckten Hügeln, doch an Regentagen wie diesem war von seinem pittoresken Charme nicht viel zu spüren.

Außerhalb des Ortes, am Fuß einer kleinen Anhöhe, befand sich das Pflegeheim Pfauenhof, ein großer T-förmiger Gebäudekomplex inmitten einer weitläufigen Grünanlage. Der Pfauenhof war Mitte der fünfziger Jahre gegründet worden und genoss einen guten Ruf als Einrichtung für altersdemente und schwerbehinderte Menschen.

Die Dämmerung hatte bereits eingesetzt, und ein kalter Wind wehte Regenschleier über den Besucherparkplatz. Jan saß auf dem Rücksitz eines dunkelblauen Audis und sah an Stark und seinem Kollegen Erler vorbei auf das Gebäude, das im grauen Zwielicht des frühen Abends etwas Bedrohliches auszustrahlen schien. Doch natürlich war es nicht das Gebäude selbst, von dem die Bedrohung ausging. Es war Jana.

Jan rutschte nervös auf dem Rücksitz hin und her. Knapp zwei Stunden waren vergangen, seit er an der brennenden Pfarrei eingetroffen war. Jan hatte Stark von seinem Telefonat mit Felix Thanner berichtet, und der Hauptkommissar hatte unverzüglich Nachforschungen über Tatjana Harder angestellt. Tatsächlich war eine Frau dieses Namens in Steinbach gemeldet. Ihre Wohnanschrift war die des Pflegeheims. Offensichtlich eine Mitarbeiterin, die in einer der angegliederten Personalwohnungen lebte. Das erklärte auch ihren Zugang zu den Drogen, mit denen sie Carla betäubt hatte.

Des Weiteren hatte man festgestellt, dass zu dem Fuhrpark des Heims auch vier silberfarbene Renaults Twingo gehörten, die von den Pflegekräften des Ambulanzdienstes genutzt wurden. Die vier Wagen standen zu diesem Zeitpunkt nebeneinander am Seiteneingang des Gebäudes.

Alles schien zu passen, woraufhin Stark eine SEK-Einheit angefordert hatte, um die gemeingefährliche Frau festzunehmen. *Nur für den schlimmsten Fall*, wie er betont hatte. Nach dem, was man über Tatjana Harder wusste, war ihr alles zuzutrauen – erst recht, wenn sie feststellte, dass sie enttarnt war.

»Ich bin nach wie vor dagegen.« Erler bedachte Stark und Jan mit einem finsterem Blick. Der Leiter des Spezialeinsatzkommandos war ein drahtiger Mann mit militärischem Kurzhaarschnitt und ernsten Zügen, aus denen Disziplin und langjährige Erfahrung sprachen. Doch nun bereitete es ihm sichtlich Mühe, seine Verärgerung im Zaum zu halten. »Sie hätten wenigstens nachfragen können, ob sie überhaupt im Haus ist«, fügte er an Stark gewandt hinzu.

»Um sie damit zu warnen?«, gab Stark zurück. »Nein, Dr. Forstner hat vollkommen Recht, wir dürfen unseren Wissensvorsprung keinesfalls aufs Spiel setzen. Zum ersten Mal sind wir ihr einen Schritt voraus. Noch weiß sie nicht, dass wir ihren Namen kennen. Aber was meinen Sie, wie schnell es sich herumgesprochen hätte, wenn die Polizei an ihrem Arbeitsplatz nach ihr fragt? Und einer vermeintlichen Privatperson hätte man sicherlich keine

Auskunft über eine Mitarbeiterin gegeben. Außerdem wäre es schon ein arger Zufall, wenn sich ausgerechnet heute, kurz nach der Brandstiftung, jemand nach ihr erkundigen würde.«

Erler schien davon nicht überzeugt. »Na und? Wer sagt überhaupt, dass sie nach dem Mord an Thanner wieder hierher zurückgekehrt ist?«

»Verstehen Sie denn nicht?«, mischte Jan sich ein. »Tatjana Harder glaubt sich da drin in Sicherheit. Der Pfauenhof ist ihre Tarnung, wenn Sie so wollen. Selbstverständlich wird sie hierher zurückkehren. Sie wird so tun, als sei nichts gewesen, und niemand wird Verdacht schöpfen. Das wird sie jedenfalls glauben, denn bisher hat es ja immer funktioniert. In einem Punkt haben Sie allerdings Recht: Wir wissen nicht, *ob* sie bereits zurückgekehrt ist.«

Erler schien einen Moment nachzudenken, dann nickte er entschlossen. »Na gut, dann gehen wir jetzt eben rein und finden es heraus.«

»Nein«, widersprach ihm Jan, »nur *ich* werde hineingehen, so wie wir es besprochen haben.«

»Verdammt«, fuhr Erler ihn an, »muss ich mir jetzt von einem Psychiater meine Arbeit erklären lassen?«

»Niemand will Ihnen Vorschriften machen«, ging Stark dazwischen, »aber denken Sie doch mal nach. Wenn Frau Harder noch nicht zurückgekehrt sein sollte und wir jetzt alle in das Gebäude gehen, verspielen wir unsere Chance. Sie wird da drin sicherlich Freunde oder Kollegen haben, die es gut mit ihr meinen oder auch nur neugierig werden. Ein einziger Anruf, dass die Polizei ihretwegen hier ist, genügt, und wir können wieder von vorn anfangen, nach ihr zu suchen.«

»Aber wenn nur Forstner reingeht und dort auf sie wartet, ist das etwas anderes?«

»Ja, das ist es allerdings«, sagte Jan. »Vergessen Sie nicht, dass wir es mit einer *wahnhaften* Person zu tun haben. Und in ihrer Wahnwelt habe ich sie schon häufiger besucht, wie sie mir erzählt hat. Nun besuche ich sie eben in der realen Welt. Das dürfte sie nicht allzu sehr verwundern, immerhin hatte ich in letzter Zeit schon mehrmals darauf gedrängt, ihr persönlich zu begegnen. Vor allem aber glaubt sie ja, dass ich weiß, wer sie ist. Immerhin haben Jana und ich einen gemeinsamen Plan, wie auch immer der aussehen mag. Und nicht zu vergessen, ist sie in mich verliebt.«

Stark legte seinem Kollegen eine Hand auf die Schulter und sah ihn eindringlich an. »Bitte, Erler, lassen Sie es uns zuerst so versuchen, wie wir es besprochen haben. Dr. Forstner wird reingehen und sie unter einem Vorwand zu uns nach draußen holen. Dann können ihre Männer zugreifen.«

»Glauben Sie mir, Erler, Tatjana wird mir vertrauen«, versicherte ihm Jan. »Sie wird mir nichts tun, und wir werden keinen der Heimbewohner oder das Personal gefährden. Wägen Sie doch nur einmal das Risiko ab. Was glauben Sie, was los wäre, wenn Tatjana tatsächlich schon zurück ist und Wind davon bekommt, dass Polizisten das Heim nach ihr durchsuchen? Wir haben doch schon zur Genüge erfahren müssen, was passiert, wenn sie sich in die Enge getrieben fühlt und ausrastet.«

»Erler, diese Frau ist nicht nur gefährlich, sondern auch *geisteskrank*«, betonte Stark nochmals. »Und Dr. Forstner ist Psychiater. Er kennt sich im Umgang mit solchen Menschen aus, nicht wahr?«

Jan nickte. »Ja, ich traue es mir zu, sie aus dem Heim zu holen. Ohne dass jemand dort drin gefährdet wird. Und auf dem freien Vorplatz kann sie Ihnen nicht davonlaufen.«

Erler lehnte sich in seinem Sitz zurück und schloss die Augen. Er biss die Zähne zusammen, bis die Kaumuskeln in seinem kantigen Gesicht hervortraten. Angespanntes Schweigen breitete sich in der Fahrzeugkabine aus. Dann atmete der SEK-Leiter tief durch und sah die beiden Männer an.

»Also gut, von mir aus. Dann soll unser James Bond hier sein Glück versuchen. Aber eines sage ich Ihnen, Ihnen beiden: Wenn da drinnen irgendetwas schiefgeht, ziehe ich Sie zur Verantwortung. Haben Sie das verstanden?«

Stark nickte. »Schon klar.«

Erler wandte sich zu Jan. »Sitzt das Mikrofon sicher?«

Jan sah an sich herab und betastete sein Hemd. Das Klebeband, mit dem ein winziges Mikrofon an seiner Brust befestigt war, spannte unangenehm auf seiner Haut. »Ja, ist alles an seinem Platz.«

Wieder biss Erler die Zähne zusammen. »Gut«, sagte er schließlich. »Also noch einmal: Sobald Sie der Frau gegenüberstehen, geben Sie uns Bescheid. Wir werden hier auf Sie warten. Und wenn diese Frau nicht herauskommen will, unternehmen Sie keinen Alleingang. Dann werden wir hereinkommen. Ist das klar?«

»Voll und ganz.«

Stark sah Jan an. Auch ihm war die Aufregung ins Gesicht geschrieben. »Sind Sie bereit?«

»Ja, wir können anfangen.«

»Machen Sie sich keine Sorgen. Wir werden Sie ständig überwachen. Jedes Ihrer Worte kann hier mitgehört werden. Sollte der Fall der Fälle eintreten, geben Sie uns das Stichwort, und wir sind augenblicklich bei Ihnen.«

»Wird schon schiefgehen«, entgegnete Jan. Er sammelte sich, dann zog er den Reißverschluss seiner Jacke hoch und öffnete die Tür.

Als Jan ausstieg, spürte er, dass seine Knie zitterten. Er warf die Tür hinter sich zu und ging schnellen Schrittes über den Parkplatz zum Gebäude.

Die beiden Polizeibeamten sahen Jan nach, der durch den Regen zum Eingang lief. Aus dem Lautsprecher am Armaturenbrett war sein Atmen zu hören, begleitet von den Reibegeräuschen seiner Kleidung.

»Er muss die verdammte Jacke wieder aufmachen«, murmelte Erler, wissend, dass Jan ihn nicht hören konnte. »Das Reiben stört.«

Obwohl sich Erler nun zusammennahm und keine Miene verzog, konnte Stark die Nervosität seines Kollegen spüren.

Erler schaltete den Scheibenwischer ein. Gerade rechtzeitig, um zu sehen, wie Jan durch die elektrische Schiebetür ging.

»Gut, ich bin da«, hörten sie Jans Flüstern aus dem Lautsprecher, gefolgt von einem ohrenbetäubenden Krachen.

»Jetzt hat er die Jacke geöffnet«, stellte Stark fest.

Erler warf ihm einen genervten Blick zu, dann sah er zu den beiden Lieferwagen, die sich zu beiden Seiten des Gebäudes positioniert hatten, und tippte gegen sein Headset.

»Er ist jetzt drinnen. Bereithalten.«

68

Die Empfangshalle des Pflegeheims glich der eines Hotels. Ihre Architektur entstammte einer Zeit, in der das Wort »Einsparungsmaßnahmen« im Sprachgebrauch des

Gesundheitsministeriums noch nicht existiert hatte. Die Mitte des großen Foyers bildete eine kreisförmige Anpflanzung, und weitere Grünpflanzen standen neben den beiden Aufzugtüren Spalier. Kunstdrucke von Franz Marc und August Macke zierten die cremefarbenen Wände, und eine lederne Sitzgruppe nebst ausladendem Zeitungsständer stand für Wartende bereit. In die Wand hinter dem Informationsschalter war ein überdimensionales Mosaik im typischen Fünfzigerjahrestil eingelassen, das dem Signet der Einrichtung – einem radschlagenden Pfau – nachempfunden war.

Jan ging auf den Schalter zu, hinter dem eine pummelige junge Frau mit großer Brille und Pagenschnitt telefonierte und dabei konzentriert auf ihren Monitor starrte. Ihrem Namensschild zufolge hieß sie Petra Körber. Als sie ihr Telefonat beendet hatte, sah sie zu Jan auf und lächelte.

»Herzlich willkommen im Pfauenhof«, begrüßte sie ihn und fügte mit einem mitleidigen Blick auf seine nasse Jacke hinzu: »Sie Ärmster, es hat wohl immer noch nicht aufgehört zu regnen?«

»Guten Tag«, sagte Jan und versuchte, sich seine Aufregung nicht anmerken zu lassen. »Mein Name ist Jan Forstner. Ich möchte gerne zu …«

»Jan Forstner?«, unterbrach sie ihn, und ihre Augenbrauen hoben sich so weit, dass sie hinter dem Rand ihrer Brille verschwanden. »*Doktor* Jan Forstner?«

»Ja.« Jan vermied es, die Augen zu verdrehen. Schon wieder jemand, der Carlas Buch gelesen hatte.

»Na, das ist aber eine nette Überraschung«, strahlte sie. »Nun lernen wir Sie endlich einmal kennen. Wir haben uns schon gefragt, wann Sie uns wohl mal besuchen werden.«

Nein, erkannte Jan, *das hat nichts mit dem Buch zu tun.* »Entschuldigung, aber ich verstehe nicht …«

»Sie wollen bestimmt zu Tatjana, nicht wahr?«

Verblüfft sah Jan sie an. »Ja, das ist richtig. Zu Tatjana Harder. Woher wissen Sie …?«

Petra Körber bedachte ihn mit einem nachsichtigen Blick, als habe er gerade etwas sehr Dummes gefragt. »Na hören Sie mal, das ist doch kein Geheimnis. Einen ganz kleinen Moment bitte.«

Noch ehe Jan nachfragen konnte, wie er das verstehen sollte, griff sie nach ihrem Telefon und betätigte eine Kurzwahltaste.

»Hallo, hier ist Petra vom Empfang. Kannst du mal schnell zum Eingang kommen? Dr. Forstner ist bei mir.« Sie zwinkerte Jan verschwörerisch zu. »Ja, genau. Gut, ich werde es ihm ausrichten.«

Jan war perplex. Was hatte das zu bedeuten? Was hatte diese Tatjana in ihrem Liebeswahn von ihm erzählt?

Er setzte gerade zu einer Frage an, als erneut das Telefon läutete, woraufhin Petra Körber mit einer routinierten Bewegung zum Hörer griff und ihren Begrüßungsspruch aufsagte. Gleich darauf machte sie eine entschuldigende Geste zu Jan, die andeuten sollte, dass es ein längeres Telefonat werden würde.

Jan entfernte sich vom Schalter und ging zu der Sitzgruppe. Er senkte den Kopf und flüsterte in Richtung des Mikrofons: »Ich bin am Eingang und warte auf sie. Sobald Tatjana hier ist, werde ich sie bitten, mit mir hinauszukommen. Das Verrückte ist nur, dass sie mich zu erwarten scheint.«

69

Mit angespannten Mienen starrten Stark und Erler auf den Lautsprecher. *Es scheint zu funktionieren*, dachte Stark und leckte sich nervös die Lippen. Er hätte jetzt viel dafür gegeben, wenn er hätte rauchen können, doch als er vorhin nach seinen Zigaretten greifen wollte, hatte Erler ihm einen vernichtenden Blick zugeworfen.

Minuten vergingen, in denen nur das leise Atmen des Psychiaters zu hören war. Dann vernahmen sie eine Frauenstimme.

»Hallo, ich bin hier.«

Sie klang entfernt, und Forstner flüsterte: »Sie steht am Aufzug und winkt mich zu sich. Ich gehe zu ihr.«

Schritte hallten aus dem Lautsprecher.

»Wie schön«, sagte die Frau. Nun klang sie klar und deutlich. Forstner musste unmittelbar vor ihr stehen.

»Gut so.« Stark rieb sich die Hände. »Und jetzt hol sie zu uns raus.«

»Sind Sie …«, begann Forstner, doch sie unterbrach ihn.

»Wären Sie so nett und würden mit mir kommen? Ich habe nicht viel Zeit. Tatjana ist oben, ich zeige Ihnen den Weg.«

»Nein, nein, nein«, zischte Stark. »Sag ihr, dass du sie …« Er verstummte, als Jan sprach.

»Kann sie denn nicht kurz eine Pause machen? Ich wollte ihr gerne …«

»Tut mir leid, sie kann nicht von der Station weg, aber selbstverständlich hat sie Zeit für Sie«, entgegnete die Frau. In ihren Worten schwang eine höfliche Ungeduld. »Aber jetzt kommen Sie bitte, es ist gleich im ersten Stock.«

Das Geräusch von Schritten, gefolgt vom Schnarren einer elektronischen Stimme. »Bitte zurücktreten. Tür schließt.«

Gleich darauf drang ein Rauschen aus dem Lautsprecher.

»Dieser Idiot!«, polterte Erler. »Was soll das werden? Lädt sie ihn jetzt vielleicht noch zu Kaffee und Kuchen ein?«

»Wäre immerhin besser, als wenn sie ausrastet«, gab Stark zurück und durchwühlte seine Taschen. »Geben wir ihm noch ein wenig Zeit. Dr. Forstner wird wissen, was er tut.« Zu seiner Erleichterung fand er ein Päckchen Pfefferminzdragees. Er schob sich zwei davon in den Mund und begann darauf herumzukauen, während Erler mit verbissenem Gesicht am Empfangsgerät herumtippte, aus dem weiterhin nur Rauschen und einige unverständliche Sprachfetzen zu hören waren.

»Der verdammte Aufzug stört die Verbindung.«

Sekunden verstrichen, die Stark jedoch wie Minuten erschienen, dann war Jans Stimme wieder zu hören.

»… wie lange Tatjana schon im Pfauenhof ist?«

»Oh, das kann ich Ihnen gar nicht genau sagen«, entgegnete die Frau. »Auf jeden Fall deutlich länger als ich. So, da wären wir.«

»Hier?« Forstner klang über die Maßen erstaunt, und Stark und Erler wechselten fragende Blicke.

»Ja, natürlich«, sagte die Frau. »Das ist Tatjana. Aber ich dachte, Sie kennen sich?«

»*Das* ist Tatjana?« Wieder klang Forstner, als habe man einen Eimer Wasser über ihm ausgeschüttet.

»Was, zum Teufel, geht da vor sich?«, fragte Erler.

»Stark, hören Sie mich?«, drang Forstners Stimme aus dem Lautsprecher. »Das ist einfach unglaublich. Sagen Sie

Erler, er kann die Aktion abbrechen. Und dann kommen Sie am besten zu mir. Das müssen Sie sich ansehen!«

70

Der Raum war klein und die Wände im selben Ockerton wie die Flure getüncht. Die wenigen Möbel wirkten zweckmäßig. Es gab einen Schrank, einen Tisch mit Stuhl, auf dem einige Kleidungsstücke lagen, ein Pflegebett und ein Nachtkästchen mit einer schlanken Blumenvase, aus der eine einzelne rote Rose ragte. Über dem Bett hingen zwei Bilder in Plastikrahmen. Beide zeigten Schutzengel, die über betenden Mädchen wachten.

Am Fenster saß eine Frau im Rollstuhl, deren Alter nur schwer zu schätzen war. Sie war vielleicht Anfang zwanzig, aber sie konnte ebenso gut auch Mitte oder Ende vierzig sein. Ihr dürrer Körper hing schlaff und verkrümmt in den beiden Gurten, die sie am Stuhl hielten. Die verkümmerten Hände lagen nutzlos in ihrem Schoß, und Jan musste beim Anblick der Finger an zerbrochene Bleistifte denken. An ihrem Hals konnte er eine Atemkanüle erkennen, von der aus ein transparenter Schlauch zu einem Beatmungsgerät führte, das an der Rückseite ihres Rollstuhls angebracht war. Offenbar hatte man an ihr eine Tracheostomie infolge einer Ganzkörperlähmung vorgenommen – einen Luftröhrenschnitt, der ihr das Sprechen unmöglich machte.

Ihm kam das Bild des englischen Astrophysikers Stephen Hawking in den Sinn, nur dass dieser im Gegensatz zu der Frau am Fenster ein menschliches Gesicht hatte.

Hingegen war Tatjana Harders Kopf völlig entstellt. Bis auf wenige blonde Haarbüschel war der unförmige Schädel kahl und mit vernarbten Wucherungen übersät, die die Spätfolge schwerster Verbrennungen sein mussten. Die linke Gesichtshälfte sah aus, als wäre sie gänzlich mit fleischfarbenen Wachsbrocken bedeckt, über die sich ein aufgeplatztes rotbraunes Muster zog. Der rechte Teil des Gesichts war zu einer hässlich grinsenden Grimasse verzerrt, aus deren Mundwinkel ein Speichelfaden auf eine umgebundene Serviette troff.

Tatjana sah Jan aus ihrem einzigen Auge an. Es war von einem derart hellen Blau, dass es beinahe farblos wirkte.

Dieses Auge war es, das Jan am meisten erschaudern ließ. Tatjanas Blick war anzumerken, dass sie sowohl erkannte als auch begriff, was sie sah.

»Das soll die Frau sein, nach der wir suchen?«, stieß Stark hervor.

»Zumindest ist das Tatjana Harder«, entgegnete Jan.

»Dann haben mein Team und ich wohl unsere Zeit vergeudet«, sagte Erler schroff. »Das wird ein Nachspiel haben, Stark. Darauf können Sie Gift nehmen.«

Er funkelte Jan und den Hauptkommissar zornig an und eilte ohne einen Gruß aus dem Raum. Noch ehe einer der beiden darauf reagieren konnte, war der SEK-Leiter bereits im Aufzug verschwunden.

»Hätte einer der Herren die Güte und würde mir erklären, was das alles zu bedeuten hat?«

Die Heimleiterin, die sich Jan im Aufzug als Maria Ostmann vorgestellt hatte, musterte die beiden Männer mit einem Blick, der zugleich Verwunderung und Empörung zum Ausdruck brachte.

»Woher wussten Sie, dass ich kommen würde?«, fragte Jan zurück.

»Ich wusste es nicht. Aber nachdem Sie ihr jede Woche eine Rose geschickt haben und nach all den Briefen, hatten wir gehofft, dass Sie sie auch irgendwann besuchen würden.«

Stirnrunzelnd betrachtete Jan die Rose, dann sah er Maria Ostmann an. »Welche Briefe?«

»Na, die Gedichte, die Sie Tatjana geschrieben haben.« Die Heimleiterin öffnete das Nachtkästchen und brachte einen Packen Kuverts zum Vorschein, der von einem Gummiband zusammengehalten wurde. »Tatjana hat sich so sehr gefreut und meine Mitarbeiterinnen ebenso. Sie haben sich fast darum gestritten, wer ihr vorlesen durfte. Kein Wunder, wenn eine Frau heutzutage noch Gedichte geschickt bekommt, dann höchstens als SMS. Sie müssen Tatjana wohl schon sehr lange kennen?«

Jan blätterte in den Briefen und traute seinen Augen nicht. Ihm war, als befände er sich in einem skurrilen Traum. In einer Handschrift, die seiner eigenen zum Verwechseln ähnelte, las er schwülstige Gedichte über die Schönheit der Welt, die Macht der Hoffnung und das Glück wahrer Liebe. Alle Briefe waren mit »Dein Jan« unterschrieben. Der letzte enthielt das Postskriptum »Bald bin ich bei Dir«.

»Unglaublich.« Jan zitterte, als er Stark die Briefe reichte. »Sie hat sogar meine Handschrift imitiert.«

»Dann sind diese Briefe nicht von Ihnen?«, fragte Maria Ostmann, als hoffte sie, Jan werde sich doch noch dazu bekennen.

»Nein, natürlich nicht.«

Er sah zu Tatjana. Ihr einzelnes Auge blinzelte heftig, und Jan erkannte Tränen.

»Es tut mir leid, Tatjana«, sagte er, dann wandte er sich Stark und der Heimleiterin zu. »Ich denke, es wäre besser, wenn wir unsere Unterhaltung an einem anderen Ort fortsetzten.«

Sie gingen auf den Gang hinaus, und Maria Ostmann schloss die Tür. Ihr war anzusehen, dass sie verwirrt war.

»Wollen Sie mir bitte verraten, was hier eigentlich los ist? Wer hat Tatjana diese Briefe geschickt, wenn Sie es nicht gewesen sind?«

»Ich wünschte, ich könnte Ihnen darauf eine Antwort geben«, erwiderte Jan.

Stark wiegte den Kuvertstapel in der Hand. »Hat Frau Harder in letzter Zeit Besuch von einer Frau bekommen?«

Die Heimleiterin schüttelte den Kopf. »Nein, sie hat nur sehr selten Besuch, und wenn, dann ist es ihr Betreuer. Aber Herrn Gessing haben wir schon länger nicht mehr zu Gesicht bekommen. Von einer Frau weiß ich nichts, aber gestern war ein Mann hier, den ich vorher noch nie gesehen habe. Er hat nach Tatjana gefragt und war kurz bei ihr. Nicht lange, vielleicht zehn Minuten, dann ist er wieder gegangen.«

Stark wechselte einen kurzen Blick mit Jan. »Hieß dieser Mann Felix Thanner?«

»Er hat sich nicht vorgestellt, aber ich glaube, dass er Pfarrer gewesen ist. Zumindest war er schwarz gekleidet und hatte so einen weißen Kragen, wissen Sie? Wie gesagt, er war nur kurz hier, aber ein wenig merkwürdig war das schon.«

»Merkwürdig?« Jan hob die Brauen. »Inwiefern?«

»Nun ja, er hat wie Sie beide reagiert. Er kam in das Zimmer und ist erschrocken, als er Tatjana gesehen hat.« Sie seufzte. »Das hat sie sehr verletzt. Sie war danach völlig durcheinander. Deshalb hatte ich mich auch so für Tatjana gefreut, als ich hörte, dass Sie zu Besuch kommen,

Dr. Forstner. Ausgerechnet einen Tag, nachdem sie wegen des Pfarrers so verwirrt gewesen war. Ich dachte, das sei großartig und Ihr Besuch würde ihr guttun. Sie liebt Ihre Gedichte … auch wenn sie nicht von Ihnen sind.«

Jan wich ihrem Blick aus, und Stark fragte: »Sie haben nicht zufällig mitbekommen, was Thanner mit ihr gesprochen hat?«

»Nein. Für mich sah es aus, als würde er beten. Dann ist er wieder gegangen.«

»Hat er sich mit jemandem vom Personal unterhalten?«

»Ich glaube nicht, nein.«

Stark kratzte sich ratlos am Kopf. Dann sah er Jan an. »Jetzt verstehe ich gar nichts mehr. Warum, in Gottes Namen, schickt er uns zu dieser Frau? Das ergibt doch keinen Sinn.«

Auch Jan wusste nicht weiter. Wie war Thanner auf Tatjana gekommen? Warum hatte er Jan ihren Namen genannt?

»Wir brauchen Ihre Hilfe, Frau Ostmann«, sagte er. »Was können Sie uns über Tatjanas Vorgeschichte sagen?«

Einen Augenblick lang überlegte die Heimleiterin. »Nun, ehrlich gesagt, nicht besonders viel. Sie hatte als junges Mädchen einen schweren Unfall, bei dem sie fast umgekommen wäre. Später kam sie hierher in den Pfauenhof. Das war allerdings lange vor meiner Zeit.«

»Was war das für ein Unfall?«, wollte Stark wissen.

Maria Ostmann zuckte bedauernd mit den Schultern. »Tut mir leid, so genau weiß ich das nicht. Es ist ja auch schon ewig her und spielt für unseren Berufsalltag eigentlich keine Rolle. Ich glaube, sie wurde bei einem Brand verletzt. Aber am besten fragen Sie ihren Betreuer. Seine

Frau und er kennen Tatjana schon von klein auf, hat er mir einmal erzählt. Wenn Sie kurz warten, gebe ich Ihnen die Adresse.«

Während Maria Ostmann in einem Büro verschwand, schob sich Stark zwei weitere Pfefferminzpastillen in den Mund und sah Jan fragend an.

»Können Sie sich darauf einen Reim machen? Wenn Thanner wusste, dass diese Frau schwerbehindert ist, warum behauptet er dann, sie sei diese Verrückte? Dieses bedauernswerte Geschöpf kann doch keinen Finger rühren, geschweige denn einen Mord begehen.«

Jan wiegte den Kopf. »Vielleicht meinte er damit, dass sich diese Frau für Tatjana Harder ausgibt oder sich für sie hält. Immerhin wäre das eine weitere Erklärung, warum sie sich Jana nennt. Ich vermute, dass er ihren wirklichen Namen nicht gekannt hat und dass es eine Verbindung zwischen den beiden geben muss. Wir müssen auf jeden Fall mit Tatjanas Betreuer sprechen.«

»Also, ich weiß nicht«, seufzte Stark. »Diese Sache schlägt mir langsam auf den Magen. Es ist, als würden wir wirklich nach einem Gespenst suchen.«

»Wenn es Sie tröstet, Jana ist sicherlich kein Gespenst«, entgegnete Jan und lächelte schwach.

»Ja, sicher«, brummte Stark. »Allerdings ist sie auch nicht Tatjana Harder.«

Auf dem Weg zum Aufzug kamen sie wieder an Tatjanas Zimmer vorbei. Eine Pflegerin war bei ihr. Sie hatte die Tür offen stehen lassen. Tatjana sah jetzt aus dem Fenster, und Jan glaubte, ein leichtes Zucken ihres Kopfes zu erkennen. Sie weinte.

Wieder musste Jan an die Frau denken, die sich Jana nannte. Wusste sie, wie viel Leid ihr Wahn anderen verursachte? Und wenn ja, was empfand sie dabei? Ob sie

überhaupt etwas für andere Menschen empfinden konnte – etwas, das nicht durch ihren Wahn geprägt war?

Thanners Worte hallten in seiner Erinnerung nach.
Sie ist gefährlich!

71

»Es gibt Neuigkeiten«, verkündete Rutger Stark, als sie
das Haus des Betreuers erreicht hatten. Während der kurzen Fahrt hatte er mit seinen Kollegen in Fahlenberg telefoniert und dabei eine Unmenge Pfefferminzpastillen ver-
tilgt, die – wie Jan vermutete – eine Art Substitutionsdroge
für seine Nikotinabhängigkeit darstellten.

»Inzwischen konnte Thanners Leiche geborgen werden«, sagte er. »Viel ist von ihm nicht übrig geblieben, er
war sozusagen der eigentliche Brandherd.«

Bei dieser Vorstellung schauderte Jan. »Weiß man
schon, ob er bereits tot war, als sie ihn angezündet hat?«

»Darum kümmert sich gerade die Gerichtsmedizin. Ich
kann es nur für ihn hoffen.«

»Sie sprachen von Neuigkeiten. Plural.«

»Ja, die zweite Nachricht ist, dass sich Mirko Davolic in
der Untersuchungshaft das Leben nehmen wollte. Er muss
versucht haben, sich mit einem T-Shirt zu erhängen. Ist
allerdings schiefgegangen. Durch die Strangulation wird
ihm höchstwahrscheinlich ein Hirnschaden bleiben, meint
der Arzt.«

Mit einem zwiespältigen Gefühl dachte Jan an seinen
ehemaligen Patienten. Einerseits erfüllte es ihn mit Genugtuung, dass Davolic unter den Folgen dessen litt, was
er Carla angetan hatte, aber gleichzeitig empfand er auch

Mitgefühl mit ihm. Davolic hatte versucht, in einer Welt zu bestehen, die Menschen an Erfolg und Qualifikationen maß und für jemanden wie ihn keinen Platz bot. Seine Verzweiflung hatte ihn so weit getrieben, dass er sich hatte prostituieren müssen – und so war er zum Werkzeug für Janas krankhafte Eifersucht geworden, ohne es zu wissen.

»Und was ist mit Carla? Gibt es irgendwelche neuen Hinweise?«

»Tut mir leid«, sagte Stark mit aufrichtigem Bedauern. »Leider haben wir noch immer keine Anhaltspunkte über ihren Verbleib.«

»Ist das nun eine gute oder schlechte Neuigkeit?«

»Rein statistisch bisher noch gut.«

»Bitte – Sie müssen Carla finden! Ich habe das schon einmal durchmachen müssen, als vor Jahren mein Bruder verschwand. Noch einmal packe ich das nicht.«

»Ich verspreche Ihnen, dass wir unser Möglichstes tun.«

Jan biss sich auf die Unterlippe und nickte. Es kostete ihn Mühe, den Gedanken zu verdrängen, dass Carla sich etwas antun könnte.

»Nun sehen Sie sich das an. Ein Viehzüchter«, sagte Stark und lenkte damit vom Thema ab. Er zeigte aus dem Fenster auf das Schild am Hauptgebäude des Landwirtschaftsbetriebes. *Rinderhof Gessing* stand dort zu lesen.

»Das könnte passen«, sagte Jan. »Erinnern Sie sich, was ich Ihnen über die beiden Zeichnungen erzählt habe, die Jana mir geschickt hat? Eine davon zeigte Rinder auf einer Weide.«

»Dann sehen wir uns das mal an.«

Stark kramte das letzte Pfefferminz aus der Packung und stieg aus dem Wagen.

72

Werner Gessing war eine stattliche Erscheinung, ein vier-schrötiger Endfünfziger mit rot geädertem Gesicht und einem Händedruck, als fasste man in einen mit Sandpapier bezogenen Schraubstock. In Latzhose und Stiefeln emp-fing er sie am Wohngebäude, machte jedoch keine Anstal-ten, Jan und Stark ins Trockene zu bitten. Stattdessen blie-ben sie unter dem Vordach, von dem der Regen troff. Gessing sah die beiden argwöhnisch an.

»Was wollen Sie von mir?«

Seine Stimme war rau und laut genug, um das Muhen und Kettengerassel aus dem nahe gelegenen Stall zu über-tönen.

»Wir würden gerne mit Ihnen über Tatjana Harder re-den«, erklärte Jan.

»Ist sie tot?«

»Nein, wie kommen Sie darauf?«

»Na, ein Polizist und ein Arzt … Was soll man da den-ken?« Er zuckte mit den massigen Schultern. »Wenn ich ehrlich sein soll, wäre es eine Erlösung für das arme Mäd-chen. Das ist doch kein Leben.«

»Wie lange liegt der Unfall denn zurück?«, fragte Stark.

Gessing rieb sich das Kinn. »Sie war damals … lassen Sie mich überlegen … vierzehn. Ja, vierzehn. Das war 1991.«

»Können Sie uns erzählen, was passiert ist?«, fragte Stark und zog einen Notizblock hervor.

»Warum interessiert Sie das?«

»Wir müssen so viel wie möglich über Tatjana und den Unfall erfahren«, erklärte Jan.

»Möglicherweise sind weitere Menschen in Gefahr«, fügte Stark hinzu.

»*Weitere* Menschen?« Die dunklen Augen des Viehzüchters wurden zu Schlitzen. »Ist denn etwas passiert?«

»Ja, und uns drängt die Zeit. Es könnte um Leben und Tod gehen.«

»Arbeiten Sie für die Versicherung?«

Stark legte den Kopf schief. »Versicherung?«

Mit misstrauischem Blick streckte sich Gessing zu voller Größe und schob die Hände in die Hosentaschen. »Der Fall ist längst verjährt, das wissen Sie hoffentlich.«

Jan hob abwehrend die Hände. »Hören Sie, Herr Gessing, wir sind nicht hier, um Ihnen Schwierigkeiten zu machen. Unser Interesse hat mit einer Frau zu tun, die sich für Tatjana ausgibt. Vermutlich kennt sie Tatjana, und wir versuchen herauszufinden, woher.«

Gessing war anzusehen, dass er ihm nicht glaubte. »Wer sollte diese Frau sein?«

»Das wissen wir nicht«, erwiderte Jan. »Wir gehen davon aus, dass es eine Verbindung zwischen ihr und Tatjana gibt. Vielleicht etwas, das mit der Tötung von Rindern zu tun hat …«

Bei diesen Worten ging in Gessings Gesicht eine Veränderung vor sich. Jan glaubte, eine Art Begreifen zu erkennen.

»Tote Rinder?«

»Ja.«

Langsam zog der Viehzüchter seine Hände aus den Taschen und brachte eine Dose Schnupftabak zum Vorschein. Er sah zu einer Anhöhe hinüber, die etwa zweihundert Meter vom Hof entfernt aufragte. Für einen kurzen Moment schien es, als habe er dort oben etwas gesehen, doch als Jan seinem Blick folgte, sah er nur einen verlassenen Hügel mit einem vereinzelten Baum.

Gessing klopfte sich eine dicke Prise auf den Handrücken und zog sie durch die Nase ein. Er kniff die Augen fest zusammen, dann schüttelte er sich und sah Jan an.

»Und wieso glauben Sie, dass Menschen in Gefahr sind?«

»Die Frau, die wir suchen, hat zwei Morde begangen«, erklärte Stark und wechselte einen kurzen Blick mit Jan. Auch er musste erkannt haben, dass Gessing etwas wusste. »Genauer gesagt, wissen wir bisher von zwei Morden. Möglicherweise sind es mehr. Außerdem hat sie einen Anschlag auf Dr. Forstners Lebensgefährtin verübt. Also, wenn Sie irgendetwas darüber wissen, dann müssen Sie es uns sagen.«

Gessing rieb sich die knollige Nase und sah auf die Spitzen seiner Stiefel. »Sie sind also nicht von der Versicherung? Ich will nicht schon wieder Ärger mit denen haben. Dafür habe ich viel zu hart geschuftet.«

»Nein«, versicherte Jan. »Es geht uns einzig und allein um diese Frau. Sie wissen doch etwas, nicht wahr?«

Mit gerunzelter Stirn sah Gessing zu den Ställen hinüber, dann schüttelte er den Kopf. »Nicht direkt, aber ich ahne so etwas. Allerdings hätte ich nie gedacht …« Er verstummte und schüttelte abermals den Kopf.

»Erzählen Sie uns davon«, drängte Stark.

»Ah, ich weiß nicht. Sie werden mich bestimmt für einen Spinner halten.«

»Nein, das werden wir sicherlich nicht, Herr Gessing«, sagte Jan. »Bitte erzählen Sie uns, was Sie wissen. Es ist wirklich wichtig.«

Der Viehzüchter blickte von einem zum andern. »Also gut«, sagte er der schließlich. »Ich werde es Ihnen erzählen. Ist aber eine ziemlich verrückte Geschichte, das sage ich Ihnen gleich. Um das alles zu erklären, muss ich ein wenig ausholen. Das Ganze ist passiert, als ich noch als

Arbeiter auf dem Hof beschäftigt war. Damals gehörte er Tatjanas Vater. Walter Harder war kein einfacher Mensch, beileibe nicht. Ein Schrank von einem Kerl, aber sein Herz hätte in einen Fingerhut gepasst, wenn Sie verstehen, was ich meine. Wenn man konnte, ging man ihm am besten aus dem Weg. Als er dann im Feuer umgekommen war, hat ihm keiner groß nachgetrauert.«

»Was war das für ein Brand?«, wollte Stark wissen.

»Eine defekte Gasleitung in der Küche.« Gessing deutete hinter sich auf das Wohnhaus. »Das haben wir alles neu gebaut. Von Walters Hof war nicht viel übrig geblieben.«

»Wenn es wirklich ein Defekt war«, sagte Jan, »warum haben Sie dann vorhin befürchtet, dass wir von der Versicherung geschickt wurden? Noch dazu nach all den Jahren?«

Mit geschürzten Lippen wandte Gessing den Kopf ab. Etwas in ihm arbeitete, das war deutlich zu spüren. Er focht einen inneren Kampf, ob er ihnen vertrauen sollte. Schließlich sah er Jan wieder an.

»Diese … diese Frau – Sie sagten, sie hat einen Anschlag auf Ihre Lebensgefährtin verübt? Was hat sie ihr angetan?«

Die Frage traf Jan wie ein Faustschlag. »Sie … Ich möchte nicht darüber sprechen.«

Gessing nickte verstehend und zeigte auf Starks Notizblock. »Stecken Sie das Ding weg, und dann kommen Sie mit mir. Ich will Ihnen etwas zeigen. Wenn Sie den Grund für die Explosion verstehen wollen, sollten Sie wissen, was kurz davor passiert ist.«

Er schob sich an ihnen vorbei und stapfte über den vom Regen schlammigen Hof. Jan und Stark folgten ihm zu einem Gebäude hinter den Ställen.

Sie betraten eine weiß gekachelte Halle, an deren linker Seite sich drei Edelstahltische befanden. Auch wenn alles gründlich gereinigt worden war, konnten die Putzmittel dennoch den schwachen Geruch nach Blut und Dung nicht überdecken.

»Dieses Schlachthaus ist das einzige Gebäude, das den Brand damals unversehrt überstanden hat«, erklärte Gessing. »Die Explosion ereignete sich in der Nacht, so gegen zwei. Es wurde viel darüber geredet, ob es wirklich nur an einer defekten Gasleitung gelegen hat, aber das Gegenteil konnte man nicht beweisen. Nach langem Hin und Her zahlte die Versicherung schließlich. Walter hatte seine Tochter im Testament übergangen. Soweit ich mitbekommen habe, hätte sie nur dann geerbt, wenn sie zum Zeitpunkt seines Todes volljährig gewesen wäre. Den Hof hat er seinem Schwager vermacht. Ich vermute, weil Walter verhindern wollte, dass alles verkauft werden muss. Aber sein Schwager wollte nichts damit zu tun haben. Kein Wunder, nach dem, wie Walter mit seiner Frau umgesprungen war. Also bot ich dem Schwager an, den Hof zu übernehmen, woraufhin er mir ein Geschäft vorschlug. Er überließ mir den Grund, wenn ich im Gegenzug für Tatjanas Pflege aufkommen würde. Dazu müssen Sie wissen, dass sie Walters Tochter aus erster Ehe ist. Ihre Mutter starb an Krebs. Ich habe eingewilligt und zahle seither jeden Monat an den Pfauenhof. Damals hielt ich das noch für ein gutes Geschäft, aber so ein Pflegeheim kann ziemlich teuer werden. Über die Jahre hat sich da ganz schön was zusammengeläppert. Ich will aber nicht jammern. Wer sollte sich sonst um das arme Ding kümmern?«

»Warum sind wir hier?«, fragte Stark. »Was hat dieses Schlachthaus damit zu tun?«

»Tja«, machte Gessing und räusperte sich, »hier ist am

Tag vor dem Brand etwas passiert, und wenn ich jetzt nicht völlig reif für die Klapsmühle bin, glaube ich zu wissen, nach wem sie suchen.«

Wieder schob Gessing seine Hände in die Hosentaschen. Er wirkte auf einmal unbeholfen. Dann begann er zu erzählen.

73

»Wie schon gesagt, war Tatjana Walters Tochter aus erster Ehe«, begann Gessing. »Ihre Mutter war eine nette Frau, nicht besonders hübsch, aber sie hatte das Herz am rechten Fleck. Wenn an besonders heißen Sommertagen oder am letzten Arbeitstag vor Weihnachten eine Kiste Bier für uns Arbeiter bereitstand, dann wussten wir, wem wir sie zu verdanken hatten. Das Bier hatte sie von ihrem Haushaltsgeld abgezweigt, was wir natürlich nie erzählen durften. Walter war ein Geizhals, der hätte sich eher für einen Groschen eine Blutblase zwicken lassen.

Im Aussehen kam Tatjana ganz nach ihrer Mutter, sie hatte das gleiche strohblonde Haar, aber alles andere musste sie von ihrem Vater geerbt haben. Sie war ebenso derb, jähzornig und mürrisch wie er. Besonders beliebt war sie bei keinem von uns. Wer lässt sich schon gern von einer Göre wie ein Leibeigener behandeln?

Der Umgangston auf dem Harderhof war rau, und nicht nur einmal hätte ich am liebsten gekündigt, aber Walter zahlte nun mal verdammt gut. Er war ein knausriger Schinder, aber beim Lohn konnte man ihm nichts nachsagen. Gute Arbeit wusste er zu schätzen.

Als seine Frau Ende '89 starb, muss es eine Erlösung für

sie gewesen sein. Man hatte zuletzt regelrecht zusehen können, wie sie von Tag zu Tag mehr verfiel. Darmkrebs ist eine hässliche Sache, man stellt ihn meist viel zu spät fest, und dann geht es rasant abwärts.

Ich will ja nicht schlecht über Tote reden, aber ich denke, Walter war an ihrer Krankheit nicht ganz unschuldig. Was diese brave Frau wegen ihm durchmachen musste, kann einen schon ins Grab bringen. Ganz besonders schlimm für sie wurde es, nachdem Walter von einem Jungbullen getreten worden war. Mitten ins Allerheiligste, verstehen Sie? Danach war sein Traum vom Thronfolger, der den Hof übernehmen sollte, endgültig ausgeträumt. Von da an wurde Walter vollends unausstehlich. Ist nicht selten vorgekommen, dass seine Frau sich im Haus verstecken musste, bis die blauen Flecke wieder verschwunden waren. Trotzdem ist sie bei ihm geblieben. Sie gehörte wohl noch zu der Generation, die es ernst nahm mit dem Spruch ›bis dass der Tod euch scheidet‹.

Walter hat ihr das aber nicht gedankt. Glauben Sie mir, falls er um sie getrauert haben sollte, war davon jedenfalls nichts zu bemerken. Er hat einfach weitergemacht wie bisher, als sei nichts gewesen.

In dieser Hinsicht war Tatjana anders. Sie hat in den ersten Wochen sichtlich getrauert, hat sich dann aber doch schnell wieder gefangen.

Als das Trauerjahr vorüber war, heiratete Walter wieder. Niemand weiß so recht, wo er seine zweite Frau kennengelernt hat, aber es gibt da so Gerüchte über ein Sozialheim. Vom Typ her glich sie seiner ersten Frau. Zierlich, ruhig und gutmütig. Außerdem war sie arm wie eine Kirchenmaus und von Walter abhängig.

Und sie hatte einen Sohn. Fred war zwei Jahre jünger als Tatjana und ihr genaues Gegenteil. Ein blasser, schlaksiger Junge mit dunklem Haar, der kaum die Zähne auseinanderbekam. Ich habe ihn so gut wie nie reden gehört.

Der Junge bewirkte eine Veränderung bei Walter. Er behandelte ihn wie sein eigen Fleisch und Blut und ließ ihm Dinge durchgehen, für die Tatjana längst Prügel bezogen hätte. Bis dahin hätte ich nie geglaubt, dass Walter einem Menschen gegenüber Zuneigung empfinden kann, aber bei dem Jungen war es anders. Zwar musste er ebenso wie Tatjana auf dem Hof zupacken, aber wenn er dabei Fehler machte, zeigte sich Walter nachsichtig auf eine Weise, die keiner von uns von ihm gewohnt war – wahrscheinlich nicht einmal er selbst.

Tatjana nahm es ihrem Vater übel und piesackte ihren Stiefbruder, wann immer sie sich unbeobachtet fühlte. Sie war eifersüchtig, aber Walter interessierte das nicht. Er hatte doch endlich seinen Kronprinzen. Aber dann …«

Gessing verstummte. Er sah zum anderen Ende der Schlachthalle, dann runzelte er die Stirn.

»Es war Mitte Juni«, fuhr er schließlich fort, »genauer gesagt, am zehnten Juni 1991, ein Montag. An diesem Tag wurde der Junge zwölf, und Walter verkündete, er werde ihn heute zum Mann machen.«

Er grinste, als er die verdutzten Blicke der beiden Männer bemerkte.

»Nein, nicht so, wie Sie vielleicht denken«, sagte er. »Wir haben damals noch wöchentlich geschlachtet, immer montags, und der Junge sollte diesmal mithelfen.« Gessing sah Jan an. »Waren Sie schon einmal dabei, wenn ein Rind geschlachtet wird, Doktor?«

»Nein.«

»Das dachte ich mir. Kaum jemand weiß, wie viel Arbeit in einem Steak steckt, ehe es vor einem auf dem Teller liegt. Sehen Sie das schmale Tor da drüben?«

Er deutete zu der Stahltür am Ende der Halle, neben der ein Gitter zu einer abgeschrägten Fläche führte, über der mehrere Haken hingen.

»Da drüben werden die Schlachttiere hereingeführt«, erklärte er. »Der Gang ist gerade so breit, dass ein Rind durchpasst. Auf der anderen Seite der Tür stehen die übrigen Rinder in der Schleuse an und warten, bis sie an der Reihe sind. Man sagt zwar, dass diese Tiere dumm sind, aber glauben Sie mir, die wissen genau, was sie hier drin erwartet. Deshalb muss es schnell gehen.

Schlachten ist Akkordarbeit. Das Tier kommt herein, und noch bevor es Gelegenheit hat, in Panik zu geraten, setzt man ihm das Bolzenschussgerät auf die Stirn und drückt ab.

Das klingt einfacher, als es ist. Man braucht Kraft und Geschicklichkeit, damit einem der Schussapparat nicht abrutscht, und die Stelle muss genau stimmen, andernfalls leidet das Tier höllische Schmerzen. Bei Rindern stellt man sich ein X zwischen Augen und Hornansatz vor. Wo sich die Linien überkreuzen, ist der Schädelknochen am zerbrechlichsten. Der Bolzen wird durch eine Platzpatrone gezündet. Er durchschlägt die Stirn und dringt etwa zehn Zentimeter tief ein. Dabei zerstört er einen Teil des Gehirns und schnellt dann wieder in das Gerät zurück.

Und genau das war es, was Walter von dem Jungen verlangte. Er ließ ein Tier hereinführen und wollte seinem Stiefsohn den Umgang mit dem Schussapparat zeigen. Doch der Junge wollte nicht, also ließ Walter ihn zunächst nur zusehen.

Schlachten ist eine blutige Angelegenheit, wie Sie sich denken können, und wenn wir erst einmal drei oder vier Rinder abgearbeitet haben, waten wir hier buchstäblich im Blut. Ich kann mich noch erinnern, dass die Gummistiefel des Jungen bis zu den Knöcheln in dem Rot verschwanden, als Walter ihn abermals mit zum Gitter zerrte. Das Rind kam herein, und der Junge begann zu schreien. Walter lachte zu uns Arbeitern herüber, aber nicht, weil er es komisch fand. Die Angst des Jungen war ihm peinlich – und uns erst recht, allerdings aus anderen Gründen.

Walter redete auf den Kleinen ein, er solle sich nicht so anstellen, sondern zeigen, dass er ein echter Kerl sei. Aber Fred sträubte sich heftig.

Schließlich riss Walter der Geduldsfaden, und er gab ihm eine Ohrfeige, dass er rücklings in die Blutlache fiel. Der Junge war kreidebleich und starrte ihn wie vor Angst gelähmt an.«

Gessing senkte den Blick und seufzte. »Ich weiß, wir hätten in diesem Moment eingreifen sollen, aber dann kam Tatjana, und das veränderte alles.

Wahrscheinlich sah sie den idealen Moment gekommen, ihrem Vater zu zeigen, aus welchem Holz sie geschnitzt war. Sie schnappte sich einen der Schussapparate, ging zu dem Rind und streckte es nieder. Danach mussten wir handeln. Zwischen Schuss und Ausbluten darf nicht mehr als eine Minute verstreichen, andernfalls stockt der Blutfluss, und das Fleisch wird ungenießbar. Also kümmerten wir uns um das Rind, während Walter den Jungen am Kragen packte und aus der Halle zerrte.

Sie verschwanden im Wohnhaus. Auf dem Weg dahin brüllte er ihn an. Es sei ein feiges Mädchen, und seine Stiefschwester sei mutiger als er … na ja, so Sachen eben.

Danach kam Walter zu uns zurück, und keiner von uns wagte auch nur, ihn anzusehen. Stattdessen arbeiteten wir wie versessen und hofften, er würde seine Wut an keinem von uns auslassen.«

Wieder machte Gessing eine Pause und sah mit beinahe

entschuldigender Miene die beiden Männer an. »Was hätten wir sonst tun sollen? Walter hätte uns rausgeschmissen, und das konnte sich keiner von uns leisten.«

Jan entgegnete nichts. Er verstand noch nicht, worauf diese Geschichte hinauslaufen sollte. Hatte Tatjana aus Eifersucht die Gasleitung manipuliert, um sich an ihrem Vater zu rächen? War sie ein Opfer ihres eigenen Attentats geworden?

Aber welche Rolle spielte Fred dabei?

Gessing schien seine Gedanken erraten zu haben. »Das eigentlich Unheimliche kommt erst jetzt«, fuhr er fort. Er nahm wieder eine Prise von seinem Schnupftabak und musste mehrmals niesen, ehe er weitersprach.

»Es war das vorletzte Rind aus der Schleuse«, sagte er. »Wir hatten es gerade hereingeführt, und Walter ging mit dem Schussapparat darauf zu. In diesem Moment ging die Tür auf, und Fred kam herein. Sein Anblick verschlug uns allen die Sprache. Selbst Walter war so schockiert, dass er sich nicht rührte. Der Junge war barfuß, und jeder seiner Schritte patschte auf dem blutigen Boden. Er ging auf Walter zu, der ihn mit offenem Mund anstarrte, nahm ihm den Bolzenschießer aus der Hand und verpasste dem Rind einen Schuss in die Stirn. Genau dorthin, wo das X sich kreuzt. Als hätte er es schon hundertmal getan.

Das Rind brach augenblicklich zusammen, aber es war zäh. Es zuckte und trat mit den Hufen um sich. Wissen Sie, ein Bolzenschuss tötet nicht. Es ist nur eine Betäubung, und wenn die nicht ausreicht, nimmt man ein Drahtstück, führt es in das Schussloch ein und bewegt es schnell hin und her, um weiteres Hirngewebe zu zerstören. Und genau das tat der Junge. Dabei schrie er mit seiner gellend hohen Stimme, die nicht nur mir das Blut in den Adern gefrieren ließ.

Wir hielten uns damals alle für hartgesottene Kerle, die schon viel gesehen hatten, aber in diesem Moment war keiner von uns in der Lage, zu dem Jungen zu gehen und einzuschreiten. Selbst Walter nicht. Denn der Junge …«

Gessing schluckte, wobei sein Adamsapfel auf und ab hüpfte. In seinen Augen spiegelte sich der Schrecken wider, den er seinerzeit empfunden haben musste und der nun wieder von ihm Besitz ergriff, während er die Vergangenheit zu neuem Leben erweckte.

»Herr Gessing, was hat Fred getan?«, fragte Jan, als der andere nicht weitersprach.

Gessing sah ihn an. »Das Schrecklichste daran war, dass der Junge ein Kleid seiner Stiefschwester trug.«

»Er hatte ein Kleid an?«, stieß Jan hervor. Er sah zu Stark, dessen Mund vor Staunen weit offen stand. Ihre Blicken trafen sich. Auf einmal verstand er.

Deshalb hatten sie Jana nicht gefunden. Sie hatten nach einer Frau gesucht, einer Geisteskranken, aber damit hatten sie nicht gerechnet.

»Ja«, nickte Gessing. »Ein helles Sommerkleid mit blauen Tupfen, das ihm zu groß war. Das werde ich nie vergessen. Es war über und über mit Blut bespritzt. Fred sah schlimm aus, Walter musste ihn höllisch verprügelt haben. Aber am schlimmsten war es, den Jungen in diesem Kleid zu sehen. Dieses Kleid …«

Wieder schluckte Gessing und verzog das Gesicht, als habe er einen bitteren Geschmack im Mund.

»Wissen Sie jetzt, warum ich gesagt habe, Sie würden mich für verrückt halten? Als Sie diese Frau und die getöteten Rinder erwähnten, musste ich sofort an damals denken«, sagte er. »Denn nach der Explosion fand man Fred oben auf dem Hügel. Bis auf die Blessuren, die er von Walter davongetragen hatte, war er unverletzt. Er stand da und hatte noch immer das blutige Kleid seiner Stief-schwester an.«

»Dann geht es hier gar nicht um Tatjana«, brachte Stark hervor und sah dabei immer noch so aus, als habe man ihn wie aus heiterem Himmel geohrfeigt. »Es geht um den Jungen. Ich glaube es einfach nicht!«

»Da ist noch etwas«, sagte Gessing. »Es war vor zwei Tagen, als ich abends aus dem Stall kam. Da glaubte ich eine Frau dort oben neben dem Baum stehen zu sehen. Ihre Haare wehten ihr um den Kopf. Sie trug ein Kleid unter ihrer Jacke. Ich konnte den Saum im Sturmwind flattern sehen. Sie sah zum Hof herunter und hat mir ei-nen ziemlichen Schrecken eingejagt. Mir kam das Bild des Jungen wieder in den Sinn, aber dann machte ich mir klar, dass es wohl einfach nur ein dummer Zufall gewesen ist. Da oben gehen häufiger mal Leute spazieren, wenn auch nur selten bei einem solchen Mistwetter. So dachte ich zumindest, bis wir dann vorhin gesprochen haben …«

Er stieß den Atem aus. Sein verzweifelter Blick ließ Jan an Schizophrene denken, wenn sie ihm versicherten, Din-ge wirklich gesehen zu haben, die es eigentlich nicht geben kann.

»Glauben Sie mir«, sagte Gessing, »ich bin kein Wasch-lappen, beileibe nicht, aber offen gesagt, macht mir der Gedanke eine Heidenangst, dass die Person da oben viel-leicht gar keine Frau war.«

Stark schüttelte immer wieder den Kopf, und auch Jan hatte Mühe zu glauben, was sie gerade erfahren hatten.

»Dieser Fred«, sagte er, »was ist aus ihm geworden?«

»Er kam bei einem Pfarrer unter«, sagte Gessing. »Dem Onkel, von dem ich den Hof bekam. Im Gegenzug sollte ich mich um Tatjana kümmern, weil er nichts mehr mit Walter oder seiner Familie zu tun haben wollte. Nicht, nachdem seine Schwester durch Walters Verschulden ums Leben gekommen war und sein Neffe fast den Verstand verloren hätte.«

»Wie hieß dieser Onkel?«, drängte Stark.

Mit einer nervösen Geste fuhr sich Gessing durchs Haar. »Hören Sie, was ich Ihnen erzählt habe, werde ich vor keinem Gericht bestätigen. Und meine damaligen Kollegen ebenfalls nicht. Der Junge konnte nichts dafür. Walter selbst ist für alles verantwortlich. Wer einen kleinen Jungen zu etwas Derartigem treibt, hat es nicht anders verdient.«

»Sagen Sie uns den Namen!«, fuhr Stark ihn an.

Gessing schluckte und senkte den Blick. »Thanner. Er hieß Thanner.«

»Thanner? Dann muss dieser Fred mit Felix Thanner verwandt gewesen sein«, stellte Jan an Stark gewandt fest. »Am Telefon blieb Felix zu wenig Zeit, also wollte er uns durch Tatjana auf Freds Beweggründe hinweisen.«

»Nein«, widersprach ihm Gessing. »Fred war nur sein Spitzname. Für uns war er immer nur Fred, weil er so dürr und schlaksig wie Fred Astaire war. Dieser Tänzer aus den Schwarz-Weiß-Filmen, verstehen Sie? Und Felix fand das witzig …«

»Wie bitte?« Stark schluckte. »Der Junge war Felix Thanner?«

Gessing sah zu ihm auf und nickte. »Ja, so hieß er.«

Sprachlos sahen Jan und Stark den Viehzüchter an, und in der großen Schlachthalle breitete sich beklemmendes Schweigen aus. Weit entfernt muhten die Rinder, und irgendwo hallte leises Tropfen von den Kachelwänden wider.

In diesem Moment klingelte Starks Handy, und alle drei fuhren zusammen. Stark fluchte leise und nahm den Anruf entgegen. Als er das Telefonat beendet hatte, war alle Farbe aus seinem Gesicht gewichen.

»Das wird immer verrückter«, sagte er zu Jan. »Kommen Sie, wir müssen sofort zurück nach Fahlenberg.«

74

Als Jan und der Hauptkommissar die ehemalige Pfarrei der Christophorus-Kirche erreichten, bot sich ihnen ein Bild der Verwüstung. Nur noch die verkohlten Überreste des Fachwerkhauses waren übrig geblieben. Nasser Ruß und Schaum tropften von den schwarzen Balken, die einem prähistorischen Skelett ähnelten und an denen Trümmerstücke wie vereinzelte Fleischbrocken hingen.

Es hatte lange gedauert, ehe die Feuerwehrmänner den Brand unter Kontrolle bekommen hatten, und noch länger, bis das Feuer schließlich gelöscht gewesen war. Trotz des Regens waren immer wieder Brandnester aufgeflammt, angefacht vom Wind, der unaufhörlich geweht hatte, als treibe er ein Spiel mit den Löschkräften.

Die Umgebung war weitläufig abgesperrt, und Schilder mit dem Warnhinweis

BETRETEN VERBOTEN!
ACHTUNG EINSTURZGEFAHR!

waren aufgestellt worden. Daneben hatten sich zwei Löschfahrzeuge der Brandwache postiert, vor denen sich eine Gruppe von Einsatzkräften versammelt hatte. Die Männer tranken Kaffee aus Pappbechern und unterhielten sich mit betretenen Gesichtern, wobei sie immer wieder zu der Ruine sahen.

Als Jan und Stark die Absperrung passierten, kam ihnen ein Beamter der Spurensicherung entgegen. In jeder Hand trug er ein Paar Gummistiefel, die er den beiden Männern reichte.

»Ich hoffe, sie passen einigermaßen«, sagte er. »Sind die einzigen, die wir noch übrig haben. Sie werden sie da drin brauchen. Schutzhelme bekommen Sie vom Kollegen am Eingang.«

Jans Stiefel waren mindestens zwei Nummern zu groß, was es nicht gerade einfach machte, durch die Trümmer und die nassen und von Ruß und Schaum schmierigen Steinstufen zum Keller hinabzusteigen.

Doch weit mehr machte ihm der Gestank zu schaffen, der mit jedem Schritt zunahm. Eine beißende Mischung aus Brandgeruch, chemischen Löschmitteln und Moder hatte sich hier unten angestaut und verschlug ihm beinahe den Atem. Der Strom war abgestellt worden, und im Licht der Helmlampe kam es ihm vor, als stiegen sie durch den Rachen eines verwesenden Ungeheuers in dessen Eingeweide hinunter.

»Guten Tag, die Herren, willkommen in der Unterwelt.« Ein rundlicher Mann in weißem Overall winkte ihnen vom Ende des Ganges entgegen. Mit seinem Helm erinnerte er Jan an Bob den Baumeister aus dem Kinderfernsehen. »Ist einer von Ihnen Hauptkommissar Stark?«

»Das bin ich«, gab Stark zurück. »Und das hier ist Dr. Forstner.«

»Wilke, Kriminaltechnik«, stellte sich Bob der Baumeister vor. »Kommen Sie, es ist hier drüben.«

Sie wateten auf ihn zu. Bis auf das Löschwasser, das sich etwa knöchelhoch angestaut hatte, wirkte der Keller unversehrt. Sämtliche Türen standen offen. Wahrscheinlich hatte die Feuerwehr hier unten nach weiteren Personen im Haus gesucht.

Jan sah in einen Abstellraum, der mit Möbeln und Kartons vollgepfercht war. Auf der anderen Seite befand sich ein Vorratskeller, in dem leere Flaschen und abgelöste Etiketten neben den Regalen schwammen.

»Wie Sie sehen, konnte das Feuer dem Keller nichts anhaben«, bemerkte Wilke, als sie bei ihm angekommen waren. Er patschte mit einer behandschuhten Hand auf die Wand. »Ist alles aus solidem Fahlenberger Granit gemauert. Gut für uns. Sie werden nicht glauben, was wir hier unten entdeckt haben. Meinen Kollegen ist jedenfalls die Sprache weggeblieben, und das will was heißen.«

Sie waren vor einer Holztür angelangt, die von der Feuerwehr aufgebrochen worden war. Nutzlos hing ein neuwertiges Vorhängeschloss am Riegel.

»Kommen Sie, Doktor«, sagte Stark mit leiser Stimme. »Sehen wir es uns an.«

Sie wateten in einen quadratischen Raum, der etwa vier mal vier Meter maß. Es roch nach dem nassen Sandboden, nach Farbe und Petroleum, und da war noch etwas, das Jan nicht einordnen konnte – etwas Süßliches, wie ein blumiges Raumspray oder Parfüm.

Die Mitte des Raumes nahm eine lebensgroße Marienstatue ohne Kopf ein, die aus dem Bestand der Kirche stammen musste. Von dem wurmstichigen Holzkörper blätterte Lackfarbe ab. Darüber hingen eine rote Bluse und ein grauer Damenregenmantel. An zwei Wänden standen angerostete Metallregale, die vor etlichen Jahren ein Sonderangebot in einem Baumarkt gewesen sein mussten, während die Länge der dritten Wand von einer Holzwerkbank eingenommen wurde.

Es war eine Werkstatt und doch auch wieder nicht. Nur noch die Löcher der Haken und die hellen Umrisse auf dem vergilbten Putz erinnerten an das Werkzeug, das dort lange Zeit gehangen haben musste. Viel war davon jedoch nicht mehr zu sehen, denn nun war die Wand über der Werkbank mit Zeitungsausschnitten übersät.

Jan ging darauf zu, ließ den Lichtkegel seiner Helmlampe darübergleiten und erschrak, als er die Artikel erkannte. Bei den älteren handelte es sich um Fotokopien und Ausdrucke aus dem Internetarchiv diverser Tageszeitungen. Auf mehreren davon war Jans Foto zu sehen.

Er las vertraute Überschriften, die ihm wie die sensationsheischende Kurzversion seiner schlimmsten Jugendjahre vorkamen:

FAMILIENTRAGÖDIE IN FAHLENBERG

SVEN NOCH IMMER VERSCHWUNDEN

WAS WURDE AUS DEM SECHSJÄHRIGEN SVEN?

Und dann folgten die Artikel, die vor fast einem Jahr Jans Leben dominiert hatten:

RÄTSEL UM VERMISSTEN JUNGEN NACH 23 JAHREN GELÖST

BRUDER ERKLÄRT: ICH HABE DIE SUCHE NIE AUFGEGEBEN

Den krönenden Abschluss bildete der große Aufmacher, der dem *Fahlenberger Boten* eine Rekordauflage beschert hatte:

Weitere Ausschnitte stammten aus den letzten Monaten. Sie berichteten über die Fortschritte der neuen Kinder- und Jugendpsychiatriestation an der Waldklinik, und wo immer Jans Name erwähnt wurde, war er mit Rotstift umkreist.

In einer Ecke darunter drängten sich Artikel über Carla. Sie zeigten sie bei der Präsentation ihres Buches und bei Interviews. Es folgten mehrere Rezensionen zu *Kalte Stille* und ein Foto, auf dem Carla bei einer Lesung zu sehen war.

Beim Anblick des Fotos hatte Jan das Gefühl, als presste ihm jemand einen Eisbeutel in den Nacken. Carlas Gesicht war mit schwarzem Filzstift unkenntlich gemacht worden. Darunter stand das Wort *Nutte* in krakeligen Buchstaben geschrieben.

»Sehen Sie sich das an«, sagte Stark hinter ihm.

Jan wandte sich zu ihm um und sah eine Sammlung von Zeichnungen, mit denen die Innenseite der geborstenen Tür und die komplette Wand gepflastert waren. Sie waren im selben kindlichen Stil gemalt wie die Zeichnungen, die Jan erhalten hatte. Er erkannte das Motiv mit den weidenden Kühen, deren abgetrennte Köpfe auf einem Stapel lagen, sowie eine Darstellung des Schlachthauses, über die in großen roten Lettern das Wort HÖLLE geschrieben war, und eine Skizze des Harderhofes, der in Flammen stand.

Außerdem gab es mehrere Bilder, auf denen ein lächelnder Mann zu sehen war. Sein Kopf war wie der eines Messias von einem Glorienschein aus gelben Wachsmalstrichen umgeben. Über jedem der Porträts stand Jans Name, und unter dem größten fand sich die Zeile: *Mein geliebter Retter.*

Am schockierendsten jedoch fand Jan die Zeichnung eines blonden Mädchens, das über einem enthaupteten Jungen stand, der wohl Felix darstellen sollte. Sie hielt den Kopf des Jungen empor wie Bertran de Born in Dorés Illustration zu Dantes *Inferno*.

»Das Beste finden Sie hier«, sagte Wilke. Er zeigte auf die Regale. »Wie krank muss man sein, um so etwas zu sammeln?«

Jan und Stark gingen auf das Regal zu.

»O Gott!«, stieß Stark erschrocken aus, und auch Jan zuckte schockiert zurück.

Im mittleren Fach lagen drei Paar weibliche Brüste säuberlich aufgereiht nebeneinander.

»Keine Sorge, die sind nicht echt«, erklärte Wilke. »Aber sie sehen verdammt echt aus, nicht wahr? Bekommen Sie online in allen Größen. Und das hier auch.«

Er hob mit beiden Händen eine Verpackung hoch, auf der das Wort *FemSkin* aufgedruckt war. Als er den fragenden Blick der beiden sah, fügte er hinzu: »Ist ein Silikonanzug mit Maske, Brüsten und Vagina. Parfüm und das passende Schminkzeug dazu finden Sie im obersten Fach. In dem Aufzug hätte ihn nicht einmal seine eigene Mutter wiedererkannt.«

Mit pochendem Herzen leuchtete Jan in den oberen Teil des Regals, in dem sich Kosmetikartikel und Frauenkleider stapelten, Röcke und Blusen, wie man sie in Altkleidersammlungen finden konnte. Daneben sahen ihm zwei Styroporköpfe entgegen. Auf beide waren Perücken aufgezogen, die ebenso täuschend echt wie die Brüste wirkten.

»Die Kollegen hatten ja schon befürchtet, dieser Brustfetischist skalpiert Blondinen«, sagte Wilke. »Aber es sind wirklich nur Perücken. Ach ja, und wir haben hier noch einen Laptop gefunden, der mit einem Hammer bearbeitet wurde. Wahrscheinlich gehörte er Nowak. Das würde erklären, weshalb er sich nicht getraut hat, ihn irgendwo zu entsorgen. Er lag im untersten Fach und ist vom Löschwasser nass geworden. Wir überprüfen jetzt, ob wir noch an Daten auf der Festplatte herankommen.«

Stark bückte sich und zog einen dicken Ordner aus dem Regalfach, auf das Wilke gezeigt hatte. Der Ordner stand zum Teil im Wasser, so dass seine untere Hälfte aufgequollen war und triefte.

»Was ist das?«, fragte Jan.

»Eine weitere Artikelsammlung«, murmelte Stark, während er vorsichtig die nassen Seiten voneinander löste. Dann seufzte er. »Es ist, wie wir schon befürchtet haben. Die Harders und Volker Nowak waren nicht die einzigen Opfer.«

Stark reichte Jan den Ordner. Er enthielt etliche Berichte über den Mord an einem Ulmer Unternehmer namens Matthias Lassek. Gefahndet wurde nach einer mysteriösen Frau, und aus den letzten, knappen Meldungen ging hervor, dass man sie bislang nicht gefunden hatte.

Auch über Matthias Lasseks Vorleben gab es zahlreiche Artikel. Er hatte sich für Jugendprojekte eingesetzt und Kinderheime finanziell unterstützt.

Jan überlegte, ob es in den anderen Ordnern, die sich im zweiten Regal reihten, noch irgendwo kindliche Zeichnungen gab, die Lassek darstellen sollten. Falls ja, fragte er sich, ob eine davon ebenfalls mit *Mein geliebter Retter* betitelt war.

Aber wahrscheinlich hast du das Bild dann längst vernichtet, dachte er. *Immerhin gibt es ja nur* einen *Erlöser, nicht wahr?*

»Sagen Sie …«, begann Stark, dann rieb er sich am

Kinn, als wüsste er nicht, wie er es ausdrücken sollte. Ihm war anzusehen, wie er all diese Dinge in einen Kontext bringen wollte und wie schwer er sich dabei tat. »Ich habe diesen Pfarrer ja nicht gekannt und ihn nur auf Heinz Krögers Beerdigung reden gehört, aber … Sie sagten doch, Sie hätten mit einer *Frau* telefoniert, oder?«

»Sie meinen die Stimme?«

Stark nickte. »Kann ein Mann seine Stimme derart verstellen?«

Jan dachte an Janas Stimme. Sie hatte sich rauchig und doch irgendwie kleinmädchenhaft angehört. Und er erinnerte sich, dass sie ihm jedes Mal verstellt vorgekommen war. Felix Thanner hatte eine jungenhafte Stimme gehabt, die zu seiner schmächtigen Gestalt gepasst hatte. Mit ein wenig Übung – und die würde er im Lauf der Jahre gehabt haben – hätte er seine Tonlage sicherlich verstellen können, dass sie sich wie die rauchige Stimme einer jungen Frau anhörte. Immerhin taten das auch viele Travestiekünstler und klangen dabei sehr überzeugend. Aber die Frage der Stimmimitation schien Jan noch das kleinste Problem zu sein in dieser verwirrenden Angelegenheit.

Er zuckte ratlos mit den Schultern. »Wie es aussieht, hat er uns alle getäuscht.«

»Ich weiß ja nicht, wie es Ihnen geht …«, Stark zog seine Zigaretten aus der Jacke. »Ich muss jetzt auf jeden Fall sofort raus hier.«

Ohne Jans Antwort abzuwarten, verließ er den Raum, und Jan konnte auf dem Gang das reibende Geräusch eines Feuerzeugs hören.

75

Stark brachte Jan nach Hause. Es war bereits spät, als sie in der Zufahrt hielten. Der Regen hatte aufgehört, und die Luft war von einer klaren, erfrischenden Kühle.

Die ganze Fahrt über hatten sie kaum ein Wort gesprochen. Jeder hatte seinen Gedanken nachgehangen, hatte versucht, die verwirrende Fülle der Informationen zu verarbeiten. Stark fand als Erster die Sprache wieder, als er Jan nun zur Haustür begleitete.

»Also gut, Dr. Forstner, Sie sind der Psychiater. Erklären Sie mir bitte, was wir da gesehen haben. Was war mit diesem Thanner los? War er so etwas wie ein psychopathischer Transvestit oder was?«

Jan blieb stehen und strich sich mit der Hand übers Gesicht. Er war müde und erschöpft, aber seine Gedanken drehten sich unaufhörlich um Thanner und Tatjana.

»Nein, kein Transvestit«, sagte er. »Ich denke eher, wir haben es tatsächlich mit einer multiplen Persönlichkeit zu tun gehabt. Die Maskerade aus dem Keller sollte nur dazu dienen, seiner zweiten Persönlichkeit eine reale Existenz zu verleihen.«

Stark sah ihn verständnislos an. »Sagten Sie nicht, dass es so etwas nicht gibt?«

»Ich sagte, dass dieses Thema aufgrund seiner Komplexität in Fachkreisen umstritten ist. Aber nach dem, was wir in dem Keller gesehen und von Gessing gehört haben, glaube ich, dass es sich bei Felix Thanner tatsächlich um einen solchen Fall gehandelt hat. Es ist natürlich nur eine Theorie, aber ich bin mir dennoch ziemlich sicher, dass ich damit richtig liege.«

»Nur zu, ich bin ganz Ohr«, sagte Stark und kramte seine Zigaretten hervor. »Ihre Theorie interessiert mich sehr.«

»Vermutlich ist das Ereignis im Schlachthaus der Auslöser für Thanners innere Spaltung gewesen«, begann Jan. »Eine Art Trauma. Wir wissen nichts über Thanners Vorgeschichte, woher er ursprünglich stammte und wer sein leiblicher Vater gewesen ist. Wahrscheinlich wuchs er nur bei seiner Mutter auf und vermisste eine väterliche Person in seinem Leben, bis er sie schließlich in Walter Harder fand. Auch wenn ihn uns Gessing als launisch und grobschlächtig beschrieben hat, muss Walter Harder für Felix eine große Bedeutung gehabt haben, vor allem, da er ihn wie seinen eigenen Sohn behandelt hat.

Aber dann kam der große Bruch. Felix wurde zur Enttäuschung und drohte bei seinem neuen Vater in Ungnade zu fallen. Er selbst war zu sensibel, um das zu ändern, wohingegen Tatjana es gekonnt hatte. Also schlüpfte er kurzerhand in ihre Rolle, und plötzlich war er in der Lage, etwas zu tun, was er als Felix nie hätte tun können. Er tötete das Rind und löschte noch in derselben Nacht seine Familie aus.«

Stirnrunzelnd steckte sich Stark eine Zigarette an, nahm einen tiefen Zug und schüttelte den Kopf. »Aber das verstehe ich nicht. Angenommen, Sie haben Recht, warum sollte er dann seinen Stiefvater töten, an dem er so hing und den er beeindrucken wollte?«

»Weil nicht Felix die Gasleitung manipuliert hat, sondern Tatjana. Oder vielmehr sein zweites Ich, das wie seine Stiefschwester empfand. Denn Tatjana war rasend eifersüchtig, wie wir erfahren haben. Er muss voll und ganz in dieser Rolle aufgegangen sein.«

»Sie wollen mir also erzählen, dass er zu zwei eigenständigen Persönlichkeiten wurde und wie zwei unterschiedliche Personen dachte und fühlte?«

»Nun ja, sicherlich gab es Überschneidungen«, entgegnete Jan, »immerhin handelte es sich ja nicht tatsächlich um seine Schwester, sondern um seine unterbewusste *Interpretation* ihrer Persönlichkeit. Aber ansonsten denke ich schon, ja.«

Schnaubend stieß Stark den Rauch aus. »Nehmen Sie's mir nicht übel, aber das klingt für mich einfach unglaublich.«

»Sehen Sie«, sagte Jan, »eine solche Dissoziation ist im Grunde nichts anderes als eine Störung des Über-Ich, so dass das Es in manchen Situationen die Oberhand gewinnen kann – in Freuds Terminologie ausgedrückt. Dadurch können bisweilen verborgene Persönlichkeitsanteile in Erscheinung treten, die den Betroffenen wie eine fremde Person erscheinen lassen. Haben Sie mal *Der Exorzist* gesehen?«

»Ich mag keine Horrorfilme«, verneinte Stark. »Mein Alltag ist blutrünstig genug. Vor allem in den letzten Tagen.«

»Das kann ich verstehen«, nickte Jan. »Nun, auf jeden Fall gibt es in diesem Film eine Szene, in der die Mutter des besessenen Mädchens sagt, sie erkenne das Wesen nicht wieder, das im Bett ihrer Tochter liegt. Und das trifft es recht gut, wie man als Außenstehender eine dissoziative Persönlichkeit erlebt. Ehe man von solchen Störungen wusste, hatte man an dämonische Besessenheit geglaubt, an das Böse oder ein fremdes Wesen, das von dem Betroffenen Besitz ergriffen hatte. Tatsächlich ist es jedoch ein Kontrollverlust über die unterbewusste Triebhaftigkeit, die zu einer rücksichtslosen Enthemmung führt und unterschwellige Aggressionen freilegt. Etwas kommt nach außen, das überhaupt nicht zu der Person zu passen scheint, die man zu kennen glaubte.«

Abermals runzelte Stark die Stirn. »Was bedeutet das in unserem Fall?«

»In unserem Fall«, sagte Jan, »bedeutet das, wann immer sich der sensible Felix einer Situation nicht gewachsen sah, übernahm die impulsive Tatjana die Führung. Sie half ihm, mit seinen Ängsten und seiner Schüchternheit zurechtzukommen, da sie keine Skrupel kannte.«

Stark schnippte seine Kippe weg. Wie ein rotes Glühwürmchen flog die Glut in hohem Bogen über den Zaun auf den regennassen Bürgersteig und erlosch. »Dann wusste er Ihrer Meinung nach also, was mit ihm los war?«

»Ich denke schon«, nickte Jan. »Allerdings werden seine Persönlichkeiten jede direkte Konfrontation miteinander gemieden haben. Die dominante und aggressive Tatjana wird Felix unheimlich gewesen sein, und umgekehrt muss sie ihn für seine sensible Art verachtet haben. Andererseits konnten sie aber nicht ohne den anderen überleben.«

»Und warum nicht?«

»Ganz einfach«, entgegnete Jan, »Tatjana brauchte einen Körper, um zu existieren, und Felix brauchte Tatjana, die er für den Mord an seinem Stiefvater und seiner Mutter verantwortlich machen konnte. Immerhin wäre er sonst selbst ein Mörder gewesen, und an dieser Einsicht wäre er meiner Einschätzung nach sicherlich zerbrochen. Folglich werden sie in einer Art stillschweigender Symbiose nebeneinanderher gelebt haben.«

»Sie meinen, seine beiden Persönlichkeiten waren wie das alte Ehepaar in diesem Simenon-Roman mit der Katze? Die beiden, die sich abgrundtief hassen, sich aber nicht trennen können?«

»Ja, das kommt in etwa hin«, sagte Jan und war ein wenig überrascht. Er hätte Stark eher für einen Chandler-Leser gehalten.

Stark atmete tief durch und nickte nachdenklich. »Was

meinen Sie, ist er deswegen Pfarrer geworden? Weil sein zweites Ich keine andere Beziehung zugelassen hätte?«

»Das wäre durchaus denkbar«, stimmte Jan ihm zu. »Gegen eine Beziehung zu Gott wird Tatjana nichts einzuwenden gehabt haben. Hinzu kommt der spirituelle Aspekt, immerhin war sie selbst jemand, an den man glauben musste. Und vergessen wir nicht den Onkel, bei dem Thanner aufgewachsen ist. Auch er ist Pfarrer gewesen.«

Geistesabwesend wischte Stark die Regentropfen vom Treppengeländer, dann betrachtete er seine nassen Fingerspitzen, als habe er noch nie Wasser gesehen.

»Aber was war mit seiner wirklichen Stiefschwester?«, fragte er. »Er muss doch gewusst haben, dass sie überlebt hatte.«

»Natürlich, aber durch die Dissoziation wird er diese Tatsache verdrängt haben«, mutmaßte Jan. »Erst als ihm alles über den Kopf gewachsen ist, hat er die reale Tatjana aufgesucht. Wahrscheinlich hatte er sie so gut verdrängt, dass er sichergehen wollte, ob es sie tatsächlich in der realen Welt gab, um uns anschließend auf sie hinzuweisen. Er machte sie für die Morde an seinen Eltern, an Nowak und diesem Geschäftsmann verantwortlich. Das wollte er uns damit sagen. Aber kurz nach seinem Besuch im Pflegeheim machte sich die imaginäre Tatjana wieder bemerkbar. Sie wehrte sich gegen Felix' Vorhaben, indem sie zum Harderhof zurückkehrte, um ihm dort in Erinnerung zu rufen, warum es sie gab und weiterhin geben musste. Sie wollte ihm beweisen, dass er nicht ohne sie sein konnte und sie deshalb nicht verraten durfte.«

Wieder schüttelte Stark den Kopf. Es war ihm anzusehen, wie schwer er sich tat, dies alles zu erfassen. »Bei allem Respekt«, seufzte er, »aber Ihre Theorie hat aus meiner Sicht einen Haken. Selbst *wenn* es so gewesen wäre, wie Sie sagen, aber in all den Jahren muss doch irgendjemandem aufgefallen sein, dass mit Thanner etwas nicht stimmte?«

»Nicht unbedingt«, widersprach ihm Jan. »Immerhin war Felix ein verschlossener und schüchterner Mensch, der auf andere ein wenig sonderbar wirkte – mich eingeschlossen, aber ich habe mir, wie alle anderen vermutlich auch, nichts weiter dabei gedacht. Außerdem verläuft die Entwicklung einer psychischen Störung nicht immer offensichtlich. Nicht jeder rennt durch die Fußgängerzone, beschimpft Leute und rezitiert Bibelverse. Tatjana hielt sich bedeckt. Ihre gelegentlichen körperlichen Präsenzen lebte sie im Geheimen aus, im Kellerraum des Pfarrhauses – oder nachts auf dem Friedhof.«

»Das ist auch so etwas, das ich nicht verstehe, Doktor. Warum ging er auf den Friedhof?«

»Auch dazu kann ich nur Vermutungen anstellen. Der nächtliche Friedhof muss wohl ein Ort gewesen sein, an dem sich Jana unbeobachtet wähnte. Sie wollte ihrem Kellergefängnis entkommen, wie sie mir sagte. Sie wollte hinaus in die reale Welt. Aber sie durfte sich natürlich niemandem zeigen. Wer weiß, vielleicht war sie auch noch an anderen abgelegenen Orten unterwegs? Das bleibt wohl eines der Geheimnisse, die sie mit ins Grab genommen hat. Aber abgesehen davon, *ist* sie ja jemandem aufgefallen. Volker Nowak hat Tatjana gesehen, nur hat sie dafür gesorgt, dass er niemandem davon erzählen konnte.«

Eilige Schritte kamen die Straße entlang. Jan erschrak, als er die Joggerin am Haus vorbeilaufen sah, deren langes blondes Haar aus der Kapuze ihrer Trainingsjacke fiel.

Sie blickte kurz zu ihm, und im Dämmerlicht der Straßenbeleuchtung sah sie ein wenig aus, wie Felix Thanner ausgesehen haben musste, wenn er in die Rolle seiner Stiefschwester verfallen war. Doch schon im nächsten Moment war sie wieder eine ganz gewöhnliche Joggerin, groß, schlank und durchtrainiert – eine Frau, die sich bei ihm über Hundehaufen auf dem Gehweg vor dem Haus beschweren würde, wenn sie hineingetreten war.

Er rieb sich die Augen und sah ihr nach. Es war die Müdigkeit, die seiner Sinneswahrnehmung Streiche spielte. Daran, dass die Bedrohung durch Tatjana – oder Jana, wie sie sich selbst genannt hatte – nun vorüber war, würde er sich erst wieder gewöhnen müssen. Die Paranoia, die er ihretwegen durchlebt hatte, war noch zu präsent.

»Was mich am meisten irritiert, ist Thanners Selbstmord«, holte Stark ihn aus seinen Gedanken zurück. »Warum hat er das getan?«

»Es war nicht Thanner, sondern Tatjana«, berichtete ihn Jan. »Thanner sagte mir, er habe sie zu überreden versucht, sich zu stellen. Genau genommen, meinte er damit seinen schweren inneren Konflikt, aber für ihn muss es gewesen sein, als würde er eine fremde Person überführen wollen. Tatjana hatte wieder gemordet, und das brachte das Fass für ihn endgültig zum Überlaufen. Er hielt es nicht mehr aus. Aber Tatjana wehrte sich. Sie wusste, wenn man Thanner einer Therapie unterzog, hätte das ihr Ende bedeutet. Und selbst wenn sie dagegen resistent gewesen wäre, hätte sie den Rest ihres Daseins in einer psychiatrischen Klinik verbringen müssen. Also wird sie beschlossen haben, dass keiner von ihnen überleben sollte. Und damit wirklich nichts von ihnen zurückblieb, verbrannte sie den gemeinsamen Körper.«

Stark legte den Kopf in den Nacken und sog die kühle Abendluft ein. Dann sah er Jan aus Augen an, die große Ratlosigkeit verrieten. »Mal ehrlich, Doktor, haben Sie so etwas Verrücktes schon einmal erlebt?«

»Nein«, sagte Jan. »Ein schlauer Mann hat einmal gesagt: Das Leben ist unendlich viel seltsamer als irgendetwas, das der menschliche Geist erfinden könnte. Dem kann ich nur zustimmen.«

»Und wer war dieser schlaue Mann? Freud?«

»Nein, Arthur Conan Doyle. Haben Sie nie Sherlock Holmes gelesen?«

»Natürlich«, sagte Stark und lächelte. »Deswegen bin ich doch Polizist geworden, Herr Psychiater. Tja, auf jeden Fall ist es jetzt vorbei.«

»Ich weiß nicht«, sagte Jan und sah auf seine Schuhe. Die Feuchtigkeit hatte Ränder auf dem braunen Leder hinterlassen. »Irgendetwas passt da noch nicht. Jana sprach von einem Plan, aber bisher konnte ich keinen Plan in diesem ganzen Verwirrspiel erkennen.«

Stark sah ihn verdutzt an. »Was meinen Sie damit?«

»Sie muss etwas vorgehabt haben. Vielleicht hat sie es auch noch in die Wege geleitet, ehe sie starb.« Jan hob den Kopf und sah den Polizisten eindringlich an. »Stark, hören Sie, ich habe es bisher zu verdrängen versucht, aber mir lässt der Gedanke keine Ruhe mehr, dass dieser Plan etwas mit Carlas Verschwinden zu tun hat. Warum sonst haben wir immer noch keinen Hinweis, wo sie sich aufhält? Wenn sie …« Jan stockte. Er wollte und konnte es nicht aussprechen. »Ich meine, Ihre Kollegen hätten sie in dem Fall doch schon längst gefunden, oder?«

Stark legte ihm eine Hand auf die Schulter und bemühte sich um einen ermutigenden Blick, der jedoch nicht sehr überzeugend ausfiel. Offenbar musste er selbst schon diesen Gedanken gehabt haben, mutmaßte Jan.

»Dr. Forstner, wir tun unser Menschenmöglichstes, um … den Aufenthaltsort von Frau Weller zu ermitteln. Sie sollten sich jetzt erst einmal ausruhen. Morgen wissen wir vielleicht schon mehr.«

Damit streckte er sich, schob sich die letzte Winston aus seinem Päckchen in den Mund und ging zurück zu seinem Wagen.

»Stark?«, rief Jan ihm nach.

Der Polizist sah sich zu ihm um, wobei er mit einer Hand seine Jacke nach einem Feuerzeug durchsuchte.

»Danke, dass Sie mir von Anfang an geglaubt haben«, sagte Jan.

»O nein, ich muss Ihnen danken«, entgegnete Stark. »Ihre verdammte Theorie wird mir ein paar heftige Alpträume bescheren, fürchte ich.«

Der Polizist schickte eine letzte blaue Rauchwolke zum sternenklaren Abendhimmel hinauf und stieg in seinen Wagen.

Jan schaute ihm nach, dann schloss er die Haustür, lehnte sich dagegen und rieb sich die pochenden Schläfen. Er fühlte sich restlos ausgelaugt. Die Ereignisse der vergangenen Stunden und seine Sorge um Carla hatten ihm die letzten Kraftreserven geraubt. Stark hatte Recht, er musste dringend ein paar Stunden schlafen. Mehr konnte er im Moment nicht tun.

Er sah zum Telefon. Wenn Carla sich nur endlich melden würde. Und sei es nur, um ihm zu sagen, dass sie ihre Beziehung beenden wollte, um irgendwo ganz von vorn anzufangen. Hauptsache, er wusste, dass es ihr gutging. Doch seine Hoffnung auf ein Lebenszeichen von ihr schwand immer mehr und machte einer düsteren Ahnung Platz, die sich nicht aus seinem Kopf vertreiben ließ.

Das Läuten der Türglocke ließ ihn zusammenfahren. War Stark noch einmal zurückgekommen? Oder war es vielleicht Carla?

Jan öffnete, und der Schlag traf ihn so unvermittelt, dass ihm keine Zeit blieb, auszuweichen. Er fiel rücklings zu

Boden, und noch ehe er wusste, wie ihm geschah, saß der Angreifer auf ihm.

Die Joggerin!, schoss es Jan durch den Kopf, dann sah er das zu einem Grinsen verzerrte Gesicht von Felix Thanner über sich. Gleichzeitig spürte er einen Einstich im Hals.

Jan wollte sich wehren, doch es war bereits zu spät. Ein heißes Gefühl breitete sich über Hals und Schultern aus, und alles um ihn herum begann zu verschwimmen.

»Tut mir leid, mein Schatz«, hörte er eine Frauenstimme sagen. »Aber manchmal muss man die Menschen zu ihrem Glück zwingen.«

76

Verwirrung.

Geräusche.

Irgendwo lief Wasser.

Ein elektronische Melodie.

Ein Piepton.

Dann eine Stimme, blechern und wie aus weiter Ferne. Als müsse sie eine metallische Wand durchdringen.

»Hallo, Dr. Forstner.«

Ein träger Gedanke. *Ich kenne diese Stimme.*

»Hier spricht Hauptkommissar Stark.«

Er hört sich so dumpf und hallend an. Als ob ich in einer Tonne begraben bin.

Diese Vorstellung erschreckte ihn und riss ihn aus der Benommenheit. Jan schlug die Augen auf. Anfangs sah er nur verschwommene Umrisse, als befände er sich unter Wasser. Dann nahmen die Bilder deutlichere Konturen an.

Ein Tisch.

Ein Kerzenständer.

Er erkannte den Kerzenständer. Ja, er hatte ihn letztes Jahr auf einem Flohmarkt gekauft. Zusammen mit Carla. Sie hatte ihn *hübsch* gefunden. *Hübsch*, das war ihre Umschreibung für *altmodisch* oder *kitschig*. *So kitschig, dass er schon wieder gut ist*, hatte sie gesagt. Deshalb hatte er ihn gekauft. Er hatte ihn auf fünf Euro heruntergehandelt. Nun brannten fünf Kerzen darin.

Was ist passiert?

Das Wasserrauschen verstummte.

»Hören Sie, Doktor«, sagte Stark, und Jan begann zu begreifen, dass der Polizist mit seinem Anrufbeantworter sprach. »Wahrscheinlich schlafen Sie noch, aber sobald Sie das abhören, rufen Sie mich bitte sofort zurück, ja? Es gibt Neuigkeiten zu Felix Thanner. Keine guten Neuigkeiten. Ich bin von der Gerichtsmedizin angerufen worden. Man hat die verbrannte Leiche aus dem Pfarrhaus identifiziert. Der Tote ist Heinz Kröger. Wie es aussieht, muss Thanner die Leiche meines Kollegen vor dessen Beerdigung vom Friedhof gestohlen haben. Wir überprüfen jetzt, wer oder was sich stattdessen in dem Sarg befindet.«

Was, zum Teufel, redet dieser Idiot da?

»Seien Sie also wachsam, Doktor. Felix Thanner ist noch am Leben. Halten Sie Ihr Haus gut verschlossen. Ich denke zwar nicht, dass Thanner sich zu Ihnen wagt, wahrscheinlich wird er sich irgendwo vor uns verstecken, aber seien Sie dennoch auf der Hut. Es gibt jedoch keinen Grund zur Sorge, wir haben bereits eine Großfahndung eingeleitet. Es wird nicht lange dauern, bis wir ihn fassen, da bin ich mir sicher. Falls ich nichts von Ihnen höre …«

Die maximale Aufnahmezeit des Anrufbeantworters war erreicht. Ein Klicken, dann ein Piepton, und die Nachricht war gespeichert.

Jan schluckte. Sein Mund fühlte sich taub und trocken an, wie nach einer durchzechten Nacht. Er realisierte, dass er auf einem Stuhl in seinem Esszimmer saß. Vor dem Fenster war dunkle Nacht. Er hatte keine Ahnung, wie lange er weggetreten war.

Seine Augen tränten von der Nachwirkung der Betäubung, doch als er sie reiben wollte, ging es nicht. Er konnte seine Hände nicht bewegen. Auch seine Beine nicht.

Hinter ihm aus dem Bad hörte er das Klappern des Handtuchhalters. Er roch sein Duschgel und musste daran denken, was auf der Verpackung stand: *erfrischend und belebend. Für ein Gefühl wie neugeboren.*

Neugeboren?, dachte er, während ihm klarwurde, wer gerade sein Bad benutzte. *Nein, eher wie von den Toten auferstanden.*

Abermals versuchte er, sich zu bewegen. Dann verstand er, dass er mit Klebeband an den Stuhl gefesselt war. Reißfestes Paketklebeband wie das, das er in der Küchenschublade aufbewahrte. Vielleicht war es sogar sein eigenes Klebeband?

Die Informationen drangen nur nach und nach in sein Bewusstsein vor. Was immer ihm Thanner injiziert hatte, es würde noch eine Weile dauern, ehe die Wirkung völlig abgeklungen war.

»Hallo, mein Schatz«, sagte eine fröhliche Frauenstimme hinter ihm. »Du bist ja schon wieder wach.«

Er hörte das Patschen nackter Füße auf dem Fliesenboden, dann wurde ihm ein Kuss auf die Wange gedrückt, und Felix Thanner stand vor ihm.

Nein, korrigierte Jan seine Beobachtung, es war nicht

Thanner. Vor ihm stand Tatjana. Es mochte Felix Thanners Körper sein, aber beherrscht wurde er nun von Tatjana. Oder sollte er sie besser Jana nennen?

Sie trug ein Badetuch wie einen Turban um den Kopf gewickelt, aus dem einige Haare ihrer blonden Perücke heraushingen. Sie hatte außerdem eins von Jans weißen Hemden angezogen. Die oberen drei Knöpfe standen offen, und Jan starrte auf das Dekolleté, das die täuschend echte Latexhaut freigab.

Bob der Baumeister hätte besser in statt auf der Verpackung nachsehen sollen, die er uns gezeigt hat. Sie muss leer gewesen sein.

Nichtsdestoweniger hatte der Spurensicherer Recht gehabt, was diese Verkleidung betraf. Nicht einmal Thanners eigene Mutter hätte ihn so wiedererkannt. Nur die Augen waren eindeutig die von Felix Thanner, aber auch hier war eine Veränderung festzustellen. Die Art, mit der ihn diese Augen ansahen, und ihr Blinzeln hatten nun eindeutig feminine Züge. Jedoch nicht auf die übertriebene Art, mit der Männer häufig die Gesten von Frauen imitierten. Diese Mimik wirkte durch und durch echt, und es war nicht Felix Thanners Mimik.

»Geht es dir gut, Schatz? Möchtest du vielleicht ein Glas Wasser?«

Ihre Stimme klang ebenfalls täuschend echt. Sie nahm das Handtuch ab, frottierte ihr künstliches Haar und lächelte ihn an.

Dies war also Jana. Eine Frau, die es eigentlich nicht gab. Ein imaginäres Wesen, das sich einen Weg in diese Welt gesucht hatte. Ein Gespenst im Körper eines Menschen, den es benutzte, so wie ein Lichtstrahl Rauch brauchte, um sichtbar zu werden.

Dies war Jana, die liebeskranke und besorgte Jana, die

mit wahnhafter Selbstverständlichkeit ihren *geliebten Retter* umsorgte, als sei es nie anders gewesen.

Jan deutete mit dem Kinn zu seinen Fesseln. »Bitte mach mich los.«

»Das würde ich wirklich gerne«, sagte sie und seufzte, »aber ich fürchte, das wäre keine gute Idee. Wie ich dir schon gesagt habe, muss man die Menschen manchmal zu ihrem Glück zwingen. Erinnerst du dich noch daran? Ach, bestimmt erinnerst du dich. Ich habe dir doch nur eine kleine Dosis verabreicht, und du warst nicht lange weg.«

»Was …«, er leckte sich über die Lippen, wobei sich seine Zunge wie dickes, geschwollenes Leder anfühlte, »was hast du mir gegeben?«

Sie kicherte. »Nichts, worüber du dir Sorgen machen müsstest. Felix' Schäfchen auf der Drogenstation haben mir versichert, dass es absolut ungefährlich ist und auch nicht abhängig macht.«

Jan stöhnte und legte den Kopf in den Nacken. Natürlich, als Seelsorger konnte Felix Thanner ungehindert in der Klinik ein und aus gehen, und auf diese Weise war Jana an die Informationen und letztlich auch an den Stoff gekommen. In einer großen Klinik kamen immer wieder Medikamente abhanden, ganz gleich, wie streng die Vorschriften auch sein mochten.

Sie bedachte ihn mit einem verwunderten Blick. »Warum siehst du mich so an? Freust du dich denn gar nicht? Jetzt sind wir in der realen Welt zusammen. Das ist doch wunderbar. Nur du und ich.«

»Und was ist mit Felix?«

»Felix?« Sie wirkte ehrlich überrascht. »Er ist tot. Das weißt du doch.«

»Nein, ist er nicht«, widersprach ihr Jan. Er musste versuchen, zu Felix durchzudringen. Das war die einzige

Chance, dieses gespaltene Wesen zur Vernunft zu bringen. Felix war das Ich und das Über-Ich, das die Kontrolle wieder übernehmen musste. Jan würde sie überzeugen müssen, dass es Felix noch gab. Andernfalls lief er Gefahr, dass diese Situation eskalierte.

»Ach, du Dummerchen, was ist denn nur los mit dir?«, sagte sie und lächelte nachsichtig. »Wirklich, wir brauchen keine Angst mehr vor ihm zu haben. Ich habe dir doch versprochen, dass ich alles für unseren Plan tun werde. Und Felix, dieser Dummkopf, hat uns dabei geholfen.«

»Nein, du hast doch gehört, was der Polizist gesagt hat.« Jan sprach so laut und eindringlich, wie es ihm in seinem noch immer benommenen Zustand möglich war. »Felix ist nicht tot. Es war nicht sein Körper, der verbrannt ist. Felix steht vor mir und trägt das Kostüm einer Frau. *Du* bist Felix!«

»Also …«, sie schüttelte entrüstet den Kopf, »was redest du da nur für einen Unsinn! Willst du mich beleidigen? Hast du etwa die Nase voll von mir? Das solltest du dir gut überlegen.«

Etwas Bedrohliches funkelte in ihren Augen, und dieses Etwas war in der Lage, ohne Skrupel zu töten.

Jan schluckte. Es schmerzte. Sein Hals war wie ausgedörrt, und seine Stimme klang rau und trocken. »Ich möchte doch nur, dass du vernünftig wirst. Sieh doch ein, dass …«

»Was hältst du von meinem Nagellack?« Sie lächelte wieder und hielt ihm ihre rechte Hand vors Gesicht. Jan starrte auf die dünnen schlanken Finger mit den gepflegten Nägeln, die auch zu einer Frau hätten gehören können. »Was meinst du? Ist er nicht zu dunkel für meine Augen?«

»Es ist nicht *dein* Nagellack«, schnaubte Jan. »Er gehört Carla! Ebenso wie die anderen Kosmetiksachen im Bad. Du bist hier eingedrungen. Du bist in mein Leben eingedrungen. Und du bist *Felix*, verstehst du das?«

»Nein«, entgegnete sie trotzig. »Das verstehe ich nicht. Überhaupt verstehe ich nicht, warum du so abweisend bist. In der anderen Welt warst du es nicht. Dort hast du mir gesagt, dass du mich liebst und mich hier rausholen wirst.«

»Nein«, ächzte Jan. Sein Kopf dröhnte, und er schloss die Augen. »Das habe ich nicht. Das war nur in deiner ...«

»Doch, das hast du!«, fuhr sie ihn an. Ihr Blick war der eines trotzigen Mädchens, das mit aller Entschiedenheit auf seinem Recht bestand. »Du hast gesagt, dass du diese Welt für schlecht hältst, so wie ich. Für unrein. Nur unsere Liebe ist rein. Das waren deine Worte.«

»Nur in deiner Fantasiewelt!«

»Nein!« Zornig stampfte sie mit dem nackten Fuß auf. »Was kann dir diese Carla denn schon bieten, hä? Ihren Körper, der in ein paar Jahren verwelken wird. Sie wird fett und faul werden, sobald sie dich sicher für sich weiß, und sie wird dich mästen, damit du ebenfalls fett und faul wirst. Und damit du es nicht merkst, wird sie dich verführen. Sie wird wie ein Tier über dich herfallen, und ihr werdet widerliche Dinge miteinander tun. Feuchte, stinkende Dinge, übertüncht von Heuchelei und Liebesschwüren, die nicht den Atem wert sind, den ihr dafür verbraucht. Darum geht es doch in dieser Welt, oder? Ficken, lügen und heucheln. Was weiß sie denn schon, was Liebe ist!«

»Deine Wahnfigur ist eifersüchtig, Felix«, sagte Jan so ruhig wie möglich. Er versuchte Blickkontakt herzustellen, doch es gelang ihm nicht. Jana wandte den Kopf hin und her und wich ihm aus.

»Jana ist nicht real«, betonte er. »Sie hat keinen Körper.

Deshalb verabscheut sie alles Körperliche. Aber du, Felix, könntest ein normales Leben führen. Ein Leben ohne Leiden und Schuldgefühle. Was du als Junge getan hast, war die Verzweiflungstat eines misshandelten Kindes. Jeder wird das verstehen. Lass dir von mir helfen. Du hast doch nach einem Retter gesucht, nicht wahr, Felix?«

Sie schlug ihm mit aller Härte ins Gesicht.

»Halt dein verdammtes Maul, hörst du!«, fauchte sie. »Halt. Dein. Verdammtes. Maul!«

»Nein, das werde ich nicht! Du bist nicht Jana. Jana gibt es nicht! Felix, komm schon, rede mit mir!«

Wieder schlug sie ihm ins Gesicht. Zuerst links, dann rechts. Seine Wangen brannten von der Härte ihrer flachen Hand.

Dann sprang sie vom Stuhl auf und lief in die Küche. Jan hörte, wie eine Schublade aufgezogen wurde.

»Felix, nein!«, rief Jan. »Hör mir doch zu. Jana kann dir nichts anhaben. Es gibt sie nicht wirklich. Aber *dich* gibt es! Mach dich von ihr frei! Es ist noch nicht zu spät.«

Sie kam aus der Küche zurück. In einer Hand hielt sie das Klebeband, mit der anderen winkte sie ihm mit einer Küchenschere zu.

»Ich habe gesagt, du sollst ruhig sein«, sagte sie mit bedrohlich leiser Stimme.

»Bitte nicht, Felix!«

»Noch ein einziges Wort, und ich schneide dir die Zunge heraus, hast du das verstanden?« Sie hob die Schere vor sein Gesicht. »Ich kann das. Papa hat mir gezeigt, wie das geht. Und eine Rinderzunge ist deutlich größer als deine. Also sag lieber nichts mehr.«

Das Kerzenlicht spiegelte sich auf der Schneide. Es war eine große Schere, mit der man mühelos Pappkartons oder Plastik durchschneiden konnte. Nun schnitt Jana einen langen Streifen des Klebebands damit ab. Sie kam dicht an ihn heran, klebte es ihm über den Mund und umwickelte seinen Kopf.

Jan wehrte sich nicht. Sein Blick war nur auf die Schere in ihrer Hand gerichtet. Eine Hand, die vor nicht allzu langer Zeit Volker Nowaks Kopf gepackt und ihn zwischen Fahrertür und Wagen gezerrt hatte, um dort seine Kehle zu zerquetschen.

»Was weißt du schon von Schuldgefühlen?«, sagte sie und drückte das Band fest.

Dann trat sie von Jan zurück. Sie betrachtete ihr Werk und nickte zufrieden.

»Ich wollte den Gasherd nicht aufdrehen. Ich wollte auch nicht die Kerze auf den Küchentisch stellen. Aber was hatte ich denn für eine andere Möglichkeit, Papa zu mir zu holen? Dorthin, wo alle so sind wie ich.«

Weinend wandte sie sich ab und verschwand erneut in der Küche. Für eine Weile war nur ihr Schluchzen zu hören. Dann fauchte sie ein einzelnes Wort.

»*Heulsuse!*«

Das Schluchzen endete abrupt, als hätte sie es abgeschaltet, und Jan vernahm das Klappern der Kühlschranktür. Gleich darauf hörte er, wie sie ein Glas aus dem Küchenschrank holte.

Als sie zu ihm zurückkehrte, hielt sie zwei Weingläser in den Händen. Sie stellte eines davon vor Jan auf dem Tisch ab, zog einen Stuhl vor ihn und setzte sich.

Jan hoffte, sie würde seinen Knebel wieder entfernen, doch sie schien seine Gedanken erraten zu haben und fuhr mit einem Finger über das Klebeband.

»Ich würde ja gerne mit dir zusammen ein Glas trinken, so wie in der anderen Welt, aber hier wäre es wohl falsch.« Sanft strich sie ihm mit der Hand übers Gesicht. »O Jan, wie lange habe ich auf diesen Moment gewartet. Darauf, dass wir endlich unseren Plan verwirklichen können. Du wirst sehen, in der anderen Welt ist es viel schöner. Dort ist man immer gleich, man altert nicht, und die Menschen sind so, wie man sie haben möchte. Dort gibt es keine Enttäuschungen.«

Jan spürte Panik in sich aufsteigen. Er ahnte, was sie vorhatte, aber er wollte es nicht glauben.

Nicht daran denken, sonst verlierst du dich in Panik! Denk lieber darüber nach, wie du hier wieder rauskommst. Und zwar schnell!

Sie trank einen Schluck und hielt das Glas ins Kerzenlicht. Der Rotwein sah aus wie Blut. Jan verfluchte sich dafür, den Wein mit dem Narkotikum nicht aufbewahrt zu haben.

»O sink hernieder, Nacht der Liebe«, flüsterte sie. »Gib Vergessen, dass ich lebe. Nimm mich auf in deinem Schoß, löse von der Welt mich los.«

Sie stellte das Glas ab, stand mit einer entschlossenen Bewegung auf und ging erneut in die Küche.

Jan zerrte an den Fesseln, doch das Klebeband hielt ihn unnachgiebig an Armlehnen und Stuhlbeinen fest. Wie oft mochte sie jede Stelle umwickelt haben? Zehnmal, zwanzigmal? Keuchend streckte er sich und versuchte zu erkennen, was sie tat.

»Magst du *Tristan und Isolde*, Liebling?«, tönte ihre Stimme zu ihm. »Ich kann mich an der Musik nicht satthören. Am meisten liebe ich den zweiten Aufzug. ›Ewig währ' uns die Nacht ...‹ Es liegt so viel Wahrheit darin, nicht? Als seien diese Worte nur für uns beide geschrieben worden.«

Jan schrak zusammen, als er die Besteckschublade hörte. Wieder riss er an seinen Fesseln, doch es hatte keinen

Sinn. Der Stuhl kippte hin und her, und das Klebeband schnitt sich tiefer in seine Hand- und Fußgelenke. Er kam nicht los. In diesem Moment kam sie zurück. Sein Atem ging schnell und heftig, als er das Messer sah, das sie in der Hand hielt. Er spürte, wie sein Puls jagte, und starrte auf das Kochmesser, das ihm die Verkäuferin seinerzeit als *höllisch scharf und universell einsetzbar* empfohlen hatte.

Lächelnd ließ sich Jana vor ihm auf den Knien nieder und sah zu ihm auf. »So stürben wir, um ungetrennt, ewig einig, ohne End', ohn' Erwachen, ohn' Erbangen, namenlos in Lieb' umfangen.«

Nicht alle Verrückten liefen durch die Fußgängerzone und rezitierten Bibeltexte, hatte Jan zu Stark gesagt. *Hier ist der Beweis*, dachte er in einem Anflug irrsinniger Verzweiflung. *Einige zitieren auch Richard Wagner.*

Er stieß einen panischen Schrei aus, der durch seinen Klebebandknebel wie ein missglücktes Pfeifen klang.

»Freust du dich?« Sie lächelte zu ihm auf. »Dann lass es uns jetzt tun.«

Jan starrte auf sie herab, versuchte sie anzuflehen, es nicht zu tun. Doch alles, was der Knebel davon zuließ, war eine Reihe unartikulierter Laute. Er spürte das kalte Metall an seiner Wade, sah, wie es mühelos den Stoff seiner Jeans aufschlitzte.

Er wand sich, als das Messer höher glitt. Sie hatte bereits seinen Oberschenkel erreicht.

»Pscht!«, zischte sie ihm zu und zwinkerte. Die Schneide glitt an seinen Genitalien vorbei. »Sonst schneide ich ihn dir ab.«

Als sie die flache Seite der Klinge gegen seinen Schritt presste, begann Jan zu weinen. Er konnte nicht anders. Er war diesem Wesen, das da vor ihm kniete, schutzlos ausgeliefert, und eine namenlose Angst überwältigte ihn.

»Da, wo ich dich hinschicken werde, brauchst du ihn eigentlich nicht«, sinnierte sie und sah ihm zwischen die Beine. »Überhaupt sind diese Dinger doch so nutzlos. Sie verwirren euch Männer nur. Ihr fragt euch ständig, ob er groß genug ist, wann ihr ihn das nächste Mal benutzen könnt und was eure Partnerinnen mit ihm anstellen werden. Als ob *das* Liebe sei.«

Jan schüttelte wie wild den Kopf, während sein Atem hektisch und stoßweise aus seinen Nasenlöchern pfiff.

Tu es nicht! Tu es nicht! Tu es nicht!

Er spürte ihre Finger, die den Bund seines Slips nach unten zogen.

»Felix habe ich schnell beigebracht, dass ich dieses Ding widerlich finde.« Sie winkte ihm mit dem Kochmesser zu. *Höllisch scharf und universell einsetzbar.* »Dazu habe ich so ein Messer gar nicht gebraucht. Manchmal können Worte sehr viel mehr bewirken als Taten, und ich war ja jedes Mal dabei, wenn ihn sein Ding verwirrte.« Sie stieß ein schelmisches Kichern aus und zwinkerte Jan zu. »Hat nicht lange gedauert, und es hat ihn nicht mehr verwirrt. Du hättest zehn willige Schönheiten zu ihm in den Raum sperren können, und er hätte immer noch die ersten hundert Nachkommastellen von Pi aufsagen können. Fehlerfrei. In Mathematik war er immer sehr begabt.«

Sie nahm sein Glied in die Hand und begann es zu reiben. Jan ächzte und wand sich wieder.

»Und wie sieht es bei dir aus, mein Schatz? Verwirrt dich so etwas? Müssen wir dich davon befreien?«

Vor dem Haus war das Dröhnen eines Motors zu hören. Scheinwerferlicht fiel von draußen herein. Augenblicklich ließ sie von ihm ab und rannte zum Fenster. Jan hörte das Schlagen von Türen und dann das eines Kofferraumdeckels.

Danke, lieber Gott oder wer immer das für mich getan hat, danke!

Doch noch bevor er hoffen konnte, dass die Person vor dem Haus vielleicht zu ihm wollte und ihn retten würde, brummte der Motor erneut auf. Das Scheinwerferlicht wanderte weiter durch den Raum und verschwand.

Jana wandte sich vom Fenster ab und lehnte sich gegen die Wand.

»Nicht für uns«, sagte sie geistesabwesend und murmelte etwas, das Jan nicht verstehen konnte. Dabei starrte sie auf einen Punkt, der sich irgendwo unterhalb der Terrakottafliesen befinden musste.

Schließlich hob sie den Kopf und sah Jan an. Ihr Blick war von einer derartig kalten Entschlossenheit, dass es Jan vorkam, als durchdringe er ihn wie ein Pflock aus purem Eis.

»Wir müssen uns beeilen.«

Jan erstarrte, als sie auf ihn zukam.

Sie wird mich töten. Das Auto hat mich vielleicht vor der Entmannung gerettet, aber jetzt werde ich mein Leben verlieren.

Wieder ließ sie sich vor ihm nieder, doch diesmal nicht grazil und mit laszivem Lächeln, vielmehr stand eine erschreckend ernste Verbissenheit in ihr Gesicht geschrieben. Eine Verbissenheit, die sagte: *Da gibt es etwas zu tun, das keinen weiteren Aufschub mehr duldet.*

Sie packte mit beiden Händen den aufgeschlitzten Stoff seiner Hose und zerriss ihn vollends, dass sein Oberschenkel freilag. Sie erhob sich wieder, sah Jan mit fast schon feierlicher Miene an und nickte.

»Und jetzt lass uns ineinanderfließen, wenn wir in die andere Welt gehen.«

Sie spreizte die Beine, und Jan konnte ihre künstliche

haarlose Scham vor sich sehen. Den stark vergrößerten Venushügel, der durch Felix' angepresste Genitalien zustande kam. Mochte die Latexhaut noch so echt wirken, ausgerechnet die Stelle, die Mann und Frau eindeutig unterscheidet, ließ sich nicht völlig damit verbergen.

Ein ängstliches Lächeln umspielte Janas Züge, dann drückte sie die Klinge gegen die Innenseite ihres Oberschenkels, hielt den Atem an und zog durch. Die Schneide glitt mühelos durch das Latexgewebe. Sekundenbruchteile später klaffte auch ihre echte Haut auseinander, und dann erreichte die Klinge ihre Schlagader.

Jan war wie gelähmt, als er das Blut zwischen ihren Beinen spritzen sah. Es kam nicht so viel Blut, wie er im ersten Moment befürchtet hatte, aber es würde genügen, um innerhalb kurzer Zeit zu verbluten, wenn die Wunde nicht abgeschnürt wurde.

Auch Jana schien von diesem Anblick wie gebannt. Doch dann hob sie den Kopf, und noch immer war da diese eisige Entschlossenheit.

Jan zuckte und sah sie flehend an. Ihr Gesicht vor ihm verschwand in seinen Tränen. Er wusste, was jetzt kam, und er konnte nichts tun. Er konnte sich winden und gegen den Knebel anschreien, aber es würde ihm nichts nützen.

Das also war der Plan, dachte er. Sie wollte sich gemeinsam mit ihm aus dieser Welt verabschieden, und er sollte ihr in eine andere Welt folgen, in der imaginäre Wahnfiguren wie sie eine Existenzberechtigung hatten und das sein konnten, was sie sein wollten.

»Jetzt du«, flüsterte sie.

Nein, nein, nein!

Jan warf sich hin und her. Er riss den Mund auf, versuchte seine Lippen aus dem Klebeband zu befreien. Er musste mit ihr reden. Wenn er sich schon nicht bewegen konnte, musste er doch wenigstens reden können, oder?

Sie setzte sich mit weit gespreizten Beinen auf seine Knie. Blut spritzte in seinen Schritt, lief über seinen nackten Schenkel. Es war die grausige Travestie einer Kopulation. Nur dass es dabei nicht um das Geschlechtliche ging, es ging einzig um das Messer und die Entscheidung über Leben und Tod.

Mit aller Kraft presste Jan die Beine gegeneinander, wie eine Jungfrau, die sich dem Akt verweigern will. Doch Janas Griff war eisern. Sie packte seinen Schenkel, krallte sich in den Muskel und zog sein Bein beiseite, woraufhin Jan eine Reihe spitzer Töne ausstieß und mit dem Hinterteil zu hüpfen begann. Hätte ihn ein Außenstehender zugesehen, wäre es ihm wahrscheinlich wie eine komödiantische Einlage in einem blutrünstigen Pornostreifen vorgekommen.

Er musste sie abwerfen, andernfalls …

Er spürte, wie das Messer zwischen seine Beine drang und ihn schnitt. Die Klinge fühlte sich wie die glühende Spitze eines Lötkolbens an.

In einem Akt letzter panischer Verzweiflung spannte Jan alle Muskeln an und warf sich mit seinem ganzen Gewicht nach vorn. Jana stieß einen überraschten Schrei aus, als der Stuhl kippte. Auf seinen Knien sitzend, konnte sie das Gleichgewicht nicht halten und fiel zur Seite. Reflexartig streckte sie den Arm aus, um den Sturz abzufangen, aber noch bevor ihre Hand den Boden berührte, schlug sie mit Kinn und Kehle gegen die Tischkante, und Jans Gewicht riss sie mit sich.

Der Kerzenleuchter schwankte und fiel um. Heißes Wachs spritzte auf sie, dann schlugen die beiden auf den Fliesen auf.

Jan lag auf ihr, ihre Gesichter waren nur wenige Zentimeter voneinander entfernt, und er sah ihre weit aufgerissenen Augen. Mit beiden Händen hielt sie ihre Kehle umklammert und röchelte panisch.

Sie warf ihn von sich ab, wand sich auf den Fliesen und strampelte wie von Sinnen. Um sie herum bildete sich eine gewaltige Blutlache. Doch es war nicht nur ihr Blut.

Entsetzt sah Jan an sich herab. Auch er blutete aus einer klaffenden Wunde.

Das muss abgebunden werden, dachte er. *Aber wie? Wie, zum Teufel, soll das gehen? Ich klebe noch immer an diesem gottverdammten Stuhl!*

Janas Gesicht war angeschwollen und blau verfärbt. Es sah aus, als würde sie ersticken, noch bevor sie verblutet war. Doch Jan war es einerlei. Es kümmerte ihn auch nicht, dass der Tischläufer zu brennen begonnen hatte. Bald würde das ganze Zimmer in Flammen stehen. Aber davon würde er nicht mehr viel mitbekommen. Er würde ebenfalls verbluten. Wer sollte ihm jetzt noch helfen können?

Er presste seine Schenkel, so fest es ging, aneinander, doch das Blut floss unvermindert weiter. Das Pochen der Wunde wurde nur noch stärker, und schon bald war es das Einzige, was er noch fühlte.

Mit dem Blut wich auch alle Kraft aus seinem Körper. Ihm wurde schwindlig, die unvermeidliche Ohnmacht kündigte sich an, der ein tödlicher Kreislaufkollaps folgen würde.

Es ist vorbei, schoss es ihm durch den Kopf. *Ganz gleich, was du jetzt noch tust, es ist zu Ende.*

Er hörte noch ein Poltern und ein Röcheln nahe bei sich. Dann dämmerte er davon.

77

Es war am späten Vormittag des nächsten Tages, als Rutger Stark in seinem Büro saß und die dritte Winston an ihrer Vorgängerin ansteckte. Keiner seiner Kollegen beschwerte sich deshalb. Im Gegenteil, nachdem er den letzten Abzug der Tatortfotos an die Pinnwand geheftet hatte, schnorrte ihn sein Kollege Wegert um eine Zigarette an und ließ sich rauchend neben ihm auf einem Drehstuhl nieder.

»Was für eine dreimal verfluchte Scheiße«, sagte Wegert in Richtung der Fotos, und jedes seiner Worte wurde von einer Rauchwolke begleitet.

Stark nickte nur und starrte ebenfalls auf die Fotos. Noch immer spürte er ein Beben in allen Gliedern, als sei er unmittelbar nach der Tatortbegehung an Parkinson erkrankt.

Die Aufnahmen zeigten Szenen aus Forstners Esszimmer und Küche, aber ebenso gut hätten sie aus einem Schlachthaus stammen können – einem Schlachthaus wie dem von Werner Gessing, und Stark musste an dessen Worte denken: *Wenn wir erst einmal drei oder vier Rinder abgearbeitet haben, waten wir hier im Blut.*

O ja, so war es auch in Forstners Wohnung gewesen. Zwar waren die Polizeibeamten nicht durch Blut gewatet, aber ihre mit Überzügen versehenen Schuhe hatten bei jedem Schritt hässlich schmatzende Geräusche von sich gegeben. Auch Felix Thanner hatte »gearbeitet«, und es war einer der schlimmsten Anblicke gewesen, die Stark je in seinem Berufsleben zu sehen bekommen hatte.

Sein Blick blieb auf dem Foto des blutigen Küchenmessers haften, das als Beweismittel Nr. 2 gekennzeichnet war.

Stark schüttelt den Kopf. *Du hättest es wissen müssen,*

sagte er sich nicht zum ersten Mal an diesem Vormittag. *Aber nein, du musstest Forstner ja unbedingt versichern, er müsse sich keine Sorgen machen. Wahrscheinlich war dieser Verrückte gerade am Werk, während du den dümmsten aller Polizistensprüche auf Forstners Anrufbeantworter hinterlassen hast. Die Art von Spruch, die signalisieren soll, dass ihr die Lage im Griff habt, obwohl du keine Ahnung hattest, wo sich dieser Irre gerade aufhielt. Wegert hat Recht, es ist eine dreimal verfluchte und obendrein gequirlte Scheiße!*

Zwar hatte Stark eine Streife zu Forstners Haus geschickt, noch bevor er bei ihm angerufen hatte, aber die Kollegen hatten nichts Außergewöhnliches entdecken können. Sie hatten das Haus dunkel und verschlossen vorgefunden, und als Forstner auf ihr Klingeln nicht reagiert hatte, waren sie davon ausgegangen, er schliefe tief und fest. Und während Stark am anderen Ende des Ortes mit der Exhumierung von Heinz Krögers Sarg beschäftigt gewesen war – einem Sarg, in dem sie nichts als Erde vorfanden –, hatten die Kollegen, die er zu Forstners Schutz losgeschickt hatte, die nähere Umgebung abgefahren und nach Thanner Ausschau gehalten. Aber auch sie waren davon überzeugt gewesen, dass er sich nicht zu Forstners Haus wagen würde.

Ja, es war wirklich vermessen gewesen, zu glauben, sie könnten Thanners Verhalten einschätzen. Selbst bei einem normal denkenden Gewaltverbrecher – falls man es so bezeichnen konnte – wäre es ein Wagnis gewesen, aber im Fall dieses Irren zu glauben, er werde jetzt die Hosen gestrichen voll haben und das Weite suchen, war schlichtweg *dumm* gewesen.

Forstner selbst hatte gesagt, dass Thanner zwar verrückt, aber dass er auf keinen Fall zu unterschätzen war. Oder eher Jana, *sie*, denn Forstner hatte von Thanner in der weiblichen Form gesprochen. Für ihn war es nicht Thanner, sondern sein zweites, feminines Ich gewesen, das diese Wahnsinnstaten verübt hatte. Und allein die Tatsache, dass sie Thanner in der Latexhaut vorgefunden hatten, blutverschmiert und mit entblößtem Unterleib, sprach aus Starks Sicht sehr dafür, dass die Theorie des Psychiaters richtig gewesen war. Auch wenn es dem Hauptkommissar selbst jetzt noch schwerfiel, den Sachverhalt zu akzeptieren.

So war es auch nicht weiter verwunderlich, dass Stark seit über einer Stunde vor einem leeren Monitor saß, auf dem eigentlich sein Bericht entstehen sollte.

»Kollege Stark?«

Wegert und er sahen gleichzeitig zu einem jungen Beamten auf, der den Kopf zur Tür hereinstreckte und mit sichtlicher Verwunderung feststellte, dass in diesem Büro geraucht wurde. Der junge Mann gehörte zu dem Team, das mit der Suche nach Carla Weller befasst war. Nun kam er naserümpfend auf die beiden zu, betrachtete missbilligend die als Aschenbecher zweckentfremdete Kaffeetasse und legte eine DVD auf Starks Tisch.

»Hier. Das ist für Sie.«

Stark besah sich den unbeschrifteten Datenträger. »Was ist das?«

»Sie hatten doch darum gebeten, dass wir Sie informieren, sobald sich etwas Neues ergeben hat.«

»Haben Sie Frau Weller gefunden?«

»Nein, aber am besten sehen Sie sich den Film an. Er stammt aus einer Überwachungskamera in einem Stuttgarter Parkhaus und wurde an dem Tag aufgezeichnet, an dem Frau Weller verschwand. Wir haben die entscheidenden Szenen zusammengeschnitten.«

»Und?«

Der Beamte hob die Schultern. »Tja, wie es aussieht, fällt der Fall ab jetzt in Ihr Ressort.«

Der geschnittene Film dauerte nur etwa zehn Minuten, und als Stark die Aufnahme gesehen hatte, wusste er, was sein junger Kollege gemeint hatte. Kurz vor Ende des Films hatte Stark die Pause-Taste des Mediaplayers betätigt, und nun starrten er und Wegert auf den Computermonitor.

»Du lieber Himmel«, stieß Wegert aus, während sich Stark seine vierte Winston ansteckte.

Es dauerte eine Weile, bis die Zigarette brannte, da seine Hände heftiger zitterten denn je, während ihm Felix Thanners eingefrorenes Grinsen entgegenstarrte.

»Nein, das ist nicht Thanner«, sprach Stark seinen nächsten Gedanken leise aus und rieb sich die vom Qualm brennenden Augen. »Das ist Jana.«

»Was?« Wegert sah ihn verdutzt an. »Wer soll das sein?«

»Eine Verrückte«, sagte Stark, ohne den Blick vom Monitor abzuwenden. »Eine Verrückte mit einem Plan, von dem wir noch immer nicht alles wissen.«

78

Manches, was wir als Kind zu hören bekommen, prägt sich unauslöschlich in unser Gedächtnis ein und bleibt dort bis ins hohe Alter haften – sofern uns vorher keine Demenz ereilt und ihren unbarmherzigen Radierer ansetzt.

Bei Rudolf Marenburg war eine dieser unauslöschlichen Erinnerungen eine Redensart, die sein Vater eines Tages gebraucht hatte – Jahre bevor er das Haus gekauft hatte, in dessen Nachbarschaft später eine Familie namens Forstner ziehen würde. Die Redensart hatte sich auf einen Bauern bezogen, mit dem Marenburgs Vater einst befreundet gewesen war. An den Namen des Bauern konnte sich Marenburg zwar nicht mehr erinnern – hier hatte sein Alter wohl bereits den Radierer gebraucht –, aber er wusste noch, dass der Grund für den Ausspruch seines Vaters ein Unfall des Bauern im Frühsommer 1958 gewesen war.

Wegen eines ungeschickten Lenkmanövers hatte sich sein Traktor beim Mähen eines abschüssigen Grundstücks mehrmals überschlagen. Als man den Mann schließlich fand – eingeklemmt unter seinem Fendt Dieselross –, hatte er bis auf ein paar Quetschungen keinerlei Schaden genommen. Was ein Wunder gewesen war, da Traktoren zu jener Zeit noch nicht mit Überrollbügeln ausgestattet waren.

Der Bauer war »dem Teufel gerade noch einmal von der Schippe gesprungen«, wie Marenburgs Vater es ausgedrückt hatte. Und als Rudolf Marenburg jetzt, etliche Jahre später, am Krankenbett seines Freundes Jan saß und in dessen erschöpftes und gleichzeitig glückliches Gesicht sah, das von der verhaltenen Freude erfüllt war, trotz allem noch immer am Leben zu sein, musste er an diese Redensart denken. Ja, auch Jan war dem Teufel in letzter Sekunde von der Schippe gesprungen.

Als Marenburg gestern spätabends mit dem Taxi nach Hause gekommen war und seine verkümmerten Pflanzen entdeckt hatte, die wie nach einer schweren Dürreperiode Köpfe und Blätter hängen ließen, war ihm sofort klar gewesen, dass etwas vorgefallen sein musste, und obwohl es schon spät gewesen war, hatte er bei Jan geläutet. Doch niemand hatte ihm geöffnet, und als er schon wieder gehen wollte, war ihm das flackernde Licht aus dem Esszimmer aufgefallen. Durch das Fenster hatte er den umgestürzten Kerzenständer und den brennenden Tischläufer entdeckt und war mit seinem Zweitschlüssel in Jans Wohnung geeilt.

An das, was dann geschehen war, konnte sich Marenburg nur noch bruchstückhaft erinnern. Der Schock und die Angst um das Leben seines besten Freundes hatten ihn wie betäubt handeln lassen. Marenburg wusste nur noch, dass kurz nach ihm auch die Polizeistreife von ihrer Runde durch das Viertel zu Jans Haus zurückgekehrt war. Erst als ihm ein Notarzt auf die Schulter geklopft und gemeint hatte, Marenburg habe alles richtig gemacht, war sein Verstand wieder aufgeklart. Doch rückblickend kam ihm dies alles wie die Erinnerung eines Fremden vor.

»Nun komm schon, Rudi«, seufzte Jan, »sieh mich nicht so an.«

»Tut mir leid, aber ich kann nicht anders. Immerhin hätte ich beinahe meinen besten Freund verloren. Junge, Junge, du hast mir einen ganz schönen Schrecken eingejagt.«

Jan packte den Haltegriff über dem Bett und zog sich mühsam in eine aufrechtere Position. Trotz der Blutkonserven und Infusionen, die man ihm verabreicht hatte, fühlte er sich noch zittrig und geschwächt. »Hast du mit der Polizei gesprochen? Weißt du schon was Neues von Carla?«

Marenburg schüttelte bedauernd den Kopf. »Nein, bis heute Morgen wussten sie noch nichts. Dieser Kommissar will sich melden, sobald sich etwas ergibt. Er hat mir erzählt, was geschehen ist. Mein Gott, was ist das nur für eine verrückte Geschichte.«

Jan musste mit den Tränen kämpfen. Er sah aus dem Fenster, wo erste Sonnenstrahlen ihren Weg durch die dunklen Wolken fanden.

»Sie wissen noch immer nichts«, wiederholte er leise.

»Also heißt es wieder warten. Verdammt, Rudi, es ist genau wie damals bei meinem Bruder. Das macht mich noch wahnsinnig.«

Marenburg griff nach seiner Hand und drückte sie. »Du darfst die Hoffnung nicht aufgeben, Jan. Noch kann keiner sagen, dass ihr wirklich etwas zugestoßen ist, und ich glaube das auch nicht. Und sie hat sich auch nichts angetan, nicht unsere Carla. Die ist doch hart im Nehmen, so leicht lässt die sich nicht unterkriegen. Sie hat sich bestimmt nur irgendwohin zurückgezogen. Wirst sehen, alles wird wieder gut.«

Marenburgs verzweifelter Versuch, ihn zu trösten, rührte Jan. Er sah ihn an und lächelte erschöpft. »Und? Wie geht es dir? Gefällt es dir auf den Kanaren?«

»Ähm, also weißt du«, begann Marenburg und hüstelte. »Die Sache hat sich wohl erledigt.«

»Oh«, machte Jan. »Ist wohl nicht so gelaufen, wie du es dir vorgestellt hast?«

»Ach«, seufzte Marenburg, »es gibt eben doch einen Unterschied zwischen dem, was man im Internet vorgibt zu sein, und dem realen Wesen einer Person. Ich hatte mir eingebildet, dass Doris eine Traumfrau ist. Jemand, der hundertprozentig mit mir auf einer Wellenlänge liegt. Tja, aber im Chat geht eben doch so einiges unter.«

»Das tut mir leid für dich, Rudi.«

»Na ja, ich wusste zwar, dass die Gute esoterisch angehaucht ist, aber ich hatte nicht so viel darauf gegeben. Das ganze Ausmaß wurde mir erst bei unserer Begegnung klar. Nein, das war nichts für mich. Ich stehe nicht so darauf, meinen Namen für die Sonnenuntergangsgöttin in den Sand zu tanzen.«

Mit der letzten Bemerkung wollte Rudi ihn gewiss aufheitern, aber Jan war nicht nach Lachen zumute.

»Jana hat im Grunde denselben Fehler gemacht«, sagte er mehr zu sich selbst. »Nur dass ihre Vorstellungen von der großen Liebe weitaus fanatischer gewesen sind. Und weil sie wusste, dass es sich dabei nur um eine Illusion handelte, so wie sie selbst nur eine Illusion war, hatte sie diese Liebesbeziehung in einem Leben nach dem Tod verwirklichen wollen.«

»Da kann man schon ins Grübeln kommen, was wir uns unter der großen Liebe so vorstellen«, sagte Marenburg nachdenklich. »Sehnen wir uns nach dem Ideal, das wir im Kopf herumtragen, oder können wir einen Menschen auch so annehmen, wie er wirklich ist? Ich meine, mit allen Ecken und Kanten.«

»Frag mich nicht, Rudi. Wir sind Männer. Wir werden das nie verstehen.«

Es klopfte, und Rutger Stark sah zu ihnen herein. »Ah, Sie sind jetzt wach. Störe ich?«

»Nein, kommen Sie herein.«

Stark betrat das Zimmer und machte dabei einen unsicheren Eindruck. Etwas schien ihn zu bedrücken.

»Hier«, sagte er und stellte ein Glas mit eingelegter Roter Bete auf dem Nachttisch ab. »Ich habe mal irgendwo gelesen, das sei gut für die Blutbildung.«

»Danke«, entgegnete Jan und sah ihn prüfend an. »Gibt es Neuigkeiten?«

Mit einem tiefen Seufzer ließ sich der Polizist auf das freie Nachbarbett sinken. »Es geht um Thanner. Hören Sie, Dr. Forstner, ich muss mich bei Ihnen entschuldigen. Ich habe diesen Mann unterschätzt, und dieser Fehler hätte Sie fast das Leben gekostet.«

»Hat er überlebt?«

»Dr. Mehra sagt, Thanner hat sehr viel Blut verloren, aber er ist außer Lebensgefahr. Wir können ihn morgen in die JVA verlegen. Wegen der Kehlkopfquetschung wird er dort noch ein paar Tage in der Klinik bleiben müssen. Allerdings …« Mit einem ratlosen Blick kratzte sich Stark am Kopf. »Also, er ist immer noch nicht er selbst, verstehen Sie? Nicht einmal nach der langen Ohnmacht.«

»Jana ist eindeutig die Stärkere von beiden Persönlichkeiten«, sagte Jan und umklammerte den Haltegriff über dem Bett noch fester. »Aber darum geht es Ihnen doch nicht, oder? Da ist doch noch etwas? Sie wissen, was mit Carla ist, nicht wahr?«

Stark räusperte sich und verzog betreten das Gesicht. »Nein, das nicht, aber es hat mit Frau Weller zu tun. Sagen Sie, Doktor, als Felix Thanner bei Ihnen war, hat er da mit Ihnen über Frau Weller gesprochen?«

»Nein, hat er nicht. Nun sagen Sie schon. Was ist los?«

Stark senkte den Blick. »Wir haben den Mini Cooper Ihrer Lebensgefährtin gefunden. Er stand in Stuttgart in einem Park-and-Ride-Parkhaus am Stadtrand. Ein Jugendlicher hatte versucht, ihn aufzubrechen, um an Frau Wellers iPhone auf dem Beifahrersitz zu gelangen. Dabei ist die Alarmanlage losgegangen.«

»In Stuttgart? Was sollte Carla denn in Stuttgart wollen?«

»Sie …«, Stark hustete, »sie hat den Wagen dort nicht abgestellt. Es war Thanner. Die Überwachungskamera hat ihn dabei aufgenommen. Er hat sich sogar extra vor die Kamera gestellt und gewunken, um auf sich aufmerksam zu machen. Er … oder vielmehr Jana.«

»Dann weiß er also, wo Carla ist!«

Stark nickte. »Höchstwahrscheinlich, ja.«

»Also, ich habe ja noch immer nicht alles ganz verstanden«, mischte sich Marenburg in das Gespräch ein, »aber warum sollte dieser Thanner Carla auch noch entführen?

Er war doch drauf und dran, mit dir ins Liebesnirvana abzutauchen?«

»Weil er auf Nummer sicher gehen wollte, falls etwas seinen oder eher Tatjanas Plan vereiteln sollte.« Jan zog sich die Infusionskanüle aus dem Arm, schlug die Decke beiseite und stellte die Füße auf den Boden.

»He, Junge«, rief Marenburg aus. »Was hast du vor?«

»Ich werde mir etwas anziehen und mit ihm reden.«

Mit unsicheren Schritten ging Jan zum Tisch und griff nach der Tüte mit frischer Unterwäsche, die Marenburg ihm mitgebracht hatte. Seine Hände zitterten. »Jana wird sicherlich schon darauf brennen, mich mit ihrem Plan B vertraut zu machen.«

»Das denke ich auch«, bestätigte Stark. »Aber Sie gehen nicht allein. Ich werde Sie begleiten.«

»Nein.« Jan winkte ab. »Thanner wird offener zu mir sein, wenn ich allein mit ihm rede.« Er sah sich suchend um. »Wo sind meine restlichen Klamotten? Ich muss aus diesem albernen Krankenhaushemd raus.«

79

Hauptmeister Tom Hauser hatte sich freiwillig für die Bewachung von Zimmer 101 gemeldet. Sein Streifendienst in den letzten Wochen war anstrengend gewesen. Vor allem der Einsatz beim Brand des Pfarrhauses hatte einige Überstunden nötig gemacht, und nun hoffte er auf ein paar ruhige Stunden auf der Chirurgiestation des Stadtklinikums.

Es war in der Tat alles ruhig, um nicht zu sagen *zu ruhig*. Hauser hatte sich bereits zu langweilen begonnen.

Außerdem wurde der ungepolsterte Plastikstuhl immer unbequemer.

Auf dem Stuhl neben ihm lag ein Stapel Zeitschriften, die er sich aus dem Schwesternzimmer geliehen und inzwischen durchgelesen hatte, und seine Schicht sollte noch weitere vier Stunden dauern. Also hatte er eine der Schwestern gefragt, ob sie ihm einen Kugelschreiber für das Kreuzworträtsel leihen könne.

Nein, hatte diese entgegnet, ihren Kugelschreiber werde sie nicht aus der Hand geben, da es mal wieder ihr einziger sei. Dieses Krankenhaus leide nicht nur unter einem Pflege-, sondern auch unter einem Kugelschreibernotstand, hatte sie seufzend hinzugefügt. Stattdessen gab sie ihm einen Bleistift.

Wie sich spätestens bei der altägyptischen Königin mit neun Buchstaben herausstellen sollte, war der Bleistift sogar noch besser, fand Hauser, und ließ »Kleopatra« mit dem Radierer an der Rückseite verschwinden und zu »Nofretete« werden.

Hin und wieder waren aus dem Krankenzimmer leise Geräusche zu hören. Das Scharren eines Stuhls auf dem Linoleumboden, das Klappern einer Tasse oder das Schlurfen von Schritten, wenn der Verrückte zur Toilette ging.

In letzterem Fall leuchtete eine rote Lampe an der Außenseite der Tür auf, die signalisieren sollte, dass sich jemand im Eingangsbereich des Zimmers befand. Wann immer diese Lampe aufleuchtete – in Hausers Schicht war das bisher fünfmal der Fall gewesen –, berührte der Polizist instinktiv die Heckler & Koch an seinem Holster. Ruhiger Dienst hin oder her, in dem Zimmer, auf das er achten sollte, befand sich ein Verrückter, der seiner Kenntnis nach mindestens zwei Menschen mit bloßen Händen umgebracht hatte.

Und dass der Kerl verrückt war, bezweifelte Hauser keinen Moment. Hin und wieder hörte er ihn jenseits der Tür leise murmeln, sonderbar monoton, als würde er Beschwörungsformeln hersagen. Dabei klang seine Stimme wie die einer Frau, was Hauser jedes Mal eine Gänsehaut bereitete. Ihm war, als würde der Kerl da drin auf irgendetwas warten.

80

Flankiert von Stark und Marenburg ging Jan den Gang entlang. Er war noch etwas wackelig auf den Beinen, versuchte es sich jedoch nicht anmerken zu lassen. Die genähte Schnittwunde an seinem Oberschenkel brannte bei jedem Schritt. Das lag hauptsächlich am kalten Schweiß, der ihm aus allen Poren drang, je näher sie Zimmer 101 kamen.

Als der wachhabende Polizist sie kommen sah, legte er sein Kreuzworträtsel beiseite und stand auf.

»Es gab keine besonderen Vorkommnisse«, meldete er.

Stark nickte, dann wandte er sich Jan zu. »Dr. Forstner, ich halte es nach wie vor für keine gute Idee, dass Sie da allein hineingehen wollen.«

»Ich weiß, aber das, was Thanner beziehungsweise Jana vorhat, wird er nur mir sagen wollen.«

»Genau das befürchte ich auch, aber riskieren Sie trotzdem nichts. Wenn er Ihnen nicht sagen will, wo sich Frau Weller aufhält, gehen Sie wieder. Haben Sie das verstanden?«

»Jana *wird* es mir sagen. Darauf hat sie doch nur gewartet.«

»Jan«, Marenburg sah ihn aus mitleidsvollen Augen an, »was immer diese Person da drin dir sagen wird, du wirst es nicht mehr ändern können.«

»Ja, Rudi, ich weiß.« Und genau davor hatte Jan die meiste Angst.

Es kostete ihn einige Überwindung, nach der Klinke zu greifen, doch als er sie niedergedrückt hatte, betrat er den Raum ohne weiteres Zögern.

Diese Person, hatte Rudi gesagt. Tatsächlich war das die beste Formulierung für das, was Jan auf dem Bett sitzend vorfand. Auch wenn die Perücke und die falsche Haut nicht mehr da waren, war es dennoch nicht Felix Thanner, den er antraf. Ein kurzer Blick in diese Augen verriet Jan, dass Jana Recht gehabt hatte. Ihr Stiefbruder war tot, es gab nur noch sie.

Jana saß auf dem Bett, hatte das Krankenhausnachthemd hochgezogen und ließ das unversehrte Bein baumeln. Ihr Hals war bandagiert, und Jan konnte einen Bluterguss erkennen, der sich unter der Bandage heraus auf der Brust ausbreitete.

Die Schminke, die sie in Jans Wohnung aufgetragen hatte, war verschmiert, doch niemand hatte sie ihr abgewischt. Vielleicht hatte sie sich aber auch mit allen Mitteln dagegen zur Wehr gesetzt. Denn selbst wenn bei ihr nun Lidschatten, Mascara und Kajal wie das Make-up einer Horrorgestalt aussahen, waren es gleichwohl die einzigen weiblichen Attribute, die ihr noch geblieben waren.

»Hallo«, sagte Jan und zuckte, als die mechanisch geführte Tür hinter ihm im Schloss einrastete.

»Hallo, Jan.«

Das Sprechen bereitete ihr sichtlich Mühe. Ihre Stimme war krächzend und schwach. Durch die Quetschung am Hals klang sie fremder denn je, irgendwie geschlechtslos, weder nach Felix Thanner noch nach dem Wahnwesen, das sich Jana nannte.

»Sie haben uns ...«, ein röchelndes Husten, »nicht in die andere Welt ... gehen lassen.«

»Die andere Welt gibt es nicht. Es gab nur diese, hat nie eine andere gegeben. Und du bist ein Teil davon, auch wenn es dir anders vorkommen mag.«

Sie zuckte nur mit den Schultern, und Jan ertappte sich dabei, dass es ihm gleichgültig war, ob sie es einsah oder nicht. Er würde sie nicht überzeugen können, das hatte er inzwischen schmerzlich erfahren müssen.

»Ein Wahn wird stets um seine Existenz kämpfen«, hatte einmal einer seiner Professoren an der Uni gesagt. »Der Patient wird darauf beharren, dass es die Realität ist, und ganz gleich, wie wir darüber denken, ist es sein gutes Recht. Stellen Sie es sich doch nur einmal anders herum vor. Was wäre, wenn Ihr gesamtes Umfeld behauptete, dass Sie jemand anderes sind als der, der Sie zu sein glauben?«

»Ich weiß von dem Überwachungsvideo«, sagte Jan.

Sie senkte kurz den Kopf, und als sie ihn wieder hob, stieß sie ein boshaftes Kichern aus. »Schneller ... als ... ich dachte.«

Jan ballte die Fäuste. Ihm war danach, auf sie loszugehen. Diese Person, die nicht mehr Felix Thanner war, hatte sein Leben zerstört und ihm höchstwahrscheinlich den Menschen genommen, der ihm am meisten bedeutete.

Starks Worte kamen ihm in Erinnerung. *Wenn sie Ihnen nicht sagen will, wo sich Frau Weller aufhält, gehen Sie wieder. Haben Sie das verstanden?*

»Wo ist Carla?«

Sie grinste und entblößte ihre Zähne. Nun sah sie erst recht wie ein Schauerwesen aus. Etwas funkelte in ihren

Augen. Es war das Wissen, dass sie ihn noch immer in der Hand hatte. Man mochte sie verhaftet und hier eingesperrt haben, aber dennoch war sie nicht die Verliererin.

»Was hast du mit ihr gemacht?«

»Ich habe nur ihr Auto umgeparkt.«

»Hast du sie getötet?«

»Das würdest du …«, sie hustete, »mir zutrauen, nicht wahr?«

»Ja.«

»Du …« Sie musste sich räuspern, damit ihre Stimme nicht versagte. »Du hasst mich, stimmt's?«

»Ja, ich hasse dich. Ich hasse dich für alles, was du mir angetan hast.«

Sie nickte, und Jan sah, wie sich ihre Augen mit Tränen füllten, auch wenn das boshafte Grinsen nicht daraus verschwand. Doch nun war es zu Trotz geworden. Es war ein letztes Aufbegehren, dass sie im Recht war.

»Das ist wenigstens … eine … ehrliche Antwort.«

»Dann sei du ebenfalls ehrlich zu mir. Wo ist sie?«

Sie schniefte und wischte sich mit dem Handrücken übers Gesicht. Als sie Jan danach ansah, konnte er eine abgrundtiefe Traurigkeit in ihren Zügen erkennen.

»Ich wollte das alles … nicht«, krächzte sie. »Und ich wünschte … du würdest … deine Meinung über mich …«

Der Rest ihrer Worte ging in einem quiekenden Geräusch aus ihrer gequetschten Kehle unter. Sie hustete, zuckte bedauernd mit den Schultern und berührte den Verband an ihrem Hals, um Jan zu signalisieren, dass sie nicht weitersprechen konnte. Dann machte sie mit dem Finger eine schreibende Geste in ihre Handfläche.

»Na schön«, sagte Jan. »Ich bin gleich zurück.«

Er ging vor die Tür, wo ihn drei erwartungsvolle Gesichter empfingen.

»Sie will es mir verraten, aber ich brauche etwas zu schreiben.«

Stark zog einen Notizblock aus seiner Jacke, und noch während er die Taschen nach einem Kugelschreiber abtastete, reichte der Wachbeamte Jan einen Bleistift.

»Wie geht es dir, Junge?«, fragte Marenburg.

»Ich will es nur einfach hinter mich bringen.«

Jan ging zurück in das Zimmer und schloss die Tür. Jana hatte sich an den kleinen Tisch neben der Wand gesetzt und das Tablett mit ihrem unberührten Mittagessen beiseitegeschoben.

Sonnenlicht fiel in den Raum und erhellte sie wie ein überirdisches Geschöpf. Von den Bäumen vor dem Fenster fielen die letzten Regentropfen vom Vortag herab.

»Also gut, Jana. Schreib mir auf, wo Carla ist. Das schuldest du mir.«

In ihren Augen glitzerten Tränen, als sie nickte. Jan reichte ihr Block und Stift, doch stattdessen packte sie mit beiden Händen seine Hand.

Er fuhr erschrocken zusammen und wollte sich aus ihrem Griff befreien, als ihm klarwurde, dass es kein Angriff sein sollte. Im Gegenteil, während sie seine Hand festhielt, strich sie mit der anderen zärtlich über seinen Arm und sah tränenverschmiert zu ihm auf.

Was würdest du tun, wenn alle Welt behauptet, dass du nicht der bist, der du zu sein glaubst, schien dieser Blick zu sagen. *Was bliebe dir für eine Wahl?*

Seine Hand glitt aus ihrer Umklammerung. Er deutete auf den Block.

»Bitte, Jana, verrate mir, wo sie ist.«

Sie lächelte ihn wieder an. Diesmal war es ein warmes, herzliches Lächeln, das Jan mehr erschreckte als jeder ihrer früheren boshaften Blicke. Vielleicht lag es daran, dass er nun doch ein schmerzhaftes Mitgefühl mit ihr empfand.

Sie beugte sich nach vorn und schrieb etwas auf den Block, wobei sie das Geschriebene mit der Hand beschirmte. Jan musste an ein Schulmädchen denken, das verhindern wollte, dass man bei ihr abschrieb. Als sie fertig war, hielt sie weiterhin die Hand davor, während sie den Text nachdenklich betrachtete.

Jans Schenkelwunde brannte nun wie Feuer, und er spürte, wie ihm kalte Schweißperlen auf die Stirn traten.

Jana hob den Kopf, lächelte schwach und riss den Zettel aus dem Block. Wie hypnotisiert starrte Jan auf ihre Hände, während sie das Papier faltete. Ruhig und entschlossen.

Er fürchtete sich davor, diesen Zettel entgegenzunehmen. Etwas tief in ihm schrie, dass er es verflucht nochmal nicht wissen wollte. Nicht, wenn Carla tot war. Nicht, wenn ihn diese Notiz nur zu ihrer *Leiche* führen würde.

Zögerlich hob Jana die Hand und hielt ihm das gefaltete Papier entgegen. Jan wollte es nehmen, doch im ersten Moment gehorchte ihm sein Arm nicht. Er hing weiterhin schlaff herab, als wolle er seinem Besitzer mitteilen, dass auch er nicht wissen wollte, was auf dem Papier stand. Doch schließlich gelang es Jan, den Arm zu bewegen. Wie in Zeitlupe griff seine zitternde, schweißnasse Hand nach dem Zettel, wobei Jana ihn auf rätselhafte Weise taxierte.

Nimm ihn, oder nimm ihn nicht, schien sie damit zu sagen. *Es liegt jetzt ganz bei dir.*

Er musste ein wenig an dem Zettel ziehen, ehe sie losließ. Jana machte jedoch keine Anstalten, Jan noch einmal zu berühren. Stattdessen sah sie ihm weiter ins Gesicht, als er den Zettel entfaltete und las, was sie ihm in ihren vertraut kindlichen Großbuchstaben aufgeschrieben hatte.

Im ersten Augenblick war Jan außerstande, das Geschriebene zu erfassen. Es war ein Satz, der für ihn keinen Sinn ergeben wollte. Doch dann verstand er.

Er zuckte, als habe man ihm einen elektrischen Schlag versetzt. Diese Botschaft war schrecklicher als alles, was er erwartet hatte, und dennoch hätte er darauf gefasst sein müssen. Was er las, war von einer unbeschreiblich grausamen Logik – der Logik einer Wahnsinnigen, die nun die Konsequenz aus einer Entscheidung zog, die Jan selbst erst vor wenigen Sekunden getroffen hatte. Genau in dem Moment, als er darauf bestanden hatte, dass sie den Zettel losließ.

Sein Herz raste, und sein Verstand schien in einer Endlosschleife um den Satz zu rotieren, mit dem ihn Franco vor nicht allzu langer Zeit zu warnen versucht hatte.

Wer mit dem Teufel essen will, braucht einen langen Löffel.

Nun stand fest, dass Jans Löffel nicht lang genug gewesen war.

»O Gott«, stieß er hervor. »Natürlich ... ich ... du verdammtes ...«

Er sah in ihr lächelndes Gesicht und begriff im selben Augenblick den gesamten Umfang ihres Plans.

»Nein!«

Er wollte nach vorn schnellen und sie davon abhalten, aber vor Schreck und Verwirrung war er wie erstarrt – und keinen Lidschlag später war es bereits zu spät.

Es geschah innerhalb von Bruchteilen einer Sekunde, und dennoch war es, als habe sich die Zeit für Jan zur Endlosigkeit ausgedehnt. Er sah Janas Hand, die sich gegen ihre rechte Schläfe presste, sah den Bleistift, den sie sich gleichzeitig ins linke Ohr gesteckt hielt, und ihr anhaltendes Lächeln, das wie eine Art Abschied war.

Als sein Schrei gellte, hieb sie sich mit der Hand gegen die Schläfe und schlug den Kopf an die Wand. Augenblicklich verschwand der Bleistift in ihrem Ohr wie beim Trick eines Bühnenmagiers. Dabei war ein hässliches Krachen zu hören.

Janas Mund klappte auf, als wolle sie ein kehliges »Ah« ausstoßen, gleichzeitig verdrehte sie die Augen, so dass nur noch das Weiße zu sehen war. Dann kippte sie mit dem Stuhl rücklings zu Boden.

Jan stürzte sich auf den zuckenden Körper. Ihre Beine strampelten wie wild, als wollte sie nach allem treten, das ihr zu nahe kam. Sie warf den Kopf hin und her, während ein dünner Blutstrahl an dem zersplitterten Ende des Bleistifts vorbeischoss, das keinen Fingerbreit aus ihrem Ohr ragte. Ihr Mund klappte auf und zu, und Jan hörte gutturale Laute, die Worte hätten sein können.

Er packte sie bei den Schultern und rüttelte den sterbenden Leib.

»Wo ist Carla? Sag mir, wo sie ist!«

Doch Janas Röcheln waren keine Worte, nur noch letzte Reflexe. Als er hinter sich Marenburg, Stark und seinen Kollegen ins Zimmer stürmen hörte, war bereits alles vorbei.

81

Die Krähen, diese gottverdammten Krähen vor dem Fenster! Ja, es waren Richter, die ihr Urteil über ihn sprachen.

Schuldig.

Schuldig, den Teufel unterschätzt zu haben.

Am liebsten wäre Jan zum Fenster am Ende des Ganges gelaufen und hätte sie verscheucht, doch ihm fehlte die Kraft. Selbst die Wolldecke um seine Schultern schien Tonnen zu wiegen.

»Ich möchte nach Hause, Rudi.«

Marenburg reichte ihm einen Plastikbecher, den er aus dem Automaten geholt hatte. »Hier, trink erst mal. Dann sehen wir weiter.«

Jan schüttelte den Kopf. Wenn er den Becher nehmen würde, benötigte er beide Hände. Doch damit hielt er weiterhin den Zettel. Er würde und konnte ihn nicht weglegen, auch wenn sich Janas letzte Worte bereits für alle Zeit in seinen Verstand eingebrannt hatten. Dies war ihr Vermächtnis und seine Strafe, sie nicht geliebt zu haben.

»Dr. Forstner, glauben Sie mir, noch ist es nicht zu spät. Wir werden Frau Weller finden.«

Stark hatte ihm noch immer die Hand auf die Schulter gelegt. Auch er rang um Selbstbeherrschung, und Jan wusste nicht, wen er in diesem Moment mehr zu trösten versuchte – Jan oder sich selbst. Doch als Jan den Kopf hob, konnte der Hauptkommissar ihm nicht in die Augen sehen. Das war ihm Antwort genug.

»Nein«, hörte er sich murmeln. »Nein, Sie werden sie nicht finden. Denn das ist der letzte Teil des Plans, verstehen Sie? Niemand wird Carla je wieder finden.«

Er hob den Zettel und drehte ihn so, dass Stark Janas Nachricht lesen konnte.

JE LÄNGER DU LEIDEST, DESTO LÄNGER WIRST DU AN MICH DENKEN

EIN LETZTER BRIEF

Vier Wochen später erhielt Edith Badtke einen Brief vom Reisebüro Ockermann World Travels, der an eine Frau Jana Harder mit Zustellanweisung an das Fahlenberger Pfarramt adressiert war. Den Brief bekam die Sekretärin zu sich nach Hause geschickt, wo sie sich in ihrem Gästezimmer ein provisorisches Büro eingerichtet hatte, bis ein neues Gebäude für die Pfarrei gefunden war. Verwundert öffnete sie den Umschlag und las das Schreiben.

Sehr geehrte Frau Harder,

der Erfolg eines Unternehmens beruht auf der Zufriedenheit seiner Kunden. Deshalb interessiert uns Ihre Meinung. Hat unser Reiseangebot Ihren Erwartungen entsprochen? Haben Sie Wünsche oder Kritik, die Sie uns mitteilen möchten? Dann verwenden Sie nach Ihrer Rückkehr bitte den beiliegenden Fragebogen.

Ich freue mich auf Ihre Antwort
und verbleibe mit besten Grüßen

Ihr Herbert Ockermann

Im Anhang des Schreibens befanden sich neben dem genannten Fragebogen auch zwei Faltprospekte mit Angeboten für Individualreisen nach Asien und Australien sowie eine Einladung zu einer Multimediapräsentation über die Schönheit der kanadischen Wildnis.

Edith Badtke runzelte die Stirn und las nochmals die Adresse. »Frau Harder?«, murmelte sie, dann schüttelte sie ärgerlich den Kopf. »So ein Blödsinn. Die werden mit ihrer Werbung immer dreister, dabei können sie nicht einmal meinen Namen richtig recherchieren.«

Sie warf den Brief in den Papierkorb und widmete sich wieder ihrem Tagesgeschäft. Keine halbe Stunde später hatte sie den Brief auch schon vergessen.

Kein Wunder, im Moment hatte sie wirklich andere Sorgen.

Der Mann im blauen Sarong und dem ausgeblichenen T-Shirt mit dem *Hard Rock Cafe*-Aufdruck hieß Nyoman Suardana Yasa. Er lehnte hinter der Theke seiner Strandbar und beobachtete die zarte Gischt, die glitzernd mit dem weißen Sand von Padang Bai verschmolz. Über dem tiefblauen Indischen Ozean stand die Sonne bereits tief, dennoch musste Nyoman blinzeln, als er zu den Fischerbooten hinaussah.

Als er noch ein Kind gewesen war, hatte er oft vom Meer geträumt. In diesen Träumen war er mit dem Fischerboot seines Vaters aufgebrochen, um die Welt kennenzulernen.

Nun kam die Welt seit vielen Jahren zu ihm und zeigte ihm ihr Gesicht – im Fernsehen, im Internet und in Zeitschriften, und natürlich auch in Gestalt der Touristen –, und Nyoman hatte aufgehört, von ihr zu träumen. Nun war er froh, auf der Insel der Götter geboren zu sein und sie nie verlassen zu müssen.

Bisher war es ein ruhiger Nachmittag gewesen. Die Hauptsaison war vorüber, und bald würde der Monsun einsetzen. Der Regen war längst überfällig, und man konnte sein Nahen deutlich spüren; jetzt, wo die Luft von Tag zu Tag drückender und schwüler wurde.

Nyoman sah auf seine Armbanduhr. Es war fast halb fünf. Er nickte. Sein Zeitgefühl hatte ihn nicht getrogen.

Er öffnete den Kühlschrank unter dem *Welcome to Bali*-Poster mit der Tempeltänzerin, goss ein Glas Wassermelonensaft ein und stellte es auf die Theke. Dann trat er ins Freie hinaus und schaute den Strand entlang.

Schließlich entdeckte er die schlanke Gestalt, die bereits auf ihn zukam, aber sie war noch weit genug entfernt. Bis sie bei ihm eingetroffen war, würde der Saft eine angenehme Trinktemperatur haben. Ebenso wie Nyoman selbst mochte die Frau ihr Getränk nicht eisgekühlt wie all die anderen Touristen. Diese Gemeinsamkeit hatten sie beide gleich bei ihrer ersten Begegnung festgestellt, und es war nicht die einzige, wie sie im weiteren Verlauf ihrer Bekanntschaft herausfanden.

Seither kam sie täglich zu ihm. Es war wie ein Ritual. Jeden Tag um kurz nach halb fünf. Seit sechs Wochen. Und es gefiel ihm.

Er steckte sich eine Kretek an, inhalierte den Nelkenrauch und betrachtete die Frau, die mit jedem ihrer Schritte auf ihn zu ein kleines Stück zu wachsen schien.

Als sie ihn erkannte, winkte sie ihm zu. Ihr rotes Haar und das bunte Strandkleid schienen in der Nachmittagsbrise um die Wette zu wehen. Aus Nyomans Perspektive sah sie aus wie ein erleuchtetes Wesen. *Wie jemand, der nach langem Weg die Gnade der Götter empfangen hat*, dachte er und winkte lächelnd zurück.

Mit jedem Tag schien ihr Gang aufrechter und selbstsicherer zu werden. Kein Vergleich zu ihrer ersten Begegnung. Es musste ihr sehr schlechtgegangen sein, das hatte man ihr deutlich angemerkt, auch wenn sie nie viel miteinander gesprochen hatten. Aber es gab ohnehin Dinge, die man ohne Worte viel besser ausdrücken konnte.

Deshalb schätzte er ihre Schweigsamkeit sehr. Die meisten Menschen – und vor allem die Touristen – redeten zu viel. So viel, dass ihnen die kleinen Wunder des Alltags entgingen, mit denen die Götter die Menschen beschenkten.

Doch nicht so diese stille Frau. Auch sie mochte anfangs noch blind für die kleinen Wunder gewesen sein, aber irgendwann in den letzten Wochen musste sie sie dann entdeckt haben. Seither war die unsichtbare Last, die sie anfangs noch zu erdrücken gedroht hatte, immer mehr von ihren Schultern geglitten, und irgendwann war auch der letzte Rest davon vom Ozean weggeschwemmt worden.

»Selamat sore«, sagte sie, als sie bei ihm angekommen war, und er erwiderte ihren Gruß.

Sie setzte sich auf einen der Plastikhocker an der Theke und betrachtete das Glas, auf dem sich Wasserperlen gebildet hatten.

»Heute ist das letzte Mal, dass ich vorbeikomme, Nyoman.« Sie klang ein wenig wehmütig. »Morgen fliege ich zurück.«

Er drückte seine Zigarette im Sand aus und setzte sich neben sie. Während sie trank, sahen beide aufs Meer hinaus.

»Das habe ich mir schon fast gedacht«, sagte er. »Ich konnte es an deinem Gang sehen. Du freust dich auf zu Hause, ja?«

Sie nickte. »Noch vor zwei Wochen hätte ich es mir nicht vorstellen können, vielleicht noch nicht einmal vor einer, aber jetzt … Ja, ich freue mich. Vor allem freue ich mich darauf, Jan wiederzusehen.«

Sie zeigte auf den Strand und das Meer. »Ihm habe ich das alles zu verdanken. Ohne seine Hilfe wäre ich jetzt nicht hier. Dabei war es die einzig richtige Entscheidung.«

»Dann hat er dich hierhergeschickt?«

Sie lächelte. »Als es mir sehr schlechtging, fand ich eine Nachricht von ihm in meinem Briefkasten. Eigentlich waren es nur zwei Zeilen und das Flugticket. Ich solle nicht lange nachdenken und mir diese Reise gönnen, um wieder neue Lebensenergie zu tanken. Er werde auf mich warten. Ich glaube, da habe ich zum ersten Mal verstanden, wie viel ich wirklich für ihn empfinde. Und seit ich hier bin, ist es mir noch viel deutlicher geworden.«

Nyoman nickte und erwiderte ihr Lächeln. »Das ist wahre Liebe.«

»Ja, das ist es wohl.«

Sie verabschiedeten sich, und als die Frau nur noch als kleiner Punkt in der Ferne zu sehen war, dachte Nyoman, dass er sich vielleicht doch getäuscht hatte. Vielleicht hatte er sich ein falsches Bild von der Welt jenseits des Horizonts gemacht. Und vielleicht würde er sie eines Tages doch noch bereisen. Aber nicht mehr heute.

Heute würde er seinen Stand früher schließen und dann zu seiner Frau nach Hause fahren. Er würde sie mit Blumen überraschen. Danach stand ihm jetzt der Sinn.

NACHWORT

Die Idee zu dieser Geschichte habe ich einer unbekannten Person zu verdanken. Alles nahm seinen Anfang während einer Lesereise, als ich eines Morgens mein Hotelzimmer verließ und eine einzelne rote Rose vor meiner Tür fand. Der Rose lag keine Nachricht bei, weder ein Brief noch eine Visitenkarte oder wenigstens eine flüchtige Notiz.

Vielleicht bin ich ja ein wenig altmodisch, aber wenn man als Mann eine Rose vor seinem Hotelzimmer findet, fühlt man sich – ungeachtet aller Emanzipation – schon ein wenig merkwürdig. Bis dahin hatte ich zwar schon häufiger von *Frauen* gehört, dass sie Zettel mit Handynummern unter dem Scheibenwischer vorfinden oder Blumensträuße mit Nachrichten von schüchternen Verehrern erhalten, aber ich wüsste keinen *Mann* in meinem Bekanntenkreis, dem so etwas bisher widerfahren wäre.

Offen gestanden hat mir diese unbekannte Person ein wenig Gänsehaut bereitet. Die Vorstellung, dass jemand mitten in der Nacht – genauer gesagt, zwischen meiner Rückkehr von einer Lesung gegen dreiundzwanzig Uhr und meinem frühen Aufbruch um sechs Uhr morgens – vor meinem Zimmer herumschleicht, war nicht sonderlich angenehm. Auch wenn es eine wirklich schöne Rose gewesen ist.

Inzwischen denke ich jedoch, dass sich jemand in der Tür geirrt haben muss. Wer weiß, vielleicht war die Rose für eine attraktive Dame bestimmt gewesen, deren Zimmer sich auf derselben Etage befand? In diesem Fall möch-

427

te ich dem unbekannten Verehrer versichern, dass sich die Rezeptionistin ebenfalls sehr über seinen Blumengruß gefreut hat, denn meine Weiterreise hätte seine Rose sicherlich nicht lange überstanden.

Doch wie immer es auch wirklich gewesen sein mag, diese einzelne Rose hatte meine Fantasie geweckt – und die führt, wie meine Leser wissen, meist in recht dunkle Abgründe. Dort traf ich ein Thema wieder, mit dem ich schon häufiger geliebäugelt hatte: Stalking. Bisher hatte ich darum einen Bogen gemacht, da es hierzu bereits etliche Thriller gibt und mir klar war: Wenn ich je darüber schreiben wollte, musste ich diesem Thema einen neuen Aspekt abgewinnen.

Schließlich war es die E-Mail eines jungen Lesers, die mir deutlich machte, wohin mich meine nächste Geschichte führen würde. Ihm hatten vor allem die surrealen Szenen in *Trigger* gefallen, und er fragte mich, ob ich irgendwann in nächster Zukunft vorhätte, einen Horrorroman zu schreiben.

Darüber hatte ich in der Tat schon nachgedacht, und plötzlich verstand ich, dass der Schlüssel zu meinem Stalking-Thriller die reine Angst war.

Denn was fürchten wir mehr als das Unbekannte – etwas, das wir nicht sehen können, von dem wir aber dennoch wissen, dass es ganz in unserer Nähe lauert? Etwas, das uns vielleicht wie ein Geist erscheint, auch wenn es in unserer heutigen, aufgeklärten Zeit albern erscheinen mag, sich vor Geistern zu fürchten.

Aber Sie können mir glauben, es *gibt* Geister. Sie rasseln nicht mit Ketten oder heulen an verwunschenen Orten. Nein, sie gehen dort um, wo sie uns am meisten Angst machen können: in unserem Kopf. Wir begegnen ihnen, wenn wir eine dunkle Kellertreppe hinabsteigen oder wenn wir uns nachts in einem verlassenen Viertel einer fremden Stadt verirrt haben. Und manchmal genügt es auch nur, allein in einem totenstillen Raum zu sein.

Ja, es gibt Geister, und vor manchen sollte man sich besonders gut in Acht nehmen!

So ist nun dank des Geschenks einer oder eines Unbekannten ein Thriller im Gewand einer Geistergeschichte entstanden. Sicherlich keiner Geschichte in der Tradition eines E. T. A. Hoffmann, Edgar Allan Poe oder M. R. James, aber ich denke, den Herren Freud und Jung hätte sie gefallen können. Ganz besonders, wenn sie gewusst hätten, dass der Autor beim Schreiben gezittert hat.

Abschließend sei wie immer erwähnt, dass die Figuren und Ereignisse in diesem Buch frei erfunden sind und dass jedwede Ähnlichkeit mit realen Personen rein zufällig und nicht von mir beabsichtigt ist.

DANKSAGUNG

Auch bei meinem dritten Ausflug ins imaginäre Fahlenberg haben mich Freunde und Helfer begleitet, denen ich an dieser Stelle herzlich für ihre Unterstützung danke:

allen voran meiner Frau und wichtigsten Leserin *Anita* für die zahllosen Brainstormings zu früher Stunde und für ihre Geduld mit einem Mann, der den Großteil seiner Tage mit fiktiven Personen verbringt,

meinem Agenten *Roman Hocke*, der mir in einem wichtigen Moment beigestanden hat, ebenso wie *Rainer Wekwerth*, dem lebenden Beweis dafür, dass man wahre Freunde zu jeder Tages- und Nachtzeit anrufen kann.

Kirsten und *Markus Naegele*, *Kristof Kurz* und dem gesamten *Heyne-Team* kann ich nur immer wieder für die fruchtbare und freundschaftliche Zusammenarbeit danken. Bei ihnen fühlt man sich als Autor in den allerbesten Händen. Dasselbe gilt für *Heiko Arntz*, der auch dieses Mal seinen Rotstift genau an den richtigen Stellen eingesetzt, wichtige Fragen gestellt und sicheres Gespür für die Geschichte bewiesen hat.

Weiterer Dank gebührt allen, die mich trotz übervoller Terminkalender und anderweitiger Verpflichtungen bereitwillig und geduldig bei meinen Recherchen unterstützt haben. Jeden Einzelnen namentlich zu nennen, würde den Rahmen einer Danksagung sprengen, aber ich mache das mit einer Grillparty im Dorn'schen Garten wieder gut, versprochen.

Darüber hinaus danke ich *Albert Schöffel*, der mich in

aller Ausführlichkeit über die unterschiedlichen Funktionsweisen von Überwachungssystemen informiert hat. Für künstlerische Freiheiten und etwaige inhaltliche Fehler bin allein ich verantwortlich.

Außerdem danke ich dem »Club der fetten Dichter« sowie *Rainer Zahn, Marianne* und *Andreas Eschbach, Cecilia Perucci, Luca Crovi* und *Dario Argento*. Jede dieser Begegnungen war und ist mir Inspiration.

Doch mein größter Dank gilt wie immer *Ihnen*, liebe Leserinnen und Leser. Ohne Sie wären meine Bücher nur bedrucktes Papier. Erst in Ihren Händen erwachen Geschichten zum Leben.

Wulf Dorn
April 2011